보석같은 고난도 NCS

공기업 대비

NCS 점수를 **비약적으로** 올리는 비법

박준혁(보석같은) 지음

KB081517

수리영역   실전전략

문제해결   빠른풀이

자원관리   원리증명

교재 구매자 혜택

1. 5급, 민간경력자 PSAT 자료해석 해설 제공
2. 교재 QnA 및 단원별 추가 예문 제공
3. 수리, 문제해결, 자원관리 문제 모음 배포

이런 수험생들에게 추천합니다.

- NCS를 **단기간에 합격**하고 싶은 수험생
- NCS 필기시험에서 **1~2점 차이**로 떨어지는 수험생
- NCS를 1년 넘게 공부해도 **성적이 오르지 않는** 수험생
- 자료해석, 응용수리, 문제해결, 자원관리 **풀이시간을 단축**하고 싶은 수험생

창조와 지식

[저자 약력]

● 수능수학 교재 및 모의고사 수록
  문항제작 경력 7년
● NCS 공부법 및 문제풀이
  칼럼 40여 개 작성
● NCS 스터디 및 온•오프라인 그룹과외
  무상 운영 2년
● NCS 필기합격자 배출(23년 12월 기준)
  - 한국전력공사
  - 한국전력기술
  - 부산교통공사
  - 한국공항공사 인턴(필기반영)
  - 지방공기업, 공공기관 다수

[검토진]

● (공)한국전력공사 박진한

● (공)한국철도공사 현직자

● (공)근로복지공단 현직자

● (공)한국전력기술 합격자

● (사)KT 네트워크 현직자

● (사)IT 사기업   현직자

[저자의 한마디]

대학생부터 취미 생활로 학생들을 가르쳐왔고 수능수학 문항제작에 대한 오랜 연구를 해오면서, [출제자의 입장]에서 생각하는 것이 문제풀이의 핵심이라는 것을 깨달았습니다.

대학 졸업 이후에는 공기업에 관심이 생겨서 NCS 문제체계를 연구했고 NCS도 마찬가지로 출제자의 입장에서 바라보는 것이 효과적이라는 사실을 느꼈습니다.

대부분의 수험생들은 NCS는 계산 싸움이라 왕도가 없다고 생각하지만, [거의 모든 문제에는 빨리 푸는 방법이 존재]합니다.

이 책에서는 NCS에서 핵심 영역인 [자료해석, 응용수리, 문제해결, 자원관리의 빠른 풀이 비법과 그 원리와 적용방법]을 배울 수 있습니다. [연구를 통해 직접 만들어낸 공식]도 일부 포함되어 있습니다.

[정석 풀이는 생략하고 빠른 풀이 위주로 집필]하였기에 개념이해와 해설을 잘 활용하는 것이 중요합니다.

[보석같은 고난도 NCS 200% 활용하기]

1. [PSAT형 공부법, 계산요령]으로 공부법 확립하기

2. [진단 테스트]로 본인의 문제풀이 속도와 이해도 점검하기

3. [자료해석 실전 비법]으로 자료해석 스피드 풀이 비법 익히기

4. [자료해석 10일 훈련]으로 자료해석 스피드 풀이 비법 훈련하기

5. [개념 익히기 → 빈칸 채우기]로 풀이 비법 확립하기

6. [예문 연습 → 실전 연습]으로 문제풀이에 익숙해지기

7. [중간 점검 → 최종 점검]으로 실전에 풀이 비법 적용해보기

8. [정답 및 해설]에 적혀 있는 풀이를 완전히 내 것으로 만들기

위 8단계로 책을 활용하시면 좋은 결과가 있을 것입니다.

★ 이 책의 핵심은 풀이 비법입니다.
  해설집 활용이 가장 중요합니다.
  쉽게 푼 문제들도 반드시 해설집을 확인하여
  빠르게 푸는 풀이 비법을 익히도록 합시다.

교재 구매자 혜택 안내

혜택 1. 네이버 블로그를 통한 PSAT 자료해석 해설 제공

1. '보석같은' 네이버 블로그 접속(QR코드)
- https://blog.naver.com/misss1085

→

2. 'PSAT 자료해석 해설' 게시판 접속
- 매주 3문제씩 자료해석 문제 해설 작성
- 전체 대상(별도 신청 없이 조회 가능)

혜택 2. 네이버 블로그를 통한 QnA 및 단원별 예문 제공

1. '보석같은' 네이버 블로그 접속(QR코드)
- https://blog.naver.com/misss1085

2. 질문은 이메일로 받고, 블로그로 답변
- 질문 이메일 : misss1085@naver.com

→

3. '보석같은 고난도 NCS' 게시판 접속
- 교재 QnA 및 단원별 예문 제공
  → 이메일로 받은 질문을 블로그로 답변
  → 일부 단원별 고난도 예문 제공
- 서로이웃 대상(하단 설명 참고)

혜택 3. 수리, 문제해결, 자원관리 문제 모음 배포

1. '보석같은' 네이버 블로그 접속(QR코드)
- https://blog.naver.com/misss1085

→

2. 수리, 문제해결, 자원관리 문제 모음 배포
- 매년 3월 1일, 9월 1일에 일괄 배포
  → 40문제(영역별 10문제씩 제공)
  → 서로이웃 전원에게 이메일을 통해 배포
- 서로이웃 대상(하단 설명 참고)

※ 네이버 블로그 서로이웃 신청 방법

1. QR코드를 통해 '보석같은' 블로그 접속하여 이웃추가 버튼 클릭 후 서로이웃 신청하기
2. 하단에 본인 이메일 정자로 기재 후 해당 페이지 사진 촬영하기
3. 이메일 misss1085@naver.com로 인증 사진 보내기(저자가 인증 사진 확인 후 서로이웃 허용)

서로이웃 신청용 본인 서명란		서로이웃 신청용 본인 서명란(예시)
	보석같은 블로그	miSSS 1085

구성 및 특징

구성 1. PSAT형 공부법과 계산요령 익히기

- NCS 필기시험 대비를 위한 PSAT형 공부법 8가지 배우기
- 답예측 연습 방법 배우기
- 유형별 풀이법 배우기

- 빠른 풀이를 위한 계산요령 배우기
- 어림산 요령 배우기
- 자료해석 그래프 유형 접근법 배우기

구성 2. 진단 테스트와 자료해석 실전 비법 및 10일 훈련

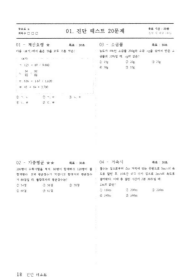

- 수리영역, 문제해결, 자원관리의 간단 예문으로 진단 테스트 진행
- 책에서 배울 예정인 풀이 비법 맛보기

- 자료해석 실전 비법 6가지 배우기
- 자료해석 10일 훈련을 통해 풀이 속도 향상시키기

구성 3. 풀이 비법 학습 및 빈칸 채우기

- 유형별 풀이 비법 학습하기
- 증명을 통한 원리 이해
- TIP을 통해 실전적 풀이 학습

- 풀이 비법에서 학습한 개념을 빈칸 채우기로 확립하기
- 빈칸 채우기를 통해 의식의 흐름에 따라 풀이 과정 이해하기

구성 4. 예문 → 실전 → 중간 점검 → 최종 점검

- 유형별 대표유형 예문 풀어보기
- 유형별 실전유형 실전 문제 풀어보기
- 빠른 풀이 위주의 해설 확인

- 영역별 중간 점검을 통한 실전 대비
- 최종 점검을 통한 고난도 문제 풀이
- 빠른 풀이 위주의 해설 확인

목차

★ : 활용도 보통 / 출제 비중 보통

★★ : 활용도 높음 / 출제 비중 높음

★★★ : 고득점을 위해 반드시 배워야 하는 내용

20일 회독 완성

1일차 ___월 ___일	2일차 ___월 ___일	3일차 ___월 ___일	4일차 ___월 ___일
1. 공부법 01. NCS PSAT형 공부법 02. 답예측 연습 03. 자료해석 그래프 유형 　　접근법	**2. 진단 테스트** 01. 진단 테스트 20문제 **3. 계산요령** 01. 계산요령 02. 어림산 보정	**3. 계산요령** 03. 폰노이만 응용 나눗셈 **4. 자료해석** 01. 자료해석 실전 비법 02. 자료해석 실전 비법 훈련	**5. 응용수리** 01. 가중평균 한줄풀이 • 자료해석 10일 훈련(1일) 　(4일차 ~ 13일차 매일)

5일차 ___월 ___일	6일차 ___월 ___일	7일차 ___월 ___일	8일차 ___월 ___일
5. 응용수리 02. 소금물 완성(가중평균) • 자료해석 10일 훈련(2일)	**5. 응용수리** 03. 거속시 완성 04. 일률 완성 • 자료해석 10일 훈련(3일)	**5. 응용수리** 05. 경우의 수와 확률 • 자료해석 10일 훈련(4일)	**5. 응용수리** 06. 평균, 가평균과 편차 07. 방정식 몰아주기 • 자료해석 10일 훈련(5일)

9일차 ___월 ___일	10일차 ___월 ___일	11일차 ___월 ___일	12일차 ___월 ___일
5. 응용수리 08. 원가이익 09. 나무심기 • 자료해석 10일 훈련(6일)	**5. 응용수리** 10. 시계 한줄풀이 11. 달력 논리 • 자료해석 10일 훈련(7일)	**6. 문제해결** 01. 참거짓 논리 • 자료해석 10일 훈련(8일)	**6. 문제해결** 02. 명제 논리 • 자료해석 10일 훈련(9일)

13일차 ___월 ___일	14일차 ___월 ___일	15일차 ___월 ___일	16일차 ___월 ___일
7. 자원관리 01. 가중치와 순위 • 자료해석 10일 훈련(10일)	**7. 자원관리** 02. 금액계산	**7. 자원관리** 03. 시차 논리 04. 환율 논리	**4. 자료해석** 04. 중간 점검 10문제(A) 05. 중간 점검 10문제(B)

17일차 ___월 ___일	18일차 ___월 ___일	19일차 ___월 ___일	20일차 ___월 ___일
5. 응용수리 12. 중간 점검 20문제	**6. 문제해결** 03. 중간 점검 10문제	**7. 자원관리** 05. 중간 점검 10문제	**8. 최종 점검** 01. 고난도 20문제

1. 공 부 법

01. NCS PSAT형 공부법

1. 최대한 빨리 응수, 명제 논리 이론 끝내기

→ 이후 꾸준히 풀기

PSAT형은 암기할 게 별로 없습니다.

암기가 필요한 부분은 유형별 풀이법입니다.

응용수리, 논리형 문제들의 유형별 풀이법을 빠르게 익히고 반복해서 풀어야 합니다.

그 후 모의고사를 풀면서 유형별 풀이법을 몸소 익혀야 합니다.

모의고사를 풀 때는
되도록 실전이라 생각하고
1) 시간을 관리하면서
2) 답을 예측하면서
푸는 것이 중요합니다.

2. 모의고사 + 자료해석(민경채, PSAT형 문제집) 계속 풀기

→ 실전에 익숙해지기

PSAT형은 자료를 보고 빠르게 판단, 해석하여 답을 찾아내야 합니다.

그리고 시간이 부족한 시험이기에 시험장에서 문제를 보고 고민하고 있을 시간이 없습니다.

익숙해지기 위해서 많이 풀어보면서 버릴지 풀지 판단하고, 답을 예측하면서 풀어야 합니다.

답예측은 선택이 아니라
필수입니다.

3. 모든 문제의 답을 예측하면서 풀기

→ 평균 2번 이내로 답 찾으면 성공적

모든 문제는 선지를 미리 보고 답을 예측하고 푸는 게 좋습니다.

5개의 선지 중에 답으로 유력해 보이는 선지 2개를 미리 정해두고 푸는 것을 추천합니다.

또한, 대부분 문제는 표나 자료부터 보는 게 아니라 선지부터 보는 게 빠른 지름길입니다.

(대략 표와 자료를 3초 내로 스캔하고 버릴지 풀지 판단하고, 8초 내로 답예측 선지 2개를 정해두고 시작하면 됩니다.)

$\frac{6}{7}$을 단순하게 나눠서
계산하는 것이 아니라,
0.7이 8개라서 5.6
0.07이 5개라서 0.35
0.007이 7개라서 0.049
7의 85.7% = 5.999
이렇게 쌓아가야 합니다.

4. 비중, % 계산은 암산으로 할 정도로 익숙해지기

→ 47 ÷ 734 : 암산 가능한 수준으로 올리기

계산속도 향상의 최종 경지는 "암산으로 계산할 수 있는가?"라고 생각합니다.

암산으로 계산할 정도로 익숙해지면 계산속도가 확실히 빨라졌다고 말할 수 있다는 의미.

대부분 사람은 376 + 648 또는 689 − 374는 손쉽게 암산하지만

768 × 34 또는 768 ÷ 34는 쉽게 암산하지 못합니다.

그러면 펜이 필요하고 그만큼 시간 낭비가 발생합니다.

나눗셈 암산의 핵심 전략은 나누기가 아니라 곱셈으로 접근하는 것입니다.

※ 자세한 내용은 **[계산요령 : 나눗셈 계산]** 단원 참고

5. 어떻게든 시험지 전체를 훑기

→ 배점은 같지만, 문항 배치는 무작위라서 쉬운 문제가 뒤에 있을 수도 있다.

전체 시험지를 훑기 위해선 NCS에 대한 이해와 자기 객관화가 완벽히 이뤄져야 합니다.
(이 문제를 보고 "1분 컷 가능할까?"를 판단하고, 안되면 넘어가고 나중에 푸는 것입니다.)
하지만 실전에서 이 정도로 판단할 만큼 능력을 기르기는 힘듭니다.
모의고사를 많이 풀어보면서 익숙해지고 자기 성향을 알아야 어느 정도 판단이 가능해집니다.

TIP

실전적 전략은 필기 파본 검사 때 문항 배치를 살펴보는 것입니다.
이때 응수나 논리형이 어디에 배치됐는지, 뒤쪽에는 어떤 문제들이 있는지 파악해야 합니다.

6. 버릴 문제를 빠르게 판단하기

→ 많이 풀어보면서 자신만의 기준을 정하기

PSAT형 고득점을 위해 가장 중요한 부분 중 하나입니다.
NCS는 의사소통 제목 찾기, 간단한 응용수리, 복잡한 자료해석, 자원관리 초고난도 등 난이도는 천차만별이지만 배점은 모두 같다는 게 특징입니다.
따라서 모의고사를 최대한 많이 풀어보고 익숙해져서 오래 걸릴 문제를 판단하고 버리는 것이 고득점의 지름길입니다.
개인 역량에 따라 어려운 문제가 결정되기 때문에 자신만의 기준을 정해서 버릴 건 버리는 것이 좋습니다.

TIP

어려운 문제에 시간 낭비해선 안 됩니다.

7. 버릴 문제도 푸는 방법 익히기

→ 쉬운 시험이면 어려운 문제로 합격이 갈린다.

NCS 시험은 엄청 어렵기도 하고, 엄청 쉬워서 전공으로 판가름 나는 경우도 있습니다.
특히 쉬우면 쉬울수록 어려운 문제들이 변별력이 됩니다.
그래서 아무리 버릴 문제라도 쉽게 푸는 방법을 익혀두는 게 좋습니다.

8. 모든 문제는 빠른 풀이가 가능하다고 생각하기

→ 사소하게라도 빠른 풀이의 요소들이 숨어있습니다.

빠른 풀이는 학습은 어렵지만, 풀이 속도가 향상된다는 눈에 띄는 아웃풋이 있기에 항상 염두에 두고 공부하는 게 좋습니다.

TIP

일반적인 책의 해설지는 정석 풀이 위주라 시간 절약에 큰 도움이 되지 않습니다.

02. 답예측 연습

[개요]

NCS는 시간 관리가 중요한 시험입니다.

모든 문제를 답인 선지부터 볼 수 있다면 모든 문제를 1분 내로 풀어낼 수 있겠죠?

하지만 현실은 그게 힘들기에 답을 예측하면서 푸는 습관을 들여야 합니다.

답예측은 어떻게 연습해야 하는지 알아봅시다.

- 물론 100% 답을 예측할 수는 없습니다. 확률적으로 높이는 것이 목표입니다.

TIP

답예측의 구체적 방법은 [자료해석] 단원에서 다시 다룰 예정

[답예측 연습]

[방법] : 문제를 보자마자 **어떤 선지가** 답으로 유력해 보이는지 2순위**까지** 표시한 후 풀기

[분석] : 어떤 유형에서는 어떤 선지가 답인지, 답인 선지의 특징**을 분석**해 보기

[습관] : **자료해석** 뿐만 아니라, **의사소통**, **문제해결**, **자원관리**에서도 똑같이 연습하기

TIP

어려운 선지가 답일 확률이 높다.

[답인 선지의 특징]

[공통]

(1) 어려운 선지(누가 봐도 제일 어려운 선지)

(2) 동일 구조가 반복되는 선지(같은 구조인 선지가 3개라면 이 선지들을 주목하기)

[옳은 것을 고르는 문제]

(1) 어려운 선지(누가 봐도 제일 어려운 선지)

(2) 구체적인 계산을 요구하는 선지(32%, 3,247명 등)

[틀린 것을 고르는 문제]

(1) 어려운 선지(누가 봐도 제일 어려운 선지)

(2) 매년 키워드가 들어간 선지(매년, 지속적으로 등의 키워드는 틀리게 내기 좋은 선지)

(3) 조건이 들어간 선지("A이면 B이다." 등)

(4) 구체적이지 않은 계산을 요구하는 선지(20%, 50% 등)

TIP

[ㄱ, ㄴ, ㄷ, ㄹ 합답형] 문제는 쉬운 선지부터 소거하는 것이 중요하다.

[ㄱㄴㄷㄹ 합답형 문제]

(1) 선지 빈도상 소거 가능한 선지(선지에 ㄷ이 3개 포함되어 있다면, ㄷ부터 확인하기)

(2) 쉬운 선지(합답형 문제는 소거가 중요하므로 쉬운 선지를 통해 소거해야 한다.)

[문서이해형 문제]

(1) 당구장, 기타사항, 비고에 집중(핵심사항과 함정은 주로 여기에 있다.)

(2) 순서도 및 특이한 자료에 집중(특이한 자료는 그만큼 출제자가 신경을 쓴 자료이다.)

[자료해석 그래프 문제]

- 다음 장에서 배울 예정

『NCS의 핵심은 답을 예측하는 것입니다』

- 보석같은 -

03. 자료해석 그래프 유형 접근법

[개요]

대부분의 수험생들은 [그래프 문제]는 어렵고 왕도가 없는 유형이라 생각하지만
높은 확률로 답인 선지들의 특징이 몇 가지 있습니다.
[전반적인 팁], [답인 그래프의 특징]으로 나누어 설명하겠습니다.

TIP

기초자료 : 주어진 표와
자료의 값을 그대로
옮겨서 그래프로 만든 것

응용자료 : 주어진 표와
자료의 값을 가공하여
옮겨서 그래프로 만든 것
(증감량, 증감률, ※ 등)

[옳은 그래프를 찾는 문제]

1. 주어진 기초자료(자료 그대로 구성된 그래프)가 답일 가능성이 크다. ← 비교적 쉬운
   선지부터 확인
2. 어려운 계산을 답으로 내놓을 가능성이 작다.
3. 2~4번 선지가 답일 확률이 높다.
4. 틀린 선지들의 특징은 증감 반대로 두기, 비교 대상 바꾸기가 많다.

[틀린 그래프를 찾는 문제]

1. 2~4번 선지가 답일 확률이 높다. (4번이 50% 정도로 매우 높음)
2. 기초자료가 답인 경우, 증감 반대로 두기 > 비교 대상 바꾸기 순으로 답일 확률이 높다.
3. 응용자료가 답인 경우, 비교 대상 바꾸기 > 증감 반대로 두기 순으로 답일 확률이 높다.

[현실적인 의식의 흐름]

"옳은 그래프를 찾을 땐, 우선 2~4번에 주목하기 → 기초자료로 구성된 그래프 위주로 보기
→ 증감 추세 위주로 확인한 후 대상 연도, 연령대 등 비교 대상이 적절한지 파악하기"

"틀린 그래프를 찾을 땐, 우선 4번에 주목하기 → 응용자료로 구성된 그래프에 주목하기"
→ 증감이 바뀌는 구간 확인 후 대상 연도, 연령대 등 비교 대상이 적절한지 파악하기"

TIP

꺾은선그래프 또는
막대그래프에 주목하자.
(원형그래프는 답일
가능성이 매우 낮다.)

※ 응용자료는 계산이 어려워서, 59%인데 56%로 미세하게 값이 틀리게 내진 않는 편이다.
  (1) 주로 다른 대상과 값을 바꾸거나
  (2) 증가하는 부분에서 감소하거나
  (3) 그래프의 기준선 위에 있어야 하는데 아래에 있거나
이런 느낌으로 틀린 선지를 만든다.

[답인 그래프의 특징]

· **옳은 그래프**를 찾는 문제는 **기초자료**를 답으로 자주 낸다.

다음은 A 지역의 연도별 인구 변동을 나타낸 자료이다.
이를 바탕으로 만든 그래프로 옳은 것은?

→ 기초자료 주목

(TIP)

[옳은 그래프 문제]는
너무 어려운 선지를 옳은
답으로 내놓진 않는다.

(TIP)

[틀린 그래프 문제]는
응용자료를 답으로 종종
낸다.

[A 지역의 연도별 인구 변동]

(단위: 명)

A 지역	2018년	2019년	2020년	2021년	2022년
마을1	3,205	3,578	3,679	3,621	3,864
마을2	2,687	2,751	2,864	2,912	2,903
마을3	2,762	2,710	2,860	2,815	3,167
마을4	3,128	3,621	3,681	3,588	3,751

응용자료

① 마을1과 마을2의 연도별 인구수 증가량

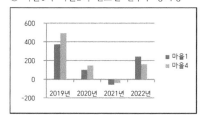

응용자료

② 마을2의 연도별 인구수 증가율

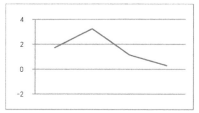

기초자료

✔ 2020년 마을별 인구수

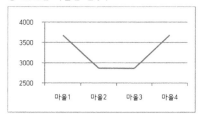

응용자료

④ 마을3과 마을4의 연도별 누적 인구수

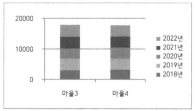

『시험 2주 전에는 모의고사를 매일
풀면서 실전 감각을 유지합시다』

- 보석같은 -

2. 진단 테스트

01. 진단 테스트 20문제

01. 진단 테스트 20문제

01 - 계산요령 ★   목표 : 30초

다음 〈보기〉에서 옳은 것을 모두 고른 것은?

> 〈보기〉
>
> ㄱ. $125 \times 80 \langle 9,680$
>
> ㄴ. $\dfrac{54}{93} \langle \dfrac{52}{88}$
>
> ㄷ. $636 \times 1.67 \langle 1,020$
>
> ㄹ. $45 \times 84 = 3,780$

① ㄱ, ㄴ   ② ㄱ, ㄷ   ③ ㄴ, ㄷ

④ ㄴ, ㄹ   ⑤ ㄷ, ㄹ

02 - 가중평균 ★★   목표 : 30초

200명이 수학시험을 쳐서, 80명이 합격하고 120명이 불합격했다. 전체 평균점수가 70점이고 합격자의 평균점수가 88점일 때, 불합격자의 평균점수는?

① 54점   ② 56점   ③ 58점

④ 60점   ⑤ 62점

03 - 소금물   목표 : 30초

농도가 8%인 소금물 200g과 소금 xg을 섞어서 만든 소금물의 20%일 때, xg의 값은?

① 15g   ② 20g   ③ 25g

④ 30g   ⑤ 35g

04 - 거속시   목표 : 30초

철수는 집으로부터 Lm 거리에 있는 공원으로 5m/s의 속도로 달린 후, 10초간 쉬고 다시 집으로 2m/s의 속도로 걸어왔다. 이때 총 걸린 시간이 2분 30초일 때, Lm의 값은?

① 180m   ② 200m   ③ 220m

④ 240m   ⑤ 260m

05 – 거속시 ★　　　　목표 : 30초

속도비가 3:2인 철수와 영희가 600m인 원형트랙에서 같은 지점에 서로 반대 방향으로 출발하여 2번 만나는데 걸린 시간이 40초일 때, 철수와 영희의 속도의 합은?

① 30m/s　　　② 32m/s　　　③ 35m/s
④ 36m/s　　　⑤ 40m/s

06 – 일률　　　　목표 : 30초

철수와 영희가 보고서를 작성한다. 철수 혼자 하면 3일이 걸리고, 영희 혼자 하면 4일이 걸린다. 철수와 영희가 함께 작성하면 며칠 걸리는가?

① 12/7일　　　② 13/7일　　　③ 2일
④ 15/7일　　　⑤ 16/7일

07 – 방정식 몰아주기　　　　목표 : 30초

철수와 영희가 계단 중간지점에서 가위바위보를 해서 이기면 계단을 3칸 올라가고, 지면 계단을 1칸 내려간다. 총 10판 해서 무승부가 3번 나오고 철수는 중간지점으로부터 5칸 올라가 있었다. 이때 영희는 몇 칸 올라가 있을까?

① 3칸　　　② 5칸　　　③ 7칸
④ 9칸　　　⑤ 11칸

08 – 원가이익　　　　목표 : 30초

원가가 x원인 상품을 20% 인상하여 판매할 때, 총이익이 2,400원이다. 원가 x원은 얼마인가?

① 10,000원　　　② 11,200원　　　③ 12,000원
④ 14,400원　　　⑤ 16,000원

09 – 평균 가평균 ★　　　목표 : 30초

다음 중 옳은 것을 모두 고르면?

> ㄱ. 국어 50점, 수학 70점, 영어 90점 받은 학생 A와 국어 80점, 수학 70점, 영어 60점 받은 학생 B의 평균점수는 같다.
>
> ㄴ. $\dfrac{1+4+5+10}{4} = 5 + \dfrac{(-4)+(-1)+0+5}{4}$
>
> ㄷ. 학생 7명의 평균점수가 58점일 때, 76점을 받은 학생 2명이 추가되면 학생 9명의 평균점수는 62점이다.

① ㄱ　　　　　② ㄱ, ㄴ　　　　　③ ㄱ, ㄷ

④ ㄴ, ㄷ　　　　⑤ ㄱ, ㄴ, ㄷ

10 – 평균 가평균　　　목표 : 30초

철수는 총 5번의 시험에서 평균점수를 80점 이상 받아야 합격한다. 4번째 시험까지 65점, 75점, 80점, 90점을 받았을 때, 5번째 시험에서 최소한 몇 점을 받아야 합격할까?

① 80　　　　　② 85　　　　　③ 90

④ 95　　　　　⑤ 100

11 – 시계　　　목표 : 30초

8시 10분 이후에 처음으로 시침과 분침이 90도가 되는 시간은?

① 약 8시 15분　　② 약 8시 18분　　③ 약 8시 21분

④ 약 8시 24분　　⑤ 약 8시 27분

12 – 달력　　　목표 : 1분 30초

A는 회사 주차장을 격주로 월, 수, 금만 사용할 수 있다. 오늘이 3월 1일 월요일이고 주차를 했을 때, 오늘부터 6월 9일까지 주차장을 총 몇 번 사용할 수 있을까?

① 20회　　　　② 21회　　　　③ 22회

④ 23회　　　　⑤ 24회

13 - 경우의 수　　　**목표 : 30초**

과장 1명, 대리 2명, 사원 3명이 원탁에 앉을 때, 사원끼리 이웃하지 않는 경우의 수는?

① 12　　　　　② 15　　　　　③ 16

④ 18　　　　　⑤ 21

14 - 확률 ★　　　**목표 : 1분**

A 주머니에는 검은 공 1개, 흰 공 2개가 들어있고,
B 주머니에는 검은 공 2개, 흰 공 1개가 들어있다.
A 주머니와 B 주머니를 순서대로 번갈아 1개씩 꺼내서 총 4번 꺼냈을 때, 흰 공이 1개만 나올 확률은?

① $\dfrac{1}{9}$　　　　② $\dfrac{2}{9}$　　　　③ $\dfrac{1}{3}$

④ $\dfrac{4}{9}$　　　　⑤ $\dfrac{5}{9}$

15 - 참거짓　　　**목표 : 30초**

철수, 영희, 민수 중 2명은 진실만 말하고, 1명은 거짓만 말한다. 다음 중 케이크를 먹은 사람은 누구인가?

철수 : 우리 중에 케이크를 먹은 사람은 없어.

영희 : 철수는 거짓말을 하고 있어.

민수 : 영희는 진실을 말하고 있어.

① 철수　　　　② 영희　　　　③ 민수

④ 없음　　　　⑤ 알 수 없음

16 - 참거짓 ★　　　**목표 : 1분 30초**

철수, 영희, 민수, 진희 중 일부는 진실을 말하고, 일부는 거짓을 말한다. 다음 중 반드시 거짓말하는 사람을 모두 고른 것은?

철수 : 나는 거짓말을 하지 않아.

영희 : 민수는 거짓말을 하고 있어.

민수 : 철수는 거짓말을 하고 있어.

진희 : 거짓말하는 사람은 2명이야.

① 민수　　　　② 철수, 영희　　　　③ 철수, 민수

④ 영희, 진희　　　⑤ 영희, 민수, 진희

17 - 명제　　　　　　**목표 : 1분 30초**

가영, 나정, 다혜, 라희 4명은 A 펜션에 놀러 왔다. A 펜션은 3층 2동이고 층마다 1인실 2개씩이 있다. 다음 명제들이 참일 때, 반드시 참인 것은?

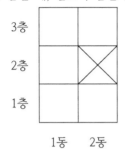

3층

2층

1층

1동　2동

- 2층 2동은 입실 불가능한 빈방이다.
- 가영은 나정이 대각선 아래층 방을 사용한다.
- 라희 바로 옆방은 빈방이다.

---

① 다혜는 2층 1동 방을 사용할 수 있다.
② 라희는 2층 2동 빼고 모든 방을 사용할 수 있다.
③ 나정은 1층 2동 방을 사용할 수 있다.
④ 가영의 옆방은 다혜가 사용한다.
⑤ 4명이 방을 정하는 경우의 수는 4가지이다.

18 - 가중치 ★★　　　　　　**목표 : 1분**

철수, 영희, 민수, 진희, 하니가 A기업에 지원하여 필기전형, 실기전형, 면접전형으로 다음과 같은 점수를 받았다. 각 전형의 점수 반영 비율이 3:3:4일 때, 최종점수가 가장 높은 사람은?

성명	필기전형	실기전형	면접전형	최종점수
철수	78점	62점	84점	??점
영희	83점	58점	82점	??점
민수	76점	63점	85점	??점
진희	81점	59점	84점	??점
하니	76점	66점	83점	??점

① 철수　　　　② 영희　　　　③ 민수
④ 진희　　　　⑤ 하니

19 - 금액계산 ★★　　　　　　**목표 : 1분**

기획부에서 물품을 구매하려고 한다. 현재 재고와 필요한 수량이 다음과 같을 때, 총 구매비용은 얼마인가?

물품명	필요 수량	현재 재고	1개 가격
책상 A	6개	4개	33,000원
책상 B	8개	5개	29,000원
의자 A	12개	8개	8,400원
의자 B	8개	10개	7,600원
의자 C	15개	8개	6,700원

① 224,500원　　② 227,000원　　③ 233,500원
④ 238,000원　　⑤ 242,500원

20 - 시차 ★★★　　　　　　**목표 : 1분 30초**

한국에 사는 철수는 8월 1일 오후 9시에 비행기를 타고 인도에 가서 3시간 동안 업무회의를 한 후, 곧바로 비행기를 타고 미국으로 여행을 가서 자유여행 6시간 후 한국으로 복귀했다.

한국은 인도보다 5시간 빠르고, 미국보다 13시간 빠를 때, 한국에 도착한 날짜와 시간은?

출발지	도착지	비행시간
한국	인도	8시간 20분
인도	미국	17시간 10분
미국	한국	13시간 40분

① 8월 2일 11시 10분
② 8월 2일 16시 10분
③ 8월 2일 21시 10분
④ 8월 3일 11시 10분
⑤ 8월 3일 21시 10분

3. 계 산 요 령

01. 계산요령

[곱셈 공략]

×15, ×25, ×35, ×45

"10의 배수로 만들면 눈으로도 풀린다."

1. $48 \times \underline{15} = 24 \times 30$
2. $62 \times \underline{25} = 31 \times 50$
3. $862 \times \underline{35} = 431 \times 70$
4. $921 \times \underline{45} = 460 \times 90 + (0.5 \times 90)$

문제	답
1. $38 \times 15 =$	
2. $394 \times 25 =$	
3. $502 \times 35 =$	
4. $694 \times 45 =$	

[곱셈 공략]

곱셈 계산 : 앞산

"곱셈은 앞부터 계산하면 판별이 빠르다."

1. 562×34 □ $17,030$

$562 \times 30 = 16,860$이므로

겨우 200 더 크면 **좌변**이 더 크다.

계산할 필요 없이 562×34 〉 $17,030$

문제	답
1. 634×62 □ $38,500$	
2. 124×93 □ $12,000$	
3. 932×32 □ $29,000$	
4. 583×46 □ $26,000$	

[소수의 분수화]

$$0.33 = 1 \div 3 \qquad 0.125 = 1 \div 8$$

> "일부 소수는 분수화하는 게 빠르다."

$0.33 = \dfrac{1}{3}$	$0.166 = \dfrac{1}{6}$	$0.125 = \dfrac{1}{8}$
$0.34 = \dfrac{1}{3}$	$0.167 = \dfrac{1}{6}$	$125 = \dfrac{1,000}{8}$
★ $1.33 = \dfrac{4}{3}$	★ $16.7\% = \dfrac{1}{6}$	★ $x \times 125 = \dfrac{x}{8} \times 1,000$

TIP

자료해석 선지로 33%, 16.7%, 12.5%가 자주 나오기 때문에, 분수화하는 습관을 들이자.

TIP

어림산에도 핵심적이다.

$$684 \times 32 \fallingdotseq 684 \times \frac{100}{3}$$

$$57 \times 172 \fallingdotseq 57 \times \frac{1,000}{6}$$

$$43 \times 122 \fallingdotseq 43 \times \frac{1,000}{8}$$

문제		답
1. 2,466의 16.7%	□ 420	
2. 96.3의 33%	□ 31	
3. 848 ÷ 125	□ 6.5	
4. 1,680의 12.5%	□ 210	

[나눗셈 계산]
10%, 1%, 5% 등 구해두기

> "나눗셈은 곱셈으로 접근하자."

TIP

나눗셈은 곱셈으로 접근하자.

★★★ 4,937 ÷ 8,165를 소수점 첫째 자리까지 계산해 보자.

(1) 무작정 나누지 말고 곱셈으로 접근하자.

(2) [8,165의 10% = 816.5]이고, 816.5 × 6 ≒ 4,900이므로 4,900까지 다가갔다.

(3) 그 후 남은 37만큼만 더 다가가면 된다.

(4) [8,165의 1% = 81.65]이고, 여기서 ÷2하면 40 정도이므로 0.5%만큼 더 더해주면 된다.
따라서 정답은 약 60.5%이다.

TIP

[648 ÷ 796]

1. 796의 10% = 79.6

2. 79.6 × 8 ≒ 640-3.2

3. 11만큼 더 다가가자.

4. 796의 1.4% ≒ 11.2

따라서 정답은 약 81.4%

문제	답
1. 643 ÷ 796	
2. 2,854 ÷ 6,712	

[곱셈 비교]
증가율 비교

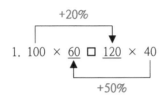

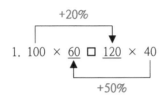

TIP

[증가율로 곱셈 비교]
작은 쪽에서 큰 쪽으로
증가율을 계산하면 된다.

계산한 증가율로
대소비교하면 된다.

"곱셈 비교는 증가율만 보면 된다."

+20%

1. $100 \times \underline{60} \; \square \; \underline{120} \times 40$

+50%

정리하면 **50% 〉 20%**

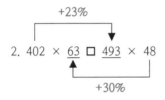

+23%

2. $402 \times \underline{63} \; \square \; \underline{493} \times 48$

+30%

정리하면 **30% 〉 23%**

[증가율로 봐도 되는 이유 증명]

1) A × C □ D × B라 두자.

2) C = B(1 + $m\%$), D = A(1 + $n\%$)라 하자.

3) A × B(1 + $m\%$) □ A(1 + $n\%$) × B

4) 양쪽을 소거하면, (1 + $m\%$) □ (1 + $n\%$)

5) 따라서 $m\%$ □ $n\%$, m과 n의 대소비교이다.

문제	답
1. 84 × 30 □ 70 × 40	
2. 88 × 24 □ 80 × 28	
3. 88 × 33 □ 55 × 55	
4. 78 × 50 □ 60 × 65	

[분수 비교]
증가율 비교

> "분수 비교는 증가율만 보면 된다."

TIP

[증가율로 분수 비교]
작은 쪽에서 큰 쪽으로
증가율을 계산하면 된다.

계산한 증가율로
대소비교하면 된다.

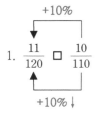

1. $\dfrac{11}{120}$ □ $\dfrac{10}{110}$ (+10%, +10%↓)

분자가 더 크므로 10% 〉 10%↓

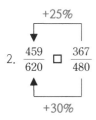

2. $\dfrac{459}{620}$ □ $\dfrac{367}{480}$ (+25%, +30%)

분모가 더 크므로 25% 〈 30%

[증가율로 봐도 되는 이유 증명]

1) $\dfrac{B}{A}$ □ $\dfrac{D}{C}$ 라 두자.

2) $C = A(1 + m\%)$, $D = B(1 + n\%)$라 하자.

3) $\dfrac{B}{A}$ □ $\dfrac{B(1+n\%)}{A(1+m\%)}$

4) 양쪽을 소거하면, $\dfrac{1}{1}$ □ $\dfrac{1+n\%}{1+m\%}$

5) 따라서 $m\%$ □ $n\%$, m과 n의 대소비교이다.

문제			답
1. $\dfrac{71}{523}$	□	$\dfrac{89}{620}$	
2. $\dfrac{363}{888}$	□	$\dfrac{283}{666}$	

02. 어림산 보정

[개요]

어림산을 위해 반올림하는 게 일반적이지만

단순 반올림은 오차도 발생하고 계산도 힘듭니다.

오차를 줄이면서 계산도 쉽게 만드는 [어림산 보정 방법]에 대하여 배워봅시다.

TIP

단순한 반올림은 오차가
발생할 확률이 높습니다.

[1. 오차 보정]

분자와 분모는 **반비례 관계**이기 때문에

(1) 분자가 커질 때, 분모가 작아지면 : ↑↑ (+오차 증가)

(2) 분자가 작아질 때, 분모가 커지면 : ↓↓ (−오차 증가)

(3) 분자가 커질 때, 분모가 커지면 : ↑↓ (상쇄)

(4) 분자가 작아질 때, 분모가 작아지면 : ↓↑ (상쇄)

• **따라서 오차 보정은** 분자와 분모를 같이 올리거나, 같이 내려서 계산하기

[오차 보정 예문]

$$\frac{323,476}{347,548} = 93.07\%$$ 단순 반올림 : $\frac{323}{348}$ = 92.82%

오차 보정(올리기) : $\frac{324}{348}$ = 93.10%   오차 보정(내리기) : $\frac{323}{347}$ = 93.08%

• 위 문제를 소수점 둘째 자리에서 단순 반올림했다면 틀렸을 수도 있습니다.

[예문 모음]

1. $\frac{398}{543}$: $\frac{400}{550}$ (같게 올리기) $\frac{390}{540}$ (같이 내리기)

2. $\frac{453}{672}$: $\frac{460}{680}$ (같이 올리기) $\frac{450}{670}$ (같이 내리기)

3. $\frac{693}{882}$: $\frac{700}{890}$ (같이 올리기) $\frac{690}{880}$ (같이 내리기)

4. $\frac{184}{296}$: $\frac{190}{300}$ (같이 올리기) $\frac{180}{290}$ (같이 내리기)

[2. 계산 보정]

[증명]

$\dfrac{b}{a}$를 어림산 하기 위해 분모와 분자를 일정 값만큼 변화시켰다고 가정해보자.

그 값을 각각 $a \times x\%$, $b \times y\%$라 하자. 그러면 식은 $\dfrac{b(1+y\%)}{a(1+x\%)}$이다.

$\dfrac{b}{a}$와 변화 값 $\dfrac{b(1+y\%)}{a(1+x\%)}$의 오차는 $\dfrac{b(1+x\%)-b(1+y\%)}{a(1+x\%)} = \dfrac{b(x\%-y\%)}{a(1+x\%)}$

※ 오차 : $\dfrac{b(x\%-y\%)}{a(1+x\%)}$

여기서 분자가 0이면 오차가 0이다.

→ 가장 이상적인 상황 : $\underline{x\% = y\%}$

즉, 오차를 줄이려면 분모와 분자의 보정 %를 최대한 비슷하게 하면 된다.

위 증명처럼 정확한 어림산 계산을 위해선 분모와 분자의 보정 %를 비슷하게 해주면 된다.

만약 $\dfrac{321}{546}$을 계산한다면, 대부분은 $\dfrac{320}{550}$으로 반올림할 것이다.

하지만 이 방법은 [오차 보정]에서 배웠듯이 분자가 작아지고 분모가 커져서 오차가 커진다.

[가장 좋은 방법]은 분모를 550까지 올려주고, 분모가 약 1%가량 증가했으므로

분자도 약 1%가량인 3을 올려서 $\dfrac{324}{550}$로 만드는 것이 가장 오차도 줄어들고 계산도 쉽다.

TIP

$\dfrac{321}{546} \fallingdotseq \dfrac{324}{550}$

분모를 약 1% 올리면
약 550이고,
분자도 약 1% 올리면
약 324이다.
(계산량 대폭 감소)

실값 : $\dfrac{321}{546}$ = 58.79%

기본 : $\dfrac{320}{550}$ = 58.18%

보정 : $\dfrac{324}{550}$ = 58.90%

[예문 모음]

1. $\dfrac{398}{543}$: $\dfrac{396}{540}$ (계산 보정 : 약 -0.5%씩)

2. $\dfrac{453}{672}$: $\dfrac{459}{680}$ (계산 보정 : 약 +1.2%씩)

3. $\dfrac{693}{882}$: $\dfrac{699}{890}$ (계산 보정 : 약 +1%↓씩)

4. $\dfrac{184}{296}$: $\dfrac{187}{300}$ (계산 보정 : 약 1.5%씩)

03. 폰노이만 응용 나눗셈

[개요]

나눗셈은 곱하고 빼기를 반복해야 하므로 복잡하고 오래 걸리기에

인간 계산기라 불리는 천재 과학자 <u>폰노이만의 나눗셈 암산 방법</u>을 익혀봅시다.

• 폰노이만의 나눗셈 방식을 모든 숫자에 통하도록 응용 확장하였습니다.

[방법]

1. 나누는 값을 십의 배수로 올려준다.

  → 9로 나눈다면 10으로 올리고, 18로 나눈다면 20으로 올린다.

2. 올린 값으로 나눗셈을 한 후, 올린 만큼 몫을 더해서 다시 나누기를 반복한다.

  → 9를 10으로 올렸다면 [몫×1], 18을 20으로 올렸다면 [몫×2]

TIP

나눗셈이 힘든 이유는
<u>분모가 깔끔하지 않기</u>
때문입니다.

폰노이만 응용 나눗셈은
분모를 깔끔하게 바꿔서
나눗셈을 쉽게 하는 방법
입니다.

[예문]

[문제1] 517 ÷ 29 = 17.827

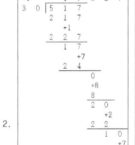

[문제2] 791 ÷ 39 = 20.282

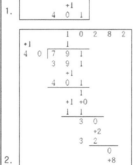

[연습문제]

(1) 777 ÷ 99 = 7.8484

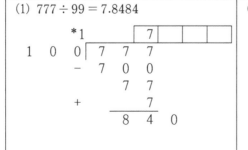

(2) 961 ÷ 397 = 2.4206

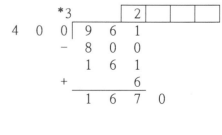

4. 자 료 해 석

01. 자료해석 실전 비법

[개요]

자료해석을 빠르고 정확하게 풀기 위한 비법을 알아보기 위해

이번 단원에서는 5급, 민경채 자료해석 실제 기출문제로 실전 풀이 비법을 배울 것입니다.

• 기본원칙 6가지는 반드시 **습관화**해서 자료해석 문제를 빠르게 풀도록 합시다.

TIP

실전에서 2순위 내로
답을 못 찾으면
3순위를 정하고 풀거나
3순위로 찍고 넘어가자.

[기본 이론]

기본원칙 1 : 문제를 보자마자 답예측을 통해 답인 후보를 2순위까지 선정하자.

→ **[공부법 – 답예측 연습]** 단원 참고

다음 〈표〉는 '갑'국의 학교급별 여성 교장 수와 비율을 1980년부터

5년마다 조사한 자료이다. 이에 대한 설명으로 옳은 것은?

〈표〉 학교급별 여성 교장 수와 비율

(단위: 명, %)

학교급 조사연도 구분	초등학교		중학교		고등학교	
	여성 교장 수	비율	여성 교장 수	비율	여성 교장 수	비율
1980	117	1.8	66	3.6	47	3.4
1985	122	1.9	98	4.9	60	4.0
이하 생략	…	…	…	…	…	…

※ 1) 학교급별 여성 교장 비율(%) = $\dfrac{\text{학교급별 여성 교장 수}}{\text{학교급별 전체 교장 수}} \times 100$

2) 교장이 없는 학교는 없으며, 각 학교의 교장은 1명임.

① 2000년 이후 중학교 여성 교장 비율은 매년 증가한다.

② 초등학교 수는 2020년이 1980년보다 많다.

1순위 ③ 고등학교 남성 교장 수는 1985년이 1990년보다 많다.

2순위 ④ 1995년 초등학교 수는 같은 해 중학교 수와 고등학교 수의 합보다 많다.

⑤ 초등학교 여성 교장 수는 2020년이 2000년의 5배 이상이다.

기본원칙 2 : 무작정 계산하지 말고 **선지를 활용**해서 계산하는 습관을 들이자.

TIP

기본원칙 2는 선지에 제시된 7%를 그대로 가져와서 활용한다는 것이 핵심 비법

만약 $\dfrac{800}{125}$ 을 계산할 경우에 6%인지 7%인지 고민하지 말고 그대로 7을 가져다 쓰면 된다.

〈표〉 2015~2020년 수확량

(단위: 톤)

연도	2015	2016	2017	2018	2019	2020
수확량	10,305	13,406	12,374	14,263	12,500	13,300

[예시 선지] ⑤ 2020년의 수확량은 2019년 수확량보다 7% 이상 증가했다.

올바른 비법) [2019년 수확량 × 107] □ [2020년 수확량] 비교하기

$\qquad$ 125 × 7 = +875 〉 +800　　　　　　　　　　　← 간단한 계산

잘못된 풀이) **2020년 수확량 ÷ 2019년 수확량을 계산**해서 107%와 비교하면 오래 걸린다!

$\qquad \dfrac{133}{125}$ 을 직접 계산하거나 $\dfrac{800}{125}$ 을 직접 계산　　　← 귀찮은 분수 계산

기본원칙 3 : 나눗셈은 되도록 피하고 등식을 넘겨서 곱셈으로 바꿔서 생각하자.

TIP

기본원칙 3에서 가장 조심해야 할 부분은 부등호의 방향이다.

$\dfrac{27}{67}$ ≥ 42% (O, X)를 판별하기 위해 67을 넘기면 27 ≥ 67×42%

실수로 67×42% ≥ 27 로 두고 풀지 말자.

〈표〉 A 마을의 남녀 인구수

(단위: 명)

연도	2015	2016	2017	2018	2019	2020
남자	1,103	1,996	2,197	2,395	2,523	2,700
여자	2,403	2,296	3,697	3,795	3,880	4,000
전체	3,506	4,292	5,894	6,190	6,403	6,700

[예시 선지] ② 2020년의 전체 인구수 중에 남자 인구수의 비율은 42% 이상이다.

올바른 비법) [전체 인구수 × 42] □ [남자 인구수] 비교하기

$\qquad$ 67 × 42% = 28↑ 〉 27　　　　　　　　　　　← 간단한 계산

잘못된 풀이) **남자 인구수 ÷ 전체 인구수를 계산**해서 42%가 넘는지 보면 오래 걸린다!

$\qquad \dfrac{27}{67}$ 을 직접 계산해서 42%와 비교　　　　← 귀찮은 분수 계산

TIP

기본원칙 4의 평균이라는
키워드는 자료해석에서
매우 자주 등장하므로,
반드시 가평균과 편차를
이해해야 한다.

기본원칙 4 : [평균]이라는 단어가 나오면 **가평균과 편차를 활용하자.**

→ **[응용수리 : 평균 = 가평균 + 편차합평균]** 단원 참고

〈표〉 2010~2015년 어획량

(단위: 톤)

연도	2010	2011	2012	2013	2014	2015
어획량	10,305	13,406	12,374	14,263	12,488	11,863

[예시 선지] ③ 2010년부터 2015년까지의 어획량 평균은 12,800톤 이상이다.

올바른 비법) [가평균을 12,800톤]으로 잡고, 각 연도마다 편차를 구해서 부호 판별하기

연도	2010	2011	2012	2013	2014	2015
어획량	-2,500	+600	-430	+1,460	-310	-940

어획량 평균 = 12,800 + (편차 합의 평균) = 12,800 + (음수) ← 거짓

잘못된 풀이) (10,305+13,406+12,374+14,263+12,488+11,863)÷6을 계산하면 오래 걸린다!

TIP

$[\dfrac{325}{481} - \dfrac{437}{693}]$을 구해보자.

$\dfrac{325}{481}$ = 67.6%

$\dfrac{437}{693}$ = 63.1%

따라서 답은 4.5%이다.

하지만 실전에선 정확한
계산은 힘들기에, 대부분
어림산을 할 것이다.

$\dfrac{325}{481} ≒ \dfrac{325}{480}$ $\dfrac{437}{693} ≒ \dfrac{437}{690}$

이렇게 계산하면 각각의
나눗셈에서 오차 발생.
결과는 더 큰 오차 발생.

즉, 힘들게 풀어놓고
틀릴 수도 있다.

기본원칙 5 : [나눗셈 – 나눗셈]을 요구하는 문제는 풀지 말자. ← **과한 계산량 요구**

→ **[PSAT형 공부법 : 6번 버릴 문제를 빠르게 판단하기]**에 해당

→ **나누고, 나누고, 빼는 것**은 시간 대비 효율이 매우 떨어진다.

예시문 선지) ③ 18년 1인당 금액은 19년 1인당 금액보다 120만 원 더 많다.

올바른 비법) 이 문제에 **2분 이상** 투자할 것 아니면 그냥 찍고 넘어가자.

잘못된 풀이) (18년 금액÷인구수) – (19년 금액÷인구수)를 계산하면 매우 오래 걸린다!

기본원칙 6 : 계산문제는 맨 뒷자리 숫자만 보는 습관을 들이자.

→ **[자원관리 : 금액계산]** 단원 참고

→ **선지 확인 후 판별 가능할 때만 사용하기**

→ **덧셈, 뺄셈, 곱셈**에서 유용하다. (단, **나눗셈은** 앞자리부터 등장하므로 **쓰지 말자.**)

기본원칙 6은 자원관리의
[금액계산] 단원에서 다시
다룰 예정입니다.

〈표〉 2010~2015년 어획량

(단위: 톤)

연도	2010	2011	2012	2013	2014	2015
어획량	10,305	13,406	12,374	14,263	12,488	11,863

예시문) 2010년부터 2012년까지의 어획량과 2013년부터 2015년까지의 어획량 차이는?

① 1,324톤　　　② 1,756톤　　　③ 2,130톤

④ 2,529톤　　　⑤ 2,855톤

올바른 비법) (3+8+3) − (5+6+4) = 14−15 = 9, 더 큰 수를 판별 후 맨 뒷자리만 계산하기

잘못된 풀이) (10,305+13,406+12,374) − (14,263+12,488+11,863)를 **계산하면** 오래 걸린다!

맨 뒷자리 숫자는
일의 자리뿐만 아니라,
십, 백의 자리가 될 수도
있습니다.

다양한 문제를 풀어보고
익숙해져야 합니다.

02. 자료해석 실전 비법 훈련

[자료해석 실전 비법 훈련 1]

다음 〈표〉를 보고 물음에 답하시오. (단, 소수점 계산은 첫째 자리에서 반올림한다.)

〈표〉 갑, 을, 병의 1~4월 소비액

(단위: 원)

소비자	1월	2월	3월	4월
갑	387,400	551,230	485,350	427,700
을	635,500	628,500	681,120	705,970
병	488,360	521,600	503,840	496,710

문제	응답	해설
① 갑의 1~4월 소비액은 185만 원 이상이다. • 덧셈: 전체의 합 구하기(sum)	(O, X)	1) 큰 수(sum)의 비교이므로 앞자리 위주로 계산하자. 2) 387 + 551 + 485 + 427 = 938 + 912 = 1,850 3) 뒷자리를 남겨놔도 1,850이므로 185만 원 이상이다. 따라서 옳은 선지이다. (O)
② 갑과 을의 소비액 차이가 두 번째로 큰 월은 4월이다. • 뺄셈: 차이 살피기	(O, X)	1) 차이 비교이므로 선지에 제시된 4월을 기준으로 잡자. 2) 4월은 약 28만 원 차이 난다. 3) 눈으로만 봐도 28만 원 이상 차이 나는 월은 없다. 4) 즉, 4월은 가장 큰 월이다. 따라서 틀린 선지이다. (X)
③ 1월 대비 4월의 소비액 증가율은 갑이 을보다 크다. • 나눗셈: 분수 비교 • [계산요령 – 분수 비교] 참고	(O, X)	1) 분수 비교이므로 분자와 분모의 증가율을 확인하자. 2) $\frac{40}{388} > \frac{70}{636}$ 을 판별해야 한다. 3) 분자 : 40에 비해 70은 약 30 더 크므로 70%↑ 4) 분모 : 388에 비해 636은 약 250 더 크므로 70%↓ 5) 즉, 우변의 분자가 더 크므로 우변이 더 크다. 따라서 틀린 선지이다. (X)

문제	응답	해설
④ 병의 1월 대비 2월 소비액 증가율은 8% 이상이다. • 나눗셈: 분수 vs 값 비교 • [자료해석 실전 비법 – 기본원칙 3] 참고	(O, X)	1) 분수 vs 값 비교이므로 곱셈으로 바꿔서 생각하자. 2) $\dfrac{33}{488}$ > 8%이므로 33 > 488 × 8%를 비교하자. 3) 488 × 8% ≒ 40↓ 4) 33 > 40↓ 는 모순이다. 따라서 틀린 선지이다. (X)
⑤ 갑의 3월 대비 4월의 소비액은 88%이다. • 나눗셈: 정확한 계산 • [자료해석 실전 비법 – 기본원칙 2] 참고	(O, X)	1) 선지에 제시된 88%를 가져다 쓰는 것이 핵심이다. 2) $\dfrac{427}{485}$ = 88%이므로 427 = 485 × 88%를 확인하자. 3) 485 × 88% = 485 × (80% + 8%) = 388 + 38.8 4) 즉, 485 × 88% ≒ 426.8이다. 5) 87%라면 427 − 5 ≒ 422 6) 89%라면 427 + 5 ≒ 432 따라서 옳은 선지이다. (O)
⑥ 을의 1~4월 소비액의 평균은 665,000원 이상이다. • 평균: 가평균과 편차 • [자료해석 실전 비법 – 기본원칙 4] 참고	(O, X)	1) 평균 문제이므로 가평균으로 접근하자. 2) 가평균을 665,000원으로 잡고 편차를 구하자. | 소비자	1월	2월	3월	4월	편차합
---	---	---	---	---	---
을	−29.5	−36.5	+16.1	+40.9	음수	 3) 즉, 을의 1~4월 소비액 평균은 [665,000 − a] 따라서 틀린 선지이다. (X)
⑦ 을의 2월 소비액은 갑의 2월 소비액보다 16.7% 이상 많다. • 계산요령: 16.7% ≒ $\dfrac{1}{6}$ • [계산요령 – 소수의 분수화] 참고	(O, X)	1) 16.7% ≒ $\dfrac{1}{6}$이므로 $\dfrac{1}{6}$로 생각하자. 2) 628 > 551 × 1.167이므로 628 > 551 × (1 + $\dfrac{1}{6}$) 3) 551 + (551 ÷ $\dfrac{1}{6}$) ≒ 551 + 92 = 643 4) 628 > 643은 모순이다. 따라서 틀린 선지이다. (X)

[자료해석 실전 비법 훈련 2]

다음 〈표〉를 보고 물음에 답하시오. (단, 소수점 계산은 둘째 자리에서 반올림한다.)

〈표〉A마트 1~5일 결제 건수와 매출액

(단위: 건, 천 원)

소비자	1일	2일	3일	4일	5일
결제 건수	420	390	412	435	400
총매출액	1,723	1,488	1,652	1,708	1,683

문제	응답	해설
① 1~5일의 총매출액은 8,254천 원이다. • 덧셈: 전체의 정확한 합 구하기(sum)	(O, X)	1) 정확한 합을 구해야 하므로 2단위씩 끊어서 계산하자. 2) 십+일의 자리 : 23 + 88 + 52 + 08 + 83 = 254 3) 천+백의 자리 : 17 + 14 + 16 + 17 + 16 = 8,000 4) 최종 결과 : 8,254천 원 따라서 옳은 선지이다. (O)
② 전일 대비 총매출액의 차이가 두 번째로 큰 일자는 3일이다. • 뺄셈: 증감량 추세	(O, X)	1) 차이 비교이므로 선지에 제시된 3일을 기준으로 잡자. 2) 3일은 전일 대비 164천 원 차이 난다. 3) 164천 원 이상 차이 나는 월은 2일뿐이다. 4) 즉, 3일은 두 번째로 큰 일자가 맞다. 따라서 옳은 선지이다. (O)
③ 결제 건수 대비 총매출액의 비중은 3일이 1일보다 크다. • 나눗셈: 분수 비교(1:1) • [계산요령 – 분수 비교] 참고	(O, X)	1) 분수 비교이므로 분자와 분모의 증가율을 확인하자. 2) $\frac{172}{420}$ 〈 $\frac{165}{412}$ 을 판별해야 한다. 3) 분자 : 165에 비해 172는 7 더 크므로 4%↑ 4) 분모 : 412에 비해 420은 8 더 크므로 2%↓ 5) 즉, 좌변의 분자가 더 크므로 좌변이 더 크다. 따라서 틀린 선지이다. (X)

문제	응답	해설
④ 결제 건수 대비 총매출액이 가장 작은 일자는 2일이다. • 나눗셈: 분수 비교(전체) • [계산요령 – 분수 비교] 참고	(O, X)	1) 선지에 제시된 2일을 기준으로 잡자. 2) 2일은 4보다 작으므로, 4보다 작은 일자부터 찾자. 3) 4보다 작은 일자는 4일뿐이다. 4) $\frac{149}{390}$ < $\frac{171}{435}$을 비교하자. 5) 분자 : 149에 비해 171은 22 더 크므로 약 15% 6) 분모 : 390에 비해 435는 45 더 크므로 11%↑ 7) 즉, 우변의 분자가 더 크므로 우변이 더 크다. 따라서 옳은 선지이다. (O)
⑤ 1일의 결제 건수 대비 총매출액은 4.1(천 원/건)이다. • 나눗셈: 정확한 계산 • [자료해석 실전 비법 – 기본원칙 2] 참고	(O, X)	1) 선지에 제시된 4.1을 가져다 쓰는 것이 핵심이다. 2) $\frac{1,723}{420}$ = 4.1이므로 1,723 = 420 × 4.1을 확인하자. 3) 420 × 4.1 = 420 × (4 + 0.1) = 1,680 + 42 4) 즉, 420 × 4.1 = 1,722이다. 5) 4.0이라면 1,722 − 42 = 1,680 6) 4.2라면 1,722 + 42 = 1,764 따라서 옳은 선지이다. (O)
⑥ 1~5일 총매출액의 평균은 1,650천 원 이상이다. • 평균: 가평균과 편차 • [자료해석 실전 비법 – 기본원칙 4] 참고	(O, X)	1) 평균 문제이므로 가평균으로 접근하자. 2) 가평균을 1,650원으로 잡고 편차를 구하자. |	1일	2일	3일	4일	5일	편차합 | |---|---|---|---|---|---| | | +73 | −162 | +2 | +58 | +33 | 양수 | 3) 즉, 1~5일 총매출액의 평균은 [1,650 + α] 따라서 옳은 선지이다. (O)
⑦ 1일과 5일의 결제 건수 대비 총매출액 값의 차이는 0.1(천 원/건)이다. • 나눗셈 - 나눗셈: 버려야 할 확률이 높다. • [자료해석 실전 비법 – 기본원칙 5] 참고 • [어림산 보정 – 계산 보정] 참고	(O, X)	1) $\left\| \frac{1,723}{420} - \frac{1,683}{400} \right\|$의 계산은 오래 걸린다. 2) 분모의 차이가 5%이므로 5%씩 올려주자. 3) 1,683의 5%는 84이므로 1,767로 올려주자. 4) $\left\| \frac{1,723}{420} - \frac{1,767}{420} \right\|$ = $\frac{44}{420}$ ≒ 0.1 (어림산 보정을 한 것. 꼭 이렇게 풀 필요는 없다.) 따라서 옳은 선지이다. (O)

[자료해석 실전 비법 훈련 3]

다음 〈표〉를 보고 물음에 답하시오. (단, 소수점 계산은 첫째 자리에서 반올림한다.)

〈표〉 A~D동 연령대별 인구수

(단위: 명)

연령대	A동	B동	C동	D동
29세 이하 인구수	3,150	2,977	2,050	1,028
49세 이하 인구수	5,587	5,500	5,886	2,355
전체 인구수	10,262	8,632	8,190	5,435

문제	응답	해설
① A~D동의 전체 인구수는 32,000명 이상이다. • 덧셈: 전체의 합 구하기(sum)	(O, X)	1) 큰 수(sum)의 비교이므로 앞자리 위주로 계산하자. 2) 102 + 86 + 81 + 54 = 188 + 135 = 32,300 3) 뒷자리를 남겨놔도 32,300이므로 32,000명 이상이다. 따라서 옳은 선지이다. (O)
② A동과 B동의 50세 이상 인구수 합은 7,807명이다. • 뺄셈: 합의 뺄셈	(O, X)	• 50세 이상 인구수 = (전체 − 49세 이하) 인구수 1) A동과 B동의 (전체 − 49세 이하) 인구수를 구하자. 2) [18,894 − 11,087] = 7,807명이다. 따라서 옳은 선지이다. (O)
③ 49세 이하 인구수 대비 29세 이하 인구수가 두 번째로 큰 동은 B동이다. • 나눗셈: 분수 비교 • [계산요령 − 분수 비교] 참고	(O, X)	1) 선지에 제시된 B동을 기준으로 잡자. 2) B동은 50%보다 크므로 50%보다 큰 동부터 찾자. 3) 50%보다 큰 동은 A동뿐이다. 4) $\frac{315}{559} > \frac{298}{550}$가 성립하는지 비교하자. 5) 분자 : 298에 비해 315는 17 더 크므로 6%↓ 6) 분모 : 550에 비해 559는 9 더 크므로 2%↓ 7) 즉, 좌변의 분자가 더 크므로 좌변이 더 크다. 따라서 옳은 선지이다. (O)

문제	응답	해설
④ D동의 전체 인구수 대비 30~49세 인구수는 25% 이상이다. • 나눗셈: 분수 vs 값 비교 • [자료해석 실전 비법 – 기본원칙 3] 참고	(O, X)	• 30~49세 인구수 = (49세 이하 – 29세 이하) 인구수 1) 분수 vs 값 비교이므로 곱셈으로 바꿔서 생각하자. 2) $\dfrac{133}{544}$ > 25%이므로 133 > 544 × 25%를 비교하자. 3) 544 × 25% = 272 × 50% = 136 4) 133 > 136은 모순이다. 따라서 틀린 선지이다. (X)
⑤ A동의 50세 이상 인구수 대비 29세 이하 인구수는 65%이다. • 나눗셈: 정확한 계산 • [자료해석 실전 비법 – 기본원칙 2] 참고	(O, X)	• 50세 이상 인구수 = (전체 – 49세 이하) 인구수 1) 선지에 제시된 65%를 가져다 쓰는 것이 핵심이다. 2) $\dfrac{315}{468}$ = 65%이므로 315 = 468 × 65%를 확인하자. 3) 468 × 65% = 234 × 130% = 234 + 70.2 4) 즉, 468 × 65% = 304.2이다. 5) 66%라면 304.2 + 4.7 ≒ 308.9 6) 67%라면 308.9 + 4.7 ≒ 313.6 ... 67%에 가깝다. 따라서 틀린 선지이다. (X)
⑥ A~D동의 30~49세 인구수 평균은 2,500명 이하이다. • 평균: 가평균과 편차 • [자료해석 실전 비법 – 기본원칙 4] 참고	(O, X)	• 30~49세 인구수 = (49세 이하 – 29세 이하) 인구수 1) 평균 문제이므로 가평균으로 접근하자. 2) 가평균을 2,500명으로 잡고 편차를 구하자. | 연령대	A동	B동	C동	D동	편차합
---	---	---	---	---	---
30~49	-63	+23	+1,336	-1,173	양수	 3) 즉, A~D동의 30~49세 인구수 평균은 [2,500 + α] 따라서 틀린 선지이다. (X)
⑦ 50세 이상 인구수 대비 29세 이하 인구수가 90%를 넘는 동은 2개다. • 계산요령: 90% = (100% – 10%)	(O, X)	• 50세 이상 인구수 = (전체 – 49세 이하) 인구수 1) 90% = (100% – 10%)이므로 50세 이상 인구수만 구해두면 금방 풀 수 있다. 2) 50세 이상 인구수와 29세 이하 인구수가 비슷한 동은 B동과 C동뿐이다. 4) B동 : (3,132 – 313) < 2,977 ... (O) 3) C동 : (2,304 – 230) < 2,050 ... (X) 따라서 틀린 선지이다. (X)

[예문 1] – 2020년 7급 공채 및 민경채 22번 실전 비법 훈련

다음 〈조사개요〉와 〈표〉는 A 기관 5개 지방청에 대한 외부고객 만족도 조사결과이다. 이에 대한 설명으로 옳지 않은 것은?

―――――――― 〈조사개요〉 ――――――――

○ 응답자 수: 총 101명(조사항목별 무응답은 없음)
○ 조사항목: 업무 만족도, 인적 만족도, 시설 만족도

〈표〉 A 기관 5개 지방청 외부고객 만족도 조사결과

(단위: 점)

구분	조사항목	업무 만족도	인적 만족도	시설 만족도
	전체	4.12	4.29	4.20
성별	남자	4.07	4.33	4.19
	여자	4.15	4.27	4.20
연령대	30세 미만	3.82	3.83	3.70
	30세 이상 40세 미만	3.97	4.18	4.25
	40세 이상 50세 미만	4.17	4.39	4.19
	50세 이상	4.48	4.56	4.37
지방청	경인청	4.35	4.48	4.30
	동북청	4.20	4.39	4.28
	호남청	4.00	4.03	4.04
	동남청	4.19	4.39	4.30
	충청청	3.73	4.16	4.00

※ 주어진 점수는 응답자의 조사항목별 만족도의 평균이며, 점수가 높을수록 만족도가 높음(5점 만점).

① 모든 연령대에서 '업무 만족도'보다 '인적 만족도'가 높다.

2순위 ② '업무 만족도'가 높은 지방청일수록 '인적 만족도'도 높다.

③ 응답자의 연령대가 높을수록 '업무 만족도'와 '인적 만족도'가 모두 높다.

1순위 ④ '업무 만족도', '인적 만족도', '시설 만족도'의 합이 가장 큰 지방청은 경인청이다.

⑤ 남자 응답자보다 여자 응답자가 많다.

(1) **[옳지 않은 문제]**이므로 가장 어려운 선지와 매년 키워드에 주목한다. **④번 → ②번 → ③번 순**

(2) **④번 눈 풀이** : **경인청을 기준**으로 잡고 항목별로 확인하면, **전반적으로 모든 항목에서 1등**이므로 참

(3) **②번 눈 풀이** : 지방청 **상위 3개씩 끊어서** 순위 체크, 지방청이 5개이므로 **5개를 한 번에 보면 시간 낭비**

※ ⑤번 선지는 **가중평균**이므로 **10초면** 판별한다. ← [응용수리 – 가중평균 한줄풀이] 참고

※ **매년 키워드** 중에 ①과 ③보다는 ④이 어렵기에 ④부터 확인

[예문 2] – 2020년 7급 공채 및 민경채 21번 실전 비법 훈련

다음 〈표〉는 '갑'국의 멸종위기종 지정 현황에 관한 자료이다.

이에 대한 설명으로 옳지 않은 것은?

〈표〉 멸종위기종 지정 현황

(단위: 종)

지정 분류	멸종위기종	멸종위기 I 급	멸종위기 II 급
포유류	20	12	8
조류	63	14	49
양서 · 파충류	8	2	6
어류	27	11	16
곤충류	26	6	20
무척추동물	32	4	28
식물	88	11	77
전체	264	60	204

※ 멸종위기종은 멸종위기 I 급과 멸종위기 II 급으로 구분함.

① 멸종위기종으로 '포유류'만 10종을 추가로 지정한다면, 전체 멸종위기종 중
   '포유류'의 비율은 10 % 이상이다.

② 각 분류에서 멸종위기종 중 멸종위기 I 급의 비율은 '무척추동물'과 '식물'이 동일하다.

2순위 ✖ 각 분류의 멸종위기종에서 5종씩 지정을 취소한다면, 전체 멸종위기종 중 '조류'의
   비율은 감소한다.

④ 각 분류에서 멸종위기종 중 멸종위기 II 급의 비율은 '조류'가 '양서·파충류'보다 높다.

1순위 ⑤ '포유류'를 제외한 모든 분류에서 각 분류의 멸종위기종 중 멸종위기 II 급의 비율은
   각 분류의 멸종위기종 중 멸종위기 I 급의 비율보다 높다.

(1) **[옳지 않은 문제]**이므로 가장 어려운 선지와 매년 키워드에 주목한다. **⑤번 → ③번 → ①번 순**

(2) **⑤번 눈 풀이** : 어려운 줄 알았더니 알고 보니 쉬운 선지였다. 그냥 개수비교

(3) **③번 풀이** : 딱 봐도 어렵다. 5종씩 취소한다고 했으므로 전체적으로는 35종 감소.

• 상세풀이 1 : 63에서 5 감소하면 10% 미만 감소, 264에서 35 감소하면 10% 이상 감소.

   즉, 조류 입장에선 조금 감소했다. → 조류의 비율은 증가했다.

• 상세풀이 2 : $\dfrac{63}{264}$ □ $\dfrac{58}{229}$. 분자는 10% 미만 증가, 분모는 10% 이상 증가.

   즉, 우변이 더 크다. → 5종씩 취소했더니 조류의 비율은 증가했다.

※ ③번 분수 비교는 **[계산요령 – 분수 비교]** 참고

[예문 3] – 2020년 7급 공채 및 민경채 13번 실전 비법 훈련 (4지 선다 변형)

다음 〈표〉는 2017~2019년 '갑'국 A ~ D 지역의 1인 1일당 단백질 섭취량과 지역별
전체 인구에 대한 자료이다. 〈표〉를 이용하여 작성한 그래프로 옳지 않은 것은?

〈표 1〉 지역별 1인 1일당 단백질 섭취량

(단위: g)

연도 지역	2017	2018	2019
A	50	60	75
B	100	100	110
C	100	90	80
D	50	50	50

※ 단백질은 동물성 단백질과
식물성 단백질로만 구성됨.

〈표 2〉 지역별 1인 1일당 식물성 단백질 섭취량

(단위: g)

연도 지역	2017	2018	2019
A	25	25	25
B	10	30	50
C	20	20	20
D	10	5	5

〈표 3〉 지역별 전체 인구

(단위: 명)

연도 지역	2017	2018	2019
A	1,000	1,000	1,100
B	1,000	1,000	1,000
C	800	700	600
D	100	100	100

① 2017 ~ 2019년 B와 D 지역의 1인 1일당
동물성 단백질 섭취량

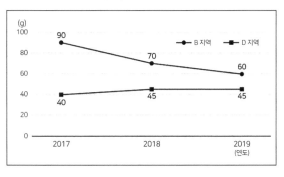

② 2019년 지역별 1일 단백질 총섭취량

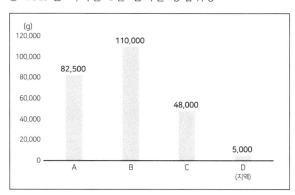

2순위

③ 2017년 지역별 1인 1일당 단백질 섭취량 구성비

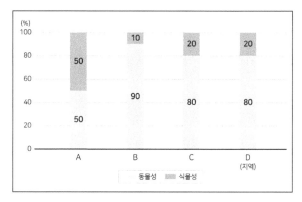

1순위

☑ 지역별 2017년 대비 2018년 1인 1일당
식물성 단백질 섭취량 증감률

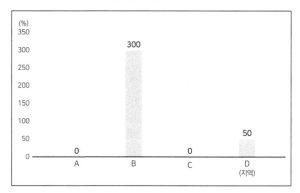

(1) [그래프 옳지 않은 문제]이므로 응용자료에 주목한다.
④번 → ③번 순

(2) ④번 풀이 : B지역은 10+[20]이므로 200% 증가

(3) ③번 풀이 : A의 대칭 확인 → C와 D를 같이 보기

『해설을 꼭 확인하여 풀이 팁을 배워가세요』

- 보석같은 -

03. 자료해석 10일 훈련

정답 및 해설 215p

[개요]

자료해석의 핵심 선지들을 시간 내에 푸는 훈련을 하는 단원입니다.

• 실제 PSAT 공채시험에 출제됐던 자료를 기반으로 재구성하였습니다.

1일 차

다음 〈표〉를 보고 물음에 답하시오.
(단, 소수점 계산은 둘째 자리에서 반올림한다.)

[소요시간]
3:30 매우 우수
4:00 우수
4:30 보통
5:00 노력 필요
(정답 7개 이상)

〈표〉 종합병원 A의 날짜별 진료 실적

(단위: 명)

구분 \ 날짜	진료의사 수	진료환자 수	진료의사 1인당 진료환자 수
4월 5일	23	( )	34
4월 6일	26	988	( )
4월 7일	( )	580	( )
4월 8일	25	700	28
4월 9일	30	1,050	35
4월 10일	15	285	19
4월 11일	4	48	12
계	143	( )	–

※ 종합병원 A의 진료의사는 2일 연속으로 근무하지 않음

문제	정답
1. 4월 5일 진료환자 수를 구하시오.	
2. 4월 6일 진료의사 1인당 진료환자 수를 구하시오.	
3. 4월 7일 진료의사 수를 구하시오.	
4. 해당 기간의 전체 진료환자 수를 구하시오.	
5. 4월 7일 진료의사 1인당 진료환자 수를 구하시오.	
★ 6. 4월 7일 대비 4월 8일의 진료환자 수 증가율을 구하시오.	(%)
7. 4월 6일부터 4월 8일까지 진료환자 수는 전체 진료환자 수의 50% 미만이다.	(O, X)
★ 8. 4월 10일과 4월 11일의 진료의사 1인당 진료환자는 17.5명 이상이다.	(O, X)

2일 차

다음 〈표〉를 보고 물음에 답하시오.

(단, 소수점 계산은 둘째 자리에서 반올림한다.)

[소요시간]

4:00 매우 우수

4:30 우수

5:00 보통

5:30 노력 필요

(정답 7개 이상)

〈표〉 2022년 '갑'국 주요 수입 농산물의 수입경로별 수입량

(단위: 톤)

농산물 \ 수입경로	육로	해상	항공
콩	2,593	105,340	246,117
건고추	2,483	78,437	86,097
땅콩	2,260	8,219	26,146
참깨	2,024	12,986	76,812
팥	2,020	7,102	42,418

※ 1) 농산물별 수입량

= 농산물별 육로수입량 + 농산물별 해상수입량 + 농산물별 항공수입량

2) 농산물별 육로수입량 비중(%) = $\dfrac{\text{농산물별 육로수입량}}{\text{농산물별 수입량}} \times 100$

문제	정답
1. 〈표〉의 5가지 농산물에 대한 육로의 전체 수입량을 구하시오.	(톤)
2. 농산물별 수입량이 가장 작은 농산물을 찾으시오.	
3. [5×해상수입량 〈 항공수입량 〈 6×해상수입량]에 해당하는 농산물을 모두 찾으시오.	
4. 건고추의 [항공수입량 − (해상수입량 + 육로수입량)]을 구하시오.	(톤)
5. 농산물별 수입량에서 육로수입량 비중이 가장 큰 농산물을 찾으시오.	
★ 6. 땅콩의 해상수입량 대비 육로수입량의 비중을 구하시오.	(%)
★ 7. 육로수입량 비중이 가장 작은 농산물의 육로수입량 비중은 0.7% 이상이다.	(O, X)
★ 8. 〈표〉의 5가지 농산물에 대한 항공수입량 평균은 95,000톤 이상이다.	(O, X)

3일 차

다음 〈표〉를 보고 물음에 답하시오.

(단, 소수점 계산은 둘째 자리에서 반올림한다.)

〈표〉 A ~ F 홍보업체의 온라인 홍보매체 운영현황

(단위: 만 명)

구분 홍보업체	미디어채널	SNS 팔로워	공공정책
A	90	50	유
B	180	0	무
C	50	80	유
D	80	60	무
E	100	40	무
F	60	45	유

문제	정답
1. 미디어채널과 SNS 팔로워의 차이가 두 번째로 작은 홍보업체를 고르시오.	
2. 공공정책이 '유'인 홍보업체의 SNS 팔로워의 합을 구하시오.	(만 명)
3. 미디어채널과 SNS 팔로워의 차이가 30 이하인 홍보업체의 개수를 구하시오.	
4. A의 미디어채널 대비 SNS 팔로워를 구하시오.	(%)
★ 5. 공공정책이 '무'인 홍보업체의 전체 미디어채널 대비 SNS 팔로워를 구하시오.	(%)
6. SNS 팔로워가 평균 이하인 홍보업체들의 미디어채널 합을 구하시오.	(만 명)
★ 7. B의 미디어채널 대비 D의 미디어채널은 44% 이상이다.	(O, X)
★ 8. 미디어채널이 평균보다 10 이상 작은 홍보업체들의 공공정책은 모두 '유'이다.	(O, X)

4일 차

다음 〈표〉를 보고 물음에 답하시오.

(단, 소수점 계산은 둘째 자리에서 반올림한다.)

〈표〉 2013~2022년 '갑'국 국방연구소의 특허 출원 건수

(단위: 건)

연도 구분	2013	2014	2015	2016	2017	2018	2019	2020	2021	2022
국내 출원	287	368	385	458	514	481	555	441	189	77
국외 출원	34	17	9	26	21	13	21	16	2	3

문제	정답
1. 국외 출원 건수가 두 번째로 높은 연도의 국내 출원 건수를 구하시오.	(건)
2. 국내 출원 건수가 300건 이하인 연도의 국외 출원 건수 합을 구하시오.	(건)
3. 국내 출원 건수가 국외 출원 건수의 20배보다 적은 연도의 개수를 구하시오.	
★ 4. 2016년부터 2019년까지의 국내 출원 건수 평균 건수를 구하시오.	(건)
5. 2015년의 국내 출원 건수 대비 국외 출원 건수의 비율을 구하시오.	(%)
★ 6. 2020년의 국내 출원 건수 대비 국외 출원 건수의 비율을 구하시오.	(%)
★ 7. 위 〈표〉에서 전체 국외 출원 건수 중에 2014년의 비중은 10% 이상이다.	(O, X)
8. 위 〈표〉에서 짝수 연도의 국내 출원 건수가 홀수 연도의 국내 출원 건수보다 많다.	(O, X)

5일 차 고난도

다음 〈표〉를 보고 물음에 답하시오.
(단, 소수점 계산은 둘째 자리에서 반올림한다.)

[소요시간]
4:30 매우 우수
5:00 우수
5:30 보통
6:00 노력 필요
(정답 6개 이상)

〈표〉 2022년 A~E 국의 세액감면 현황

(단위: 백만 달러, %)

구분 국가	세액감면액	GDP 대비 세액감면액 비율	총지출액 대비 세액감면액 비율
A	3,613	0.20	4.97
B	12,567	0.07	2.85
C	2,104	0.13	8.15
D	4,316	0.16	10.62
E	6,547	0.13	4.14

	문제	정답
	1. A국가의 GDP를 구하시오.	(백만 달러)
	2. B국가와 E국가 중 총지출액이 더 큰 국가를 고르시오.	
★	3. GDP가 두 번째로 작은 국가를 고르시오.	
★	4. 총지출액 대비 GDP가 가장 큰 국가를 고르시오.	
★	5. A국가의 세액감면액 대비 C국가의 세액감면액의 비중을 구하시오.	(%)
	6. C, D, E 국가의 세액감면액 합을 구하시오.	(백만 달러)
★	7. B국가의 세액감면액은 A~E국가의 세액감면액 합의 40% 이상이다.	(O, X)
	8. GDP 대비 총지출액이 두 번째로 큰 국가는 B국가이다.	(O, X)

6일 차

다음 〈표〉를 보고 물음에 답하시오.
(단, 소수점 계산은 둘째 자리에서 반올림한다.)

〈표〉 13~22년 '갑'국의 진흥지역 면적

구분 연도	전체 농지	진흥지역	논	밭
13	180.1	91.5	76.9	14.6
14	175.9	( )	71.6	9.9
15	171.5	80.7	71.0	( )
16	173.0	80.9	71.2	9.7
17	169.1	81.1	71.4	9.7
18	167.9	81.0	71.3	9.7
19	164.4	78.0	67.9	10.1
20	162.1	77.7	67.9	( )
21	159.6	77.8	68.2	( )
22	158.1	77.6	68.7	8.9

[소요시간]
4:00 매우 우수
4:30 우수
5:00 보통
5:30 노력 필요
(정답 7개 이상)

문제	정답
1. 15년 진흥지역의 밭 면적을 구하시오.	(만 ha)
2. 〈표〉에서 진흥지역의 면적이 두 번째로 큰 연도의 밭 면적 순위를 구하시오.	
★ 3. 15년부터 17년까지의 진흥지역 면적의 평균을 구하시오.	(만 ha)
★ 4. 15년과 16년 중 전체 농지 면적 대비 진흥지역 면적이 더 큰 연도를 고르시오.	
★ 5. 〈표〉에서 전체 농지 중 진흥지역이 아닌 농지의 면적이 가장 큰 연도를 고르시오.	
6. 13년 대비 22년의 전체 농지 면적 감소율을 구하시오.	(%)
★ 7. 19년 전체 농지 중에 진흥지역이 아닌 농지의 비율은 55% 미만이다.	(O, X)
★ 8. 〈표〉에서 전체 농지 면적의 평균은 168(만 ha) 이상이다.	(O, X)

7일 차

다음 〈표〉를 보고 물음에 답하시오.

(단, 소수점 계산은 둘째 자리에서 반올림한다.)

〈표〉 양자기술 분야별 정부 R&D 투자금액

(단위: 백만 원)

연도 분야	2018	2019	2020	2021	2022	합
양자컴퓨팅	61	119	200	( )	558	1,223
양자내성암호	( )	209	314	395	754	1,774
양자통신	110	192	289	358	723	1,672
양자센서	77	106	125	124	209	641
계	350	626	( )	1,162	2,244	5,310

※ 양자기술은 양자컴퓨팅, 양자내성암호, 양자통신, 양자센서
　 분야로만 구분됨.

[소요시간]

4:00 매우 우수

4:30 우수

5:00 보통

5:30 노력 필요

(정답 7개 이상)

문제	정답
1. 빈칸을 모두 채우시오.	
2. 양자센서 투자금액 상위 2개 연도의 양자통신 투자금액 합을 구하시오.	(백만 원)
3. 전체 분야에서 양자통신을 뺀 투자금액 합계를 구하시오.	(백만 원)
★ 4. 2019년 투자금액의 16.7%와 2022년 투자금액의 5% 중에 더 큰 연도를 구하시오.	
★ 5. 2018년 대비 2019년 총투자금액의 증가율을 구하시오.	(%)
6. 연도별 투자금액이 두 번째로 큰 분야의 투자금액 합을 구하시오.	(백만 원)
★ 7. 양자통신의 총투자금액 중에 2022년 투자금액의 비중은 44% 이상이다.	(O, X)
★ 8. 양자통신의 총투자금액은 양자컴퓨팅의 총투사금액의 1.33배보다 크다.	(O, X)

8일 차

다음 〈표〉를 보고 물음에 답하시오.
(단, 소수점 계산은 둘째 자리에서 반올림한다.)

[소요시간]
4:00 매우 우수
4:30 우수
5:00 보통
5:30 노력 필요
(정답 7개 이상)

〈표〉 연도별·분야별 스마트농업 연구비

(단위: 백만 원)

분야＼연도	2016	2017	2018	2019	2020	2021	2022	전체
데이터	3,520	4,583	8,021	10,603	11,677	16,581	18,226	73,211
자동화설비	27,082	19,975	23,046	25,377	22,949	24,330	31,383	( )
융합연구	3,861	9,540	15,154	27,513	26,829	31,227	40,723	( )

※ 스마트농업은 데이터, 자동화설비, 융합연구 분야로만 구분됨.

문제	정답
1. 자동화설비 연구비가 세 번째로 큰 연도의 융합연구 연구비를 구하시오.	(백만 원)
2. 2016년부터 2018년까지 데이터 연구비의 합을 구하시오.	(백만 원)
3. 데이터와 융합연구 연구비의 합이 세 번째로 큰 연도를 고르시오.	
4. 융합연구 연구비 대비 데이터 연구비가 50% 이상인 연도의 개수를 구하시오.	
★ 5. 전체 데이터 연구비 대비 2018년 데이터 연구비의 비중을 구하시오.	(%)
★ 6. 융합연구 연구비가 전체 융합연구 연구비의 15%보다 큰 연도의 개수를 구하시오.	
★ 7. 전체 자동화설비 연구비의 평균은 25,000(백만 원)보다 크다.	(O, X)
★ 8. 2017년 대비 2021년 융합연구 연구비의 증가율은 230%보다 크다.	(O, X)

9일 차

다음 〈표〉를 보고 물음에 답하시오.

(단, 소수점 계산은 둘째 자리에서 반올림한다.)

[소요시간]
4:00 매우 우수
4:30 우수
5:00 보통
5:30 노력 필요
(정답 7개 이상)

〈표 1〉 지역 산불피해 복구에 대한 지원항목별, 재원별 지원금액

(단위: 천만 원)

지원항목 \ 재원	국비	지방비	합
A	32,594	9,000	41,594
B	5,200	1,800	7,000
C	2,954	532	3,486
D	10,930	260	11,190
E	1,540	340	1,880
F	1,320	660	1,980
기타	520	0	520
전체	55,058	( )	( )

문제	정답
1. 지방비의 전체 지원금액을 구하시오.	(천만 원)
★ 2. B 지원금액 중에 국비 지원금액이 차지하는 비중을 구하시오.	(%)
3. 국비와 지방비 지원금액의 차이가 세 번째로 작은 지원항목을 고르시오.	
★ 4. 국비 대비 지방비 지원금액의 비중이 20% 이상인 지원항목의 개수를 구하시오.	(개)
5. 국비 전체 지원금액 대비 국비 C 지원금액의 비중을 구하시오.	(%)
★ 6. A를 제외한 국비 전체 대비 F 지원금액의 비중을 구하시오.	(%)
★ 7. 국비 B 지원금액은 국비 F 지원금액의 3.4배 이상이다.	(O, X)
★ 8. 지원금액 합에서 A 지원금액을 제외한 지원항목 합의 비중은 40% 이상이다.	(O, X)

10일차

다음 〈표〉를 보고 물음에 답하시오.
(단, 소수점 계산은 둘째 자리에서 반올림한다.)

[소요시간]
4:00 매우 우수
4:30 우수
5:00 보통
5:30 노력 필요
(정답 7개 이상)

〈표〉 '갑'국의 운전면허 종류별 응시자 및 합격자 수

(단위: 명)

종류\구분		응시자			합격자		
			남자	여자		남자	여자
전체		71,976	56,330	15,646	44,012	33,150	10,862
1종		29,507	( )	1,316	16,550	15,736	814
	대형	4,199	4,149	50	995	991	4
	보통	24,388	23,133	1,255	15,346	14,536	810
	특수	920	909	11	209	209	0
2종		( )	( )	14,330	27,462	17,414	10,048
	보통	39,312	25,047	14,265	26,289	16,276	10,013
	소형	1,758	1,753	5	350	349	1
	원동기	1,399	1,339	60	823	789	34

※ 합격률(%) = $\dfrac{\text{합격자 수}}{\text{응시자 수}} \times 100$

문제	정답
1. 운전면허 2종 응시자 수를 구하시오.	(명)
2. 합격자 수가 두 번째로 작은 운전면허 종류의 응시자 수를 구하시오.	(명)
3. 남자와 여자 중에 전체 운전면허 합격률이 더 큰 성별을 고르시오.	
4. 여자 합격률이 가장 높은 운전면허 종류를 고르시오.	
★ 5. 남자의 1종 대형 합격률을 구하시오.	(%)
★ 6. 남자의 2종 합격률을 구하시오.	(%)
7. 1종 응시자와 2종 응시자의 차이는 남자보다 여자가 더 높다.	(O, X)
★ 8. 원동기 합격률은 남자보다 여자가 더 높다.	(O, X)

01

다음 〈표〉는 A 마을과 B 마을에 대한 2019~2022년 마을별 남녀 인구수 조사결과이다. 이에 대한 설명으로 옳지 않은 것은?

〈표〉 2019~2022년 마을별 남녀 인구수

(단위: 명)

지역 \ 연도		2019	2020	2021	2022
A 마을	남자 인구수	2,400	2,640	2,800	3,100
	여자 인구수	3,600	3,960	4,200	4,100
B 마을	남자 인구수	3,500	3,850	3,600	3,650
	여자 인구수	2,700	2,970	3,400	3,450

① A 마을의 전체 인구수는 조사 기간 동안 매년 증가하였다.
② A 마을의 여자 인구수가 전년 대비 가장 높은 비율로 증가한 연도는 2020년이다.
③ 2019년 대비 2020년 전체 인구수의 증가율은 B 마을이 A 마을보다 크다.
④ B 마을의 2021년 대비 2022년 남자 인구수의 증가율은 2% 미만이다.
⑤ A 마을과 B 마을의 전체 인구수 차이가 가장 큰 연도는 2020년이다.

02 ★★

다음 〈표〉는 A 중학교의 남학생과 여학생의 인원 비율을 조사한 결과이다.
이에 대한 설명으로 옳은 것은?

〈표〉 A 중학교의 남학생과 여학생 인원 비율

(단위: %)

지역＼학년	1학년	2학년
전체 학생 비율	31	36
전체 남학생 비율	30	40
전체 여학생 비율	33	32

① 1학년의 학생 수는 남학생보다 여학생이 더 많다.
② 2학년의 학생 수는 남학생보다 여학생이 더 많다.
③ 1학년 전체 학생 수가 300명이라면 1학년 남학생 수는 100명이다.
④ 1학년 여학생 수가 400명이라면 1학년 전체 학생 수는 1,200명이다.
⑤ 2학년 남학생 수가 400명이라면 2학년 여학생 수는 320명이다.

03 ★

다음 〈표〉는 A 회사의 직급별 직원 수와 월 급여를 조사한 결과이다.
이에 대한 설명으로 옳지 않은 것은?

〈표〉 A 회사의 직급별 직원 수와 월 급여

(단위: 명, 원)

직급	직원 수	월 급여
주임	423	3,240,680
대리	312	3,526,230
과장	184	4,003,750
차장	81	4,637,210

※ A 회사의 직급별 월 급여는 호봉과 관계없이 모두 같다.

① 직급별 전체 월 급여는 주임이 대리보다 높다.
② 대리가 과장보다 120명 이상 더 많다.
③ 대리에서 과장이 될 때, 월 급여 상승률은 15% 미만이다.
④ 차장의 전체 월 급여는 3억 5천만 원 이상이다.
⑤ 과장의 전체 월 급여가 현재와 같고 과장 직원 수가 200명이 되면,
   월 급여는 360만 원보다 작아진다.

04

다음 〈표〉는 20xx년 서울과 6대 광역시의 지능범죄 건수를 조사한 결과이다.
이에 대한 설명으로 옳지 않은 것은?

〈표〉 20xx년 서울과 6대 광역시 지능범죄 건수

(단위: 건)

지역 범죄분류	서울	부산	대구	인천	광주	대전	울산
직무유기	106	37	25	14	22	20	10
직권남용	98	28	14	12	10	14	12
증수뢰	57	15	8	11	10	3	0
통화	801	75	84	121	30	72	17
인장	3,336	1,259	691	689	455	451	346
유가증권인지	125	5	9	14	3	4	3
사기	53,879	20,533	11,507	13,141	7,669	7,250	5,606
횡령	13,314	2,980	1,725	2,763	1,416	1,216	794
배임	1,135	315	132	173	109	82	110

① 직무유기 건수가 가장 적은 지역과 증수뢰 건수가 가장 적은 지역은 같다.
② 6대 광역시의 사기 건수 합은 서울의 사기 건수보다 10,000건 이상 많다.
③ 서울의 유가증권인지 건수는 6대 광역시의 유가증권인지 건수의 3.3배 미만이다.
④ 6대 광역시의 인장 건수 평균은 650건 이상이다.
⑤ 울산의 지능범죄 전체 건수는 7,000건 이하이다.

05 ★

다음 〈표〉는 2019년 대전-통영 고속도로 휴게소 주차장을 조사한 결과이다. 이에 대한 설명으로 옳은 것은?

〈표〉 2019년 대전-통영 고속도로 휴게소 주차장 현황

(단위: 개)

휴게소 명 \ 주차장 규격		소형	대형	전체
하남 방향	인삼랜드	143	44	187
	덕유산	141	52	193
	함양	79	22	101
	산청	107	32	139
	고성	99	61	160
통영 방향	인삼랜드	196	41	237
	덕유산	155	51	206
	함양	85	22	107
	산청	63	41	104
	고성	129	58	187

① 하남 방향 휴게소의 소형 주차장 개수 합은 559개다.

② 통영 방향 대비 하남 방향의 전체 주차장 개수가 두 번째로 큰 휴게소는 덕유산 휴게소이다.

③ 통영 방향 고성 휴게소의 전체 주차장 중 소형 주차장의 비중은 68% 이상이다.

④ 산청 휴게소의 소형 주차장 대비 대형 주차장의 비중은 50% 이상이다.

⑤ 5개 휴게소에 대하여 전체 주차장 개수의 평균은 170개 이상이다.

06 ★★★

다음 〈표〉는 2015~2019년 A 국가의 재료 수입량과 수출량을 조사한 결과이다.
이에 대한 설명으로 옳은 것은? (단, 소수점 계산은 첫째 자리에서 반올림한다.)

〈표〉 2015~2019년 A 국가 재료 무역 현황

연도	수입량	수출량	α 지수 (수입량 대비 수출량)
2015년	239,145개	380,024개	159%
2016년	284,295개	454,821개	160%
2017년	328,892개	523,603개	㉠
2018년	353,846개	575,231개	163%
2019년	324,596개	㉡	164%

① ㉠의 값은 162%이다.

② ㉡의 값은 530,000개 미만이다.

③ α 지수는 매년 증가한다.

④ 수출량은 매년 증가한다.

⑤ A 국가의 2016년 대비 2019년 수출량 증가율은 15% 이상이다.

07 고난도

다음 〈표〉는 2021년 한국의 10대 수출품목의 수출액과 전년 대비 증가율을 조사한 자료이다. 이에 대한 설명으로 옳은 것은?

〈표〉 2021년 한국의 10대 수출품목 수출액 및 증가율

(단위: 백만 달러, %)

품목명	수출액	전년 대비 증가율	품목명	수출액	전년 대비 증가율
반도체	127,980	29.0	자동차부품	22,776	22.2
자동차	46,465	24.2	철강판	22,494	40.6
석유제품	38,121	57.7	평판디스플레이	21,573	18.9
합성수지	29,144	51.8	컴퓨터	16,816	25.2
선박 해양구조물	22,988	16.4	무선통신기기	16,194	22.8

① 2021년 한국의 전체 수출액은 364,571백만 달러이다.
② 2020년 수입품목 중 반도체의 수입액이 가장 크다.
③ 2020년 컴퓨터 수출액은 14,000백만 달러보다 크다.
④ 2020년 합성수지 수출액이 선박 해양구조물 수출액보다 작다.
⑤ 2021년 반도체의 수출액은 5~10위 수출액의 합보다 작다.

08 ★★★

다음 〈표〉는 A~E동의 인구비율과 재직 중인 성인 여자를 조사한 결과이다.
이에 대한 설명으로 옳은 것을 모두 고르면? (단, 소수점 계산은 첫째 자리에서 반올림한다.)

〈표〉 A~E동 인구비율 및 재직 중인 성인 여자 인구수

(단위: 명, %)

연도＼지역	성인 인구수	성인 남자 비율	재직 중인 성인 여자 인구수
A동	28,000	55.0	6,600
B동	20,000	60.0	5,000
C동	22,000	50.0	5,800
D동	25,000	48.0	6,000
E동	18,000	55.0	5,000

$$\text{성인 남자(여자) 재직률} = \frac{\text{재직 중인 성인 남자(여자) 인구수}}{\text{성인 남자(여자) 인구수}} \times 100$$

ㄱ. A동과 B동을 하나의 동으로 합치면 성인 여자 재직률은 56%이다.

ㄴ. 성인 여자 재직률은 5개 동 모두 50% 이상이다.

ㄷ. A~E동의 전체 성인 여자 인구수는 52,000명 이상이다.

ㄹ. 5개 동의 재직 중인 성인 여자 인구수의 평균은 5,560명이다.

① ㄱ, ㄷ ② ㄱ, ㄹ ③ ㄴ, ㄷ
④ ㄴ, ㄹ ⑤ ㄷ, ㄹ

[09~10] 다음 〈표〉는 2021년 ○○시의 지역화폐 사용 현황을 조사한 자료이다.
아래 자료를 참고하여 물음에 답하시오. (단, 소수점 계산은 첫째 자리에서 반올림한다.)

〈표〉 2021년 ○○시 지역화폐 성별 및 연령대별 사용 현황

(단위: 원)

성별	연령대	결제 건수	결제금액
남자	20대	356,319건	8,961,857,647
	30대	551,580건	16,277,104,696
	40대	433,691건	16,884,023,217
	50대	451,576건	15,145,230,141
	60대	173,850건	4,978,831,925
여자	20대	503,953건	12,818,654,759
	30대	691,657건	19,790,659,792
	40대	508,865건	18,097,179,312
	50대	523,601건	14,479,970,604
	60대	287,001건	7,689,027,995

09 ★

○○시의 지역화폐 30~50대 남자 결제금액의 평균과 여자 결제금액의 평균을 바르게 나열한 것은?

	30~50대 남자 결제금액	30~50대 여자 결제금액
①	16,022,119,351원	17,565,936,569원
②	16,102,119,351원	17,455,936,569원
③	16,102,119,351원	17,565,936,569원
④	16,252,119,351원	17,455,936,569원
⑤	16,252,119,351원	17,565,936,569원

10 ★★★

위 자료에 대한 그래프로 옳지 않은 것은?

① 지역화폐 남녀 연령대별 결제 건수

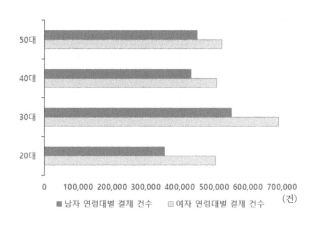

② 지역화폐 남자 연령대별 결제금액

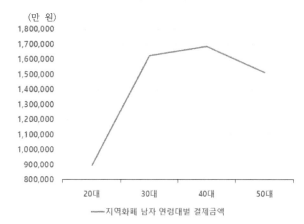

③ 지역화폐 여자 연령대별 결제 1건당 결제금액

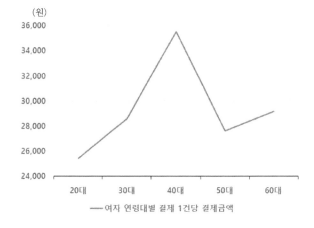

④ 지역화폐 남녀 연령대별 결제 건수 차이

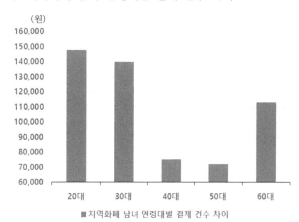

⑤ ○○시 지역화폐 결제 건수

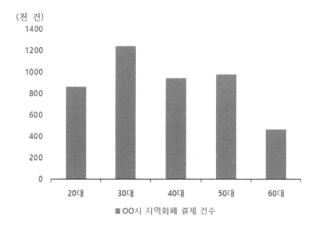

05. 자료해석 중간 점검 10문제(B)

[01~02] 다음 〈표〉는 ○○기업의 직원별 거주지 현황을 조사한 자료이다.
아래 자료를 참고하여 물음에 답하시오.

〈표〉○○기업 직원별 거주지 현황

(단위: 명)

연도 지역	2019년 12월	2020년 12월	2021년 12월	2022년 12월	2023년 12월
수도권	1,038	1,050	1,053	1,061	1,063
비수도권	1,685	1,705	1,722	1,733	1,737
전체	2,723	2,755	2,775	2,794	2,800

※ ○○기업은 매년 7월에 5명씩 퇴사하고, 매년 1월에 신입 직원을 채용한다.
※ 1월, 7월 외에 직원 수 변동은 없다.

01

위 자료에 대한 설명으로 옳은 것은?
① 2020년 신규 입사자 수는 32명이다.
② 매년 입사자 수는 증가한다.
③ 2021년 12월 대비 2023년 12월 비수도권 직원 수의 증가율은 0.9% 이하이다.
④ 2021년과 2022년의 입사자 수 합은 44명이다.
⑤ 수도권 입사자 수가 두 번째로 많은 연도의 비수도권 입사자 수는 16명이다.

02 ★★

2024년 1월에 전체 직원 수의 1%만큼 신규 직원이 입사하였다. 2024년 12월 수도권의 직원 수가 1,065명이 되었을 때, 2024년 12월의 전체 직원 수 대비 비수도권 직원 수는?

① 62.27%

② 62.34%

③ 62.41%

④ 62.48%

⑤ 62.55%

03 ★

다음 〈표〉는 2023년 12월 A~C 치킨집의 치킨 판매량을 조사한 자료이다.
이에 대한 설명으로 옳지 않은 것은?

〈표〉 2023년 12월 A~C 치킨집의 치킨 판매량

(단위: 마리, 원)

치킨집	치킨 판매량	한 마리 가격	총 판매금액
A	1,265	17,000	21,505,000
B	1,488	14,500	21,576,000
C	㉠	16,300	21,613,800

※ A~C 치킨집은 한 종류의 치킨만 판매한다.

① ㉠의 값은 1,326이다.
② B 치킨집의 치킨 판매량은 C 치킨집의 치킨 판매량보다 12.5% 이상 많다.
③ 총 판매금액은 C 치킨집이 B 치킨집보다 37,800원 더 크다.
④ 치킨 판매량은 B 치킨집이 가장 많다.
⑤ A 치킨집의 한 마리 가격을 17,100원으로 인상하면 총 판매금액이 가장 커진다.

04 ★★★

다음 〈표〉는 2021~2022년 경기도의 초등학교의 학급 수와 학생 수를 조사한 결과이다.
이에 대한 설명으로 옳은 것은?

〈표〉 2021~2022년 경기도 초등학교 학급 수 및 학생 수

(단위: 명)

분류	학년		1학년	2학년	3학년	4학년	5학년	6학년
2021년	학급 수		5,027개	4,799개	5,239개	5,073개	5,042개	4,819개
	학생 수	남자	63,536	62,210	69,182	66,742	66,590	62,981
		여자	60,931	59,510	65,913	63,709	62,988	59,620
2022년	학급 수		5,115개	5,024개	4,951개	5,397개	5,251개	5,229개
	학생 수	남자	64,587	62,959	62,300	69,176	66,792	66,544
		여자	61,761	60,455	59,709	66,053	63,858	63,152

① 학년별 학급 수의 증감 추이는 2021년과 2022년이 동일하다.
② 2021년 남자 학생 수와 여자 학생 수의 차이가 두 번째로 큰 학년은 3학년이다.
③ 각 학년별 여자 학생 수는 2022년이 2021년보다 많다.
④ 2022년 4학년 여자 학생 수의 전년 대비 증가율은 4% 이상이다.
⑤ 2022년 전체 학년 학급 수의 평균은 5,150개 이상이다.

다음 〈표〉는 운전자 A~E의 차량 운행 정보를 조사한 자료이다. 이에 대한 설명 중 옳은 것을 모두 고르면?

〈표〉 운전자 A~E의 차량 운행 정보

구분 운전자	연료 사용량(L)	운행 거리(km)	연비(km/L)	운행 시간 대비 운행 거리(km/h)
A	58	812	14	30
B	116	1,972	17	30
C	130	2,080	16	38
D	105	1,575	15	39
E	70	910	13	33

ㄱ. 연비가 높을수록 운행 시간이 길다.

ㄴ. A의 연료 사용량이 2.5배가 되면, A의 운행 거리가 B의 운행 거리보다 많아진다.

ㄷ. E의 운행 시간은 A의 운행 시간보다 길다.

ㄹ. 운행 시간 대비 연료 사용량이 두 번째로 큰 운전자는 E이다.

① ㄱ, ㄷ   ② ㄱ, ㄹ   ③ ㄴ, ㄷ

④ ㄴ, ㄹ   ⑤ ㄴ, ㄷ, ㄹ

[06~07] 다음 〈표〉는 A 마트를 이용하는 고객의 이용 시간에 대하여 성별·연령별로 조사한 자료이다. 아래 자료를 참고하여 물음에 답하시오.

〈표〉A 마트 고객별 이용 시간

(단위: 명)

구분		전체	20분 미만	20~40분 미만	40~60분 미만	60분 이상
성별	남성	385	82	128	146	29
	여성	355	71	123	137	24
연령별	10대 이하	82	40	27	12	3
	20대	125	30	48	40	7
	30대	139	34	52	43	10
	40대	180	23	53	89	15
	50대	150	18	48	68	16
	60대 이상	64	8	23	31	2

06 ★★

위 자료에 대한 설명으로 옳은 것은?

① 마트 이용 시간이 20~40분 미만인 고객 수는 10대 이하를 제외하면 총 214명이다.

② 마트 이용 시간이 60분 이상인 고객 수는 연령대가 높아질수록 증가한다.

③ 마트 이용 시간이 길수록 고객 수가 감소하는 연령대는 총 2개이다.

④ 마트 이용 시간이 40~60분 미만인 고객 중에 20대 고객이 차지하는 비중은 15% 미만이다.

⑤ 30대 이하 고객 수보다 40대 이상 고객 수가 더 적다.

07 고난도

위 자료에 대한 설명으로 옳은 것을 모두 고르면? (단, 소수점 계산은 첫째 자리에서 반올림한다.)

ㄱ. 전체 남성 고객 수 대비 여성 고객 수는 92%이다.

ㄴ. 마트 이용 시간이 40~60분 미만인 남성 고객 중 40대 이하 남자는 최소 47명이다.

ㄷ. 마트 이용 시간이 40분 미만인 고객 중 남성 고객 수는 55% 이상이다.

ㄹ. 마트 이용 시간이 20분 이상이면서 연령대가 30대 이상인 고객 수는 총 440명이다.

---

① ㄱ, ㄴ   ② ㄱ, ㄹ   ③ ㄴ, ㄷ

④ ㄴ, ㄹ   ⑤ ㄷ, ㄹ

08 ★★

다음 〈표〉는 학원별 학생 수를 조사한 자료이다. 이에 대한 설명으로 옳지 않은 것은?

〈표〉 학원별 학생 수

(단위: 명)

구분	1학년	2학년	3학년	전체
A학원	44	72	122	238
B학원	38	97	114	249
C학원	58	60	80	198
D학원	45	83	99	227
기타 학원	25	28	35	88
전체	210	340	450	1,000

① 3학년 전체 학생 수는 C학원의 전체 학생 수보다 252명 많다.

② 1학년 중 D학원에 다니는 학생 수는 20% 이상이다.

③ 학원별 전체 학생 수 대비 2학년 학생 수의 비율이 두 번째로 큰 학원은 D학원이다.

④ 학원별 학생이 가장 많은 학년은 모두 3학년이다.

⑤ 기타 학원을 제외한 전체 학생 수 중 2학년의 비율은 38% 이상이다.

[09~10] 다음 〈표〉는 2021~2023년 상반기 ○○도의 사이버범죄 발생 건수와 검거 건수의 현황을 조사한 자료이다. 아래 자료를 참고하여 물음에 답하시오. (단, 소수점 계산은 첫째 자리에서 반올림한다.)

〈표〉 2021~2023년 상반기 ○○도 사이버범죄 발생 건수 및 검거 건수 현황

(단위: 건)

연도	구분	1월	2월	3월	4월	5월	6월
2021년	발생 건수	14,201	11,115	14,111	15,534	15,185	15,807
	검거 건수	9,750	8,332	10,419	12,152	11,950	11,735
2022년	발생 건수	14,493	13,756	18,648	18,705	17,491	22,854
	검거 건수	8,892	8,594	12,829	14,816	12,668	15,798
2023년	발생 건수	11,748	11,181	15,502	16,961	15,763	22,329
	검거 건수	6,818	7,962	10,643	12,324	10,442	15,703

09 ★★

위 자료에 대한 설명으로 옳지 않은 것은?

① 2022년 2월~6월 중에 전월 대비 발생 건수 증가량이 가장 큰 월은 6월이다.

② 1월 검거 건수 대비 4월 검거 건수의 증가율이 가장 큰 연도는 2023년이다.

③ 2023년 1월~6월 발생 건수와 검거 건수의 차이는 매월 3,200건 이상이다.

④ 2021년 1월~6월 중에 발생 건수 대비 검거 건수가 70% 미만인 월은 2개이다.

⑤ 2022년 2월~5월 검거 건수의 합은 48,907건이다.

10 ★★★

위 자료에 대한 그래프로 옳지 않은 것은?

① 2021년, 2022년, 2023년 3~5월 검거 건수

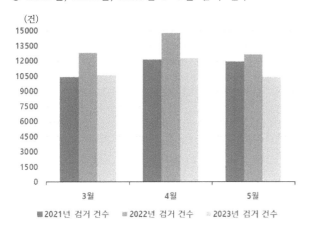

② 2023년 검거 건수의 편차 절댓값

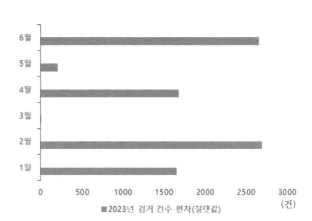

③ 2022년 발생 건수 전년 동월 대비 증감량

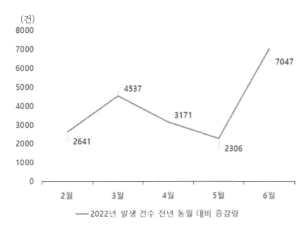

④ 2021년 1~6월 발생 건수와 검거 건수의 차이

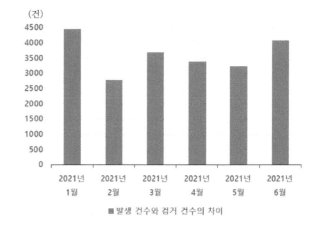

『응용수리 단원에 담긴 내용과 해설을 잘 익힌다면
실전에서 모든 문제를 풀어낼 수 있을 것입니다』

– 보석같은 –

5. 응 용 수 리

01. 가중평균 한줄풀이

[개요]

가중평균은 응용수리뿐만 아니라 자료해석, 문제해결, 자원관리에서도 유용하다.

일반적인 평균은 [전체÷개수]로 표현할 수 있지만

실생활에서는 각 항목마다 가중치가 다르기에 가중평균을 사용해야 한다.

• 가중평균이란 각 항목에 가중치를 부여한 후 평균을 내는 것이다.

[상황]

농도 5% 소금물 100g과 농도 10% 소금물 25g을 섞었다.
결과물의 농도를 구하시오.

〈풀이〉

결과물 = 125g이므로 가중평균 한줄풀이 공식에 대입하면,

$x(125) = 5(100) + 10(25)$

$x = 6\%$

[가중평균 한줄풀이 공식]

공식 : 결과% × (결과량) = X% × (X량) + Y% × (Y량) + ...

(1) 결과량 = X량 + Y량 + Z량 + ... ← 정수꼴

(2) 결과% = $\dfrac{X\% \times X량 + Y\% \times Y량 + ...}{X량 + Y량 + ...}$ ← 분수꼴

위 두 식을 곱하면 공식이 도출된다.

[활용]

활용 문항 : 소금물, 평균점수, 전년 대비 인원수&금액 등

소금물 : 농도(%) = $\dfrac{소금(B)}{소금물(A)}$, 소금물(A)

평균점수 : 평균점수 = $\dfrac{전체 점수(B)}{전체 인원수(A)}$, 전체인원수(A)

전년 대비 인원수&금액 : 증가율(%) = $\dfrac{현년기준(B)}{전년기준(A)}$, 전년기준(A)

등 위와 같은 꼴이라면 언제든 가중평균 공식을 사용할 수 있다.

[실전 비법]

[1단계] : 가중평균 가능 여부 판단

　　　　　[분수꼴]과 [정수꼴]이 제시되어야 함

[2단계] : 가중평균 적용

　　　　(1) 한줄풀이 : 결과% × (결과량) = X% × (X량) + Y% × (Y량) + …

　　　　(2) 그림풀이(비교 항목이 2개인 경우 유용)

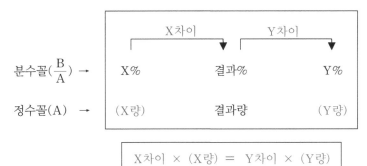

$$X차이 × (X량) = Y차이 × (Y량)$$

TIP

[문제풀이 의식의 흐름]

(1) 가중평균 가능한가?
→ 분수꼴과 정수꼴 확인

(2) 한줄 vs 그림
한줄 : 항상 사용 가능
그림 : 항목이 2개일 때

[가중평균 그림풀이]

농도 5% 소금물 100g과 농도 10% 소금물 25g을 섞었다.
결과물의 농도를 구하시오.

	X차이		Y차이	
5%		결과%		10%
(100)		(125)		(25)

P × (100) = 4P × (25) … P = 1%이므로 6%

[심화 분석]

가중평균 한줄풀이의 '다양한 표기 방법'

$$결과\% × (결과량) = \begin{cases} X\% × (X량) + Y\% × (Y량) + … & ← 기본\ 상황 \\ X_B × 100 + Y_B × 100 + … & ← 결과\ 상황 \\ X_B × 100 + Y\% × (Y량) + … & ← 혼합\ 상황(증발\ 등) \end{cases}$$

TIP

[한줄풀이 심화분석]

(1) $X\% × (X량)$

(2) $\dfrac{X_B}{X_A} × (X_A)$

(3) $X_B × 100$

(1) = (2) = (3)이므로
유동적으로 써야 한다.

[예문 모음]

TIP

(1) 가장 단순한 경우

$X\% \times (X량)$

$= \dfrac{X_B}{X_A} \times (X_A)$에서

(괄호)의 값은 분모이다.

즉, 변화 전의 값이므로 작년 지표를 묻는 것. (소금물이라면 소금물 양)

(1) 가장 단순한 경우 : **작년 지표**를 묻는다. (분모를 묻는다.)

(1) 작년 학생 수가 600명, 남자는 12% 증가하고 여자는 6% 증가해서 총 10% 증가했다. <u>작년 남자 학생 수</u>를 구하시오.

(한줄) : $10(600) = 12(x) + 6(600-x)$ → x = **400명 = 작년 남자 학생 수**

	4		2	
6%		10%		12%
$600-x$				x

(그림) : $4(600-x) = 2(x)$, x = 400명

TIP

(2) 조금 복잡한 경우

$X\% \times (X량)$

$= \dfrac{X_B}{X_A} \times (X_A)$에서

(괄호)의 값은 분모이다.

올해 지표를 구하려면 (괄호)를 구한 후에 증감률을 적용해야 한다.

(2) 조금 복잡한 경우 : **올해 지표**를 묻는다. (분자를 묻는다.)

(2) 작년 학생 수가 500명, 남자는 8% 증가하고 여자는 3% 증가해서 총 6% 증가했다. <u>올해 여자 학생 수</u>를 구하시오.

(한줄) : $6(500) = 8(500-x) + 3(x)$ → x = 200명 = 작년 여자 학생 수

→ **올해 여자 학생 수 = 200명 + 3% = 206명**

	3		2	
3%		6%		8%
x				$500-x$

(그림) : $3(x) = 2(500-x)$, x = 200명

→ **올해 여자 학생 수 = 200명 + 3% = 206명**

TIP

(3) 매우 복잡한 경우

$X\% \times (X량)$

$= \dfrac{X_B}{X_A} \times (X_A)$

$= X_B \times 100$

%를 알려주지 않으면 한줄풀이 공식을 위처럼 변형시켜야 한다.

자세한 사항은 오른쪽의 예문 풀이를 참고하자.

(3) 매우 복잡한 경우 : **%를 알려주지 않는다.** (심화 분석의 $X_B \times 100$ 활용)

(3) 작년 학생 수가 300명, 남자는 7% 증가하고 여자는 5% 감소해서 <u>총 6명 증가</u>했다. 작년 여자 학생 수를 구하시오.

(한줄) : <u>6×100</u> $= 7(300-x) - 5(x)$ → x = **125명 = 작년 여자 학생 수**

(4) 작년 학생 수가 200명, 남자는 8% 증가하고 <u>여자는 12명 감소</u>해서 총 6% 증가했다. 작년 남자 학생 수를 구하시오.

(한줄) : $6(200) = 8(x) - $ <u>12×100</u>   → x = **300명 = 작년 남자 학생 수**

[빈칸 채우기 1]

다음은 농도가 16%인 소금물 100g에 농도가 10%인 소금물 200g을 넣었을 때 결과물의 농도 x%를 구하는 과정이다. 빈칸을 모두 채우시오.

소금물 문제이므로 가중평균 한줄풀이를 쓰면 된다.

$$x \times (\quad) = 16 \times (\quad) + 10 \times (\quad)$$

정리하면 $x = (\quad)$%이다.

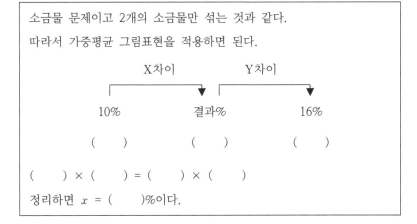

소금물 문제이고 2개의 소금물만 섞는 것과 같다.

따라서 가중평균 그림표현을 적용하면 된다.

X차이   Y차이

10%   결과%   16%

( )   ( )   ( )

( ) × ( ) = ( ) × ( )

정리하면 $x = (\quad)$%이다.

[빈칸 채우기 2]

○○유튜버의 작년 구독자 수는 총 2,000명이었다.

올해는 남자가 12% 증가하고, 여자는 8% 감소하여 전체적으로 200명이 증가했다.

다음은 작년 남자 구독자 수 x를 구하는 과정이다. 빈칸을 모두 채우시오.

증가율 %인 $\dfrac{\text{현년인원수(B)}}{(\quad)\text{(A)}}$ 이 제시되었고, ( )(A)도 제시되었으므로

가중평균 한줄풀이를 적용할 수 있는 문제이다.

핵심은 전체적으로 200명이 증가한 게, ( )(B)이므로 그대로 쓰면 된다.

$$(\quad) \times 100 = 12 \times (x) - 8 \times (\quad)$$

정리하면 $x = (\quad)$명이다.

가중평균 한줄풀이 모음

[소금물]

(1) 3% 소금물 200g + 8% 소금물 300g : 농도는?
$\rightarrow x(500) = 3(200) + 8(300)$
$\rightarrow x = 6\%$

(2) 3% 소금물 400g + 물 200g : 농도는?
$\rightarrow x(600) = 3(400) + 0(200)$
$\rightarrow x = 2\%$

(3) 4% 소금물 550g + 소금 50g : 농도는?
$\rightarrow x(600) = 4(550) + 100(50)$
$\rightarrow x = 12\%$

(4) 15% 소금물 300g + 100g 증발 : 농도는?
$\rightarrow$ 풀이1 : $x(200) = 15(300)$
$\rightarrow$ 풀이2 : $x(200) = 45 \times 100$
$\rightarrow x = 22.5\%$

(5) 5% 소금물 300g + 150g 증발 + 물 50g : 농도는?
$\rightarrow$ 풀이1 : $x(200) = 5(300) + 0(50)$
$\rightarrow$ 풀이2 : $x(200) = 15 \times 100 + 0(50)$
$\rightarrow x = 7.5\%$

[평균점수]

(6) 50명 중 30명 합격, 20명 불합격
합격 평균 70점 + 불합격 평균 40점 : 평균점수는?
$\rightarrow x(50) = 70(30) + 40(20)$
$\rightarrow x = 58$점

(7) 100명 중 1학년 20명, 2학년 50명, 3학년 30명
1학년 70점, 2학년 60점, 3학년 80점 : 평균점수는?
$\rightarrow x(100) = 70(20) + 60(50) + 80(30)$
$\rightarrow x = 68$점

[전년대비 증가율]

(8) 전년 사과와 포도 합이 500개
올해 사과 20% 증가 + 포도 10% 증가
올해 전체적으로 18% 증가 : 작년 사과 수는?
$\rightarrow 18(500) = 20(x) + 10(500-x)$
$\rightarrow x = 400$개

(9) 전년 사과와 포도 합이 400개
올해 사과 15% 증가 + 포도 10개 증가
올해 전체적으로 7% 증가 : 작년 포도 수는?
$\rightarrow 7(400) = 15(x) + 10 \times 100$
$\rightarrow x = 120$개
$\rightarrow$ 포도 = 280개

(10) 올해 남녀 인구수 합이 600명
내년 남자 15명 증가, 여자 5% 감소
내년 전체적으로 2% 증가 : 올해 여자 인구수는?
$\rightarrow 2(600) = 15 \times 100 - 5(x)$
$\rightarrow x = 60$명

(11) 올해 남녀 인구수 합이 8,000명
내년 남자 9% 증가, 여자 7% 감소
내년 전체적으로 2% 증가 : 내년 남자 인구수는?
$\rightarrow 2(8,000) = 9(x) - 7(8,000-x)$
$\rightarrow x = 4,500$명
$\rightarrow$ 내년 남자 인구수 = 4,500 + 9% = 4,905명

(12) 작년 남녀 인구수 합이 400명
올해 남자 5% 증가, 여자 3% 증가
올해 전체적으로 18명 증가 : 작년 여자 인구수는?
$\rightarrow 18 \times 100 = 5(400-x) + 3(x)$
$\rightarrow x = 100$명

[문항1]

10%의 소금물에 2% 소금물 200g을 넣었더니 8%의 소금물이 되었다. 처음 소금물의 양은?

① 400g ② 450g ③ 500g

④ 550g ⑤ 600g

[문항2]

5%의 소금물 400g에서 일부를 빼낸 후 그만큼 물을 넣었다. 그 후에 4%의 소금물 200g을 넣었을 때, 농도는 3%였다. 처음에 빼낸 소금물의 양은?

① 200g ② 240g ③ 280g

④ 320g ⑤ 360g

[문항3]

작년 총인구수가 500명이었다. 올해 남자는 10% 증가하고, 여자는 10명 감소하여 총 4% 증가하였을 때, 올해의 남녀 인구수는?

	남자 인구수	여자 인구수
①	200명	300명
②	220명	290명
③	300명	200명
④	330명	190명
⑤	400명	100명

[문항4] ★★

50명이 시험을 쳤는데 20명이 불합격하였다. 최저 합격점수는 50명의 평균보다 5점이 낮고, 합격자의 평균보다 15점이 낮으며, 불합격자의 평균의 2배보다 40점이 낮았다. 최저 합격점수는?

① 54점 ② 56점 ③ 58점

④ 60점 ⑤ 62점

01

농도가 12%인 소금물 250g을 100g 덜어낸 후 농도가 x%인 소금물 50g을 넣었더니 농도가 10%가 되었다. 농도 x%의 값은?

① 2% ② 4% ③ 6%

④ 8% ⑤ 10%

02

농도가 15%인 소금물 xg에 물 200g을 넣었더니 농도가 5%가 되었다. x의 값은?

① 50g ② 75g ③ 100g

④ 125g ⑤ 150g

03

농도가 x%의 소금물 100g에 소금 $2x$g을 넣었더니 농도가 25%가 되었다. x의 값을 구하시오.

① 10 ② 15 ③ 20

④ 25 ⑤ 30

04

A공기업 필기시험을 50명 응시했고 10명이 합격했다. 전체 평균점수는 60점이고 합격자의 평균점수는 68점일 때, 불합격자의 평균점수는?

① 54 ② 55 ③ 56

④ 57 ⑤ 58

05 ★

A학원의 지난달 전체 학생 수가 200명이었다. 이번 달에는 남학생 수가 5% 증가하고 여학생 수가 10% 감소하여 총 186명이 됐을 때, 이번 달 여학생 수는?

① 144명　　　② 150명　　　③ 156명

④ 160명　　　⑤ 166명

06 ★★★

A농장에서 작년에 사과를 포도보다 10개 더 재배했다. 올해는 작년에 비해 사과 재배량이 20% 증가했고, 포도는 재배량이 10% 증가해서 총 127개를 재배했다. 작년 포도의 개수는?

① 40명　　　② 45명　　　③ 50명

④ 55명　　　⑤ 60명

07 ★★

철수는 한 달간 낚시로 가물치와 쏘가리만 잡았다. 가물치는 총 10마리 잡았고 평균 무게가 2kg이다. 쏘가리는 총 N마리 잡았고 평균 무게가 4kg이다. 전체 평균 무게가 3.2kg 이상일 때, 가능한 쏘가리 개수는 최소 몇 마리인가?

① 12마리　　　② 13마리　　　③ 14마리

④ 15마리　　　⑤ 16마리

08 ★★★

A회사에서 18명의 직원이 나의 근무평점을 매겼다. 이 중에서 12명은 10점을 줬고, 6명은 모두 같은 점수인 n점을 줬다. 내 근무평점이 8점 이상 9점 이하일 때, 6명이 준 점수로 가능한 모든 자연수 n의 합은?

① 15　　　② 18　　　③ 20

④ 22　　　⑤ 24

02. 소금물 완성(가중평균)

[개요]

소금물은 앞서 배운 가중평균 한줄풀이로 모두 풀리므로 잘 익히면
대부분 문제는 30초 만에 풀 수 있다.
이때 유의할 부분은 [증발]이다.

• [증발] 풀이가 이해되지 않는다면 가중평균 한줄풀이 [심화 분석] 부분을 참고하자.

[공식]

$$농도\%_S \times (소금물_S) = \begin{cases} <1> \ 농도\%_X \times (소금물_X) + 농도\%_Y \times (소금물_Y) + ... \\\\ <2> \ 소금_X \times 100 \ + \ 소금_Y \times 100 \ + ... \\\\ <3> \ 소금_X \times 100 \ + \ 농도\%_Y \times (소금물_Y) \ + ... \end{cases}$$

〈1〉 공식을 사용하는 경우

• 소금물 X와 소금물 Y를 섞는 경우
• 소금물 X와 [물]을 섞는 경우(**물의 농도 0%**)
• 소금물 X와 [소금]을 섞는 경우(**소금의 농도 100%**)
• 소금물 X의 일부를 퍼내고 소금물 Y를 섞는 경우
• 소금물 X를 [증발]시키는 경우

〈2〉 공식을 사용하는 경우

• 소금물 X를 [증발]시키는 경우

〈3〉 공식을 사용하는 경우

• 소금물 X를 [증발]시키고 소금물 Y를 섞는 경우

[예문]

농도 15% 소금물 360g을 xg 증발시켰더니 농도가 50%로 바뀌었다. xg을 구하시오.

〈풀이〉

[증발]이므로 〈1〉 공식에 대입하면 $50(360-x) = 15 \times 360$
[증발]이므로 〈2〉 공식에 대입하면 $50(360-x) = 54 \times 100$
$x = 252$g

[빈칸 채우기 1]

다음은 농도가 12%인 소금물 200g에서 소금물 50g을 퍼낸 후
농도가 7%인 소금물 100g을 넣었을 때 결과물의 농도 x%를 구하는 과정이다.
<u>빈칸을 모두 채우시오.</u>

(TIP)

소금물은 가중평균의
연장선이다.

따라서 한줄풀이 또는
그림풀이를 적용할 수
있다.

소금물 문제이므로 가중평균 한줄풀이를 쓰면 된다.

소금물 50g을 퍼내는 과정에서는 (　　　)가 변하지 않으므로

소금물 50g을 퍼내고 가중평균 한줄풀이를 그대로 적용하면 된다.

$$x \times (250) = 12 \times (　　) + 7 \times (　　)$$

정리하면 x = (　　　)%이다.

소금물 문제이고 소금물 50g을 퍼내는 과정에서는

(　　　)가 변하지 않으므로 2개의 소금물만 섞는 것과 같다.

따라서 가중평균 그림표현을 적용하면 된다.

　　　　　　X차이　　　　　　Y차이

　7%　　　　　결과%　　　　　12%

　(　　)　　　　(250)　　　　(　　)

(　　) × (　　) = (　　) × (　　)

정리하면 x = (　　　)%이다.

[빈칸 채우기 2]

다음은 농도가 15%인 소금물 300g을 200g만큼 증발시켰을 때,
농도 x%를 구하는 과정이다. <u>빈칸을 모두 채우시오.</u>

가중평균 한줄풀이를 적용할 수 있는 문제이다. [증발] 문제이므로

공식 〈1〉을 사용하면 $x \times (소금물_S)$ = (　　　) × (　　　)으로 접근하면 되고,

공식 〈2〉를 사용하면 $x \times (소금물_S)$ = (　　　) × 100으로 접근하면 된다.

여기서 전체소금물인 ($소금물_S$)의 양은 [300g - (　　　)g]이다.

정리하면 x = (　　　)%이다.

[문항1]

6%의 소금물 100g에 9% 소금물 200g을 넣을 때, 결과물의 농도는?

① 3%　　　　② 4%　　　　③ 5%

④ 7%　　　　⑤ 8%

[문항3]

x%의 소금물 200g에 소금 50g을 넣었더니, 40%의 소금물이 되었다. 농도 x%는?

① 20%　　　　② 25%　　　　③ 30%

④ 35%　　　　⑤ 40%

[문항2]

12%의 소금물 xg에 물 100g을 넣었더니 10%의 소금물이 되었다. 소금물 xg의 양은?

① 500g　　　　② 600g　　　　③ 700g

④ 800g　　　　⑤ 900g

[문항4] ★

8%의 소금물 xg에서 50g를 증발시켰더니 12%의 소금물이 되었다. 소금물 xg의 양은?

① 100g　　　　② 150g　　　　③ 200g

④ 250g　　　　⑤ 300g

[문항5]

12%의 소금물 xg에서 소금물 150g을 뺀 후 물 50g을 넣을 때, 농도가 4%였다. 소금물 xg의 양은?

① 125g   ② 150g   ③ 175g

④ 200g   ⑤ 225g

[문항6] ★

20%의 소금물 300g에서 xg을 증발시킨 후 10%의 소금물을 xg만큼 다시 넣었을 때, 농도는 25%였다. 증발시킨 xg의 양은?

① 50g   ② 100g   ③ 150g

④ 200g   ⑤ 250g

[문항7] ★★

10%의 소금물 xg과 5%의 소금물 B, 물을 섞었더니, 8%의 소금물 600g이 만들어졌다. 소금물 B와 물의 양이 2:3일 때, 소금물 xg의 양은?

① 150g   ② 250g   ③ 350g

④ 450g   ⑤ 550g

[문항8] ★★★

x%의 소금물 yg를 z을 증발시킨 후 농도가 x%인 소금물 $2z$g을 넣었을 때, 결과물의 농도를 x, y, z로 표현한 것은?

① $\dfrac{xy+xz}{x+y}$%

② $\dfrac{2xy+xz}{x+y}$%

③ $\dfrac{xy+2xz}{x+y}$%

④ $\dfrac{2xy+xz}{y+z}$%

⑤ $\dfrac{xy+2xz}{y+z}$%

정답 및 해설 238p

01

농도가 6%인 소금물 200g과 농도가 x%인 소금물 150g을 섞었더니 농도가 9%가 됐다. x%의 값은?

① 10%   ② 11%   ③ 12%

④ 13%   ⑤ 14%

03

농도가 x%인 소금물에 물을 50g 넣어서, 농도가 5%인 소금물 300g을 만들었다. 농도 x%의 값은?

① 6%   ② 7%   ③ 8%

④ 9%   ⑤ 10%

02

농도가 12%인 소금물 300g에서 일부를 퍼낸 후 농도가 6%인 소금물을 퍼낸 만큼 넣어서 섞었을 때, 만들어진 소금물의 농도가 10%였다. 처음에 퍼낸 소금물의 양은?

① 100g   ② 125g   ③ 150g

④ 175g   ⑤ 200g

04

농도가 7%인 소금물 200g에 소금 xg을 넣었더니 농도가 40%가 됐다. 소금 xg의 값은?

① 70g   ② 80g   ③ 90g

④ 100g   ⑤ 110g

05 ★

농도가 14% 소금물 xg에서 100g을 증발시킨 후 측정한 농도가 18%일 때, 소금물 xg의 값은?

① 350g   ② 400g   ③ 450g

④ 500g   ⑤ 550g

06 ★★

농도가 x%인 소금물 yg에서 1g을 증발시킨 후 다시 1g의 소금을 넣었을 때, 결과물의 농도를 x, y로 표현한 것은?

① $x + 100\%$ ② $y + 100\%$ ③ $xy + 100\%$

④ $x + \dfrac{100}{y}\%$ ⑤ $y + \dfrac{100}{x}\%$

07 ★★

농도가 x%이고 소금물 300g인 두 소금물 A, B에 대하여 소금물 A는 200g 증발시키고, 소금물 B는 200g만큼 물을 넣었더니 농도 차이가 12%가 됐다.

처음 농도 x%의 값은?

① 4%   ② 5%   ③ 8%

④ 10%   ⑤ 15%

08 ★★★

농도가 10%인 소금물 xg에 농도가 20%인 소금물 yg을 넣고 zg만큼 증발시켰을 때, 결과물의 농도를 x, y, z로 표현한 것은?

① $\dfrac{20x + 10y}{x + y - z}\%$

② $\dfrac{2000x + 1000y}{x + y - z}\%$

③ $\dfrac{x + 2y}{x + y - z}\%$

④ $\dfrac{10x + 20y}{x + y - z}\%$

⑤ $\dfrac{1000x + 2000y}{x + y - z}\%$

03. 거속시 완성

[개요]

거속시도 마찬가지로 가중평균 한줄풀이로 모두 풀린다.

하지만 거속시에서 계산속도를 늘리기 위해 더 중요한 것은 [비례 관계]이다.

- [비례 관계]를 활용하기 위해 $L = VT$를 십자형 표로 푸는 습관을 들여보자.

TIP

위아래로 $L = VT$를 써두고 정리하면 된다.

공식 〈1〉인 가중평균으로 풀면 모든 거속시 문제를 풀 수 있다.

(단, 계산속도는 비례식이 더 빠를 수도 있다.)

[공식]

〈1〉 가중평균 한줄풀이 활용

$$L_S = \begin{cases} V_1 T_1 + V_2 T_2 + ... \\ \quad // \qquad // \\ L_1 \; + \; L_2 \; + ... \end{cases}$$

[예시1]

철수가 500m 달리기를 한다. 120m 지점까지는 8m/s의 속도로 달리고,

나머지는 xm/s의 속도로 달려서 총 35초가 걸렸다. 이때 xm/s를 구하시오.

$$500 = \begin{cases} 8 \times T_1 + x \times T_2 \\ \quad // \qquad // \\ 120 \; + \; 380 \end{cases}$$

$120 = 8 \times T_1 \quad \cdots \quad T_1 = 15$

$380 = x \times T_2 \quad \cdots \quad T_2 = 20 \quad \cdots \quad x = 19$m/s

TIP

십자형 표를 그려두고 왼쪽에는 L, V, T 오른쪽에는 숫자를 쓴다.

최종적으로 비례식으로 정리된다.

→ 계산량 대폭 감소

〈2〉 $L = VT$ 비례식 활용

L	10	15
V	4	3
T	T_1	T_2

$\cdots \quad \dfrac{10}{4} : \dfrac{15}{3} \to 1 : 2$

[예시2]

산에 오를 때 거리는 10km, 내려올 때 거리는 15km이다.

오를 때와 내려올 때의 속도비가 4 : 3이고, 전체 걸린 시간이 6시간일 때,

내려올 때 걸린 시간을 구하시오.

(풀이는 위에 그려져 있다.)

〈3〉 동시운동 : 상대속도 개념으로 접근

2명이 동시에 움직인다면, 1명은 고정하고 1명만 움직인나고 가성해도 된다.

 A는 오른쪽으로 50m/s, B는 왼쪽으로 30m/s 이동할 경우

 A는 오른쪽으로 80m/s, B는 멈춰있다고 가정할 수 있다.

• 같은 방향 : $V_C = V_A - V_B$

• 반대 방향 : $V_C = V_A + V_B$

[예시3]

A와 B가 300m인 원형트랙의 시작점에서 같은 방향으로 달린다.

A 속도는 8m/s, B 속도는 5m/s일 때, A와 B가 처음 만나는데 걸리는 시간을 구하시오.

→ B는 가만히 있고 A 혼자 3m/s의 속도로 달리는 것과 마찬가지이다.

따라서 처음 만나기 위해선 300m를 달려야 하므로 $300 = 3 \times T$ ⋯ $T = 100$초

[동시운동 : 상대속도]
1명을 고정하고 1명만
움직이는 것이 핵심이다.

시간을 빠르고 정확하게
계산할 수 있다.
→ 계산량 대폭 감소

단, 거리는 상대적이므로
정확한 거리를 묻는다면
위에서 구한 시간을
대입하여 풀면 된다.
(실전 7번, 8번 참고)

[활용]

〈왕복〉 : 비례식 활용

$L = V_1 T_1 = V_2 T_2$

[예시4]

같은 거리를 왕복하고, 갈 때 속도는 6m/s, 올 때 속도는 4m/s이다.

총 걸린 시간은 30초다. 총 이동 거리를 구하시오.

$L = 6 \times T_1 = 4 \times T_2$

       2T :   3T ⋯ **5T = 30초이므로 T = 6** ⋯ **2L = 144m**

[거속시 : 비례식 활용]
거속시의 대부분 문제는
비례식으로 쉽게 풀린다.
→ 계산량 대폭 감소

〈강물〉 : 비례식 활용

 $L = (V_1 + V_2) T_1 = (V_1 - V_2) T_2$

• 배의 속도(V_1) : [속도의 합] ÷ 2

• 강의 속도(V_2) : [속도의 차] ÷ 2

[예시5]

보트를 타고 강의 상류로 갈 때 5분 걸리고, 하류로 갈 때 3분 걸린다.

이때 배의 속도와 강의 속도의 속도비를 구하시오.

 $L = V_x \times 5분 = V_y \times 3분$

       3V   : 5V ⋯ 배의 속도 = [속도의 합] ÷ 2 = **4V**

       3V   : 5V ⋯ 배의 속도 = [속도의 차] ÷ 2 = **V**   ⋯ **속도비는 4:1**

[기차운동] : 공식 〈3〉

• 운동 전 / 운동 후 **기차의 맨 앞을 표시**하기

• 기차가 2대인 경우 : 기차 1개를 고정하고 벽으로 취급한다.

$$L \pm L_1 = V_1 T_1$$

$$L \pm L_1 \pm L_2 = V_C T_C$$

(1) 다리 시작 부분부터 다리에서 완전히 빠져나갈 때까지

L = 다리길이+기차길이

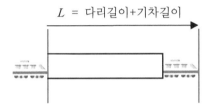

(2) 다리 시작 부분부터 다리에서 벗어나는 순간까지

L = 다리길이

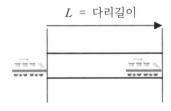

(3) 다리에 완전히 들어간 후 다리에서 완전히 빠져나갈 때까지

L = 다리길이

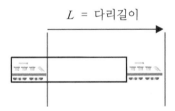

4) 기차 2대가 마주 보고 서로 완전히 통과할 때까지

L = 다리길이+2개 기차길이

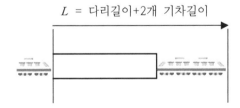

거속시 완성 빈칸 채우기

[빈칸 채우기 1]

철수는 집에서 Lm 떨어진 공원에 왕복으로 다녀오는 데 65초가 걸렸다.

갈 때는 8m/s의 속도, 올 때는 5m/s의 속도로 움직였을 때,

다음은 전체 왕복 거리 $2L$m를 구하는 과정이다.

<u>빈칸을 모두 채우시오.</u>

왕복이므로 $L = V_1 T_1 = V_2 T_2$로 접근하면 된다.

즉, $V_1 : V_2 = ($ $) : ($ $)$이다.

시간에 대하여 식을 세우면 8 : 5 = (   ) : (   )이다.

전체 시간이 65초이므로 갈 때는 (   )초, 올 때는 (   )초

따라서 $L = 8 × ($ $) = 5 × ($ $)$이므로

$2L = ($ $)$m이다.

[빈칸 채우기 2]

철수와 영희가 100m인 원형트랙의 시작점에서 서로 반대 방향으로 달린다.

철수의 속도는 3m/s이고, 영희의 속도는 2m/s로 달릴 때,

다음은 달리기 시작한 후 5번 만날 때까지 걸린 시간 T를 구하는 과정이다.

<u>빈칸을 모두 채우시오.</u>

2명 동시운동이면서 서로 반대 방향으로 달리므로 속도를 (더해야 / 빼야) 된다.

영희는 멈춰있고 철수만 달린다고 가정하면, $V_C = ($ $)$m/s이다.

한편, 5번 만난다고 하였으므로 $500 = V_C × T$이다.

따라서 $T = ($ $)$초이다.

[문항1]

산을 오를 때는 3km/h, 내려올 때는 5km/h로 이동해서
총 4시간 걸렸다. 산의 높이는?

① 7km   ② 7.5km   ③ 8km

④ 8.5km   ⑤ 9km

[문항3]

A에서 B까지는 시속 2km/h, B에서 C까지는 시속
5km/h로 이동하였다. AB 거리는 12km, BC 거리는
20km일 때, 평균속력은?

① 3km/h   ② 3.2km/h   ③ 3.4km/h

④ 3.6km/h   ⑤ 3.8km/h

[문항2]

강에서 배로 24km 지점까지 상류로 갈 때는 6시간,
하류로 갈 때는 4시간 걸렸다. 강물의 속도는?

① 1km/h   ② 2km/h   ③ 3km/h

④ 4km/h   ⑤ 5km/h

[문항4]

터널 길이는 1,000m, 기차의 길이는 200m, 기차의
속도는 50m/s일 때, 기차의 앞부분이 터널에 닿는
순간부터 완전히 통과하는데 걸리는 시간은?

① 18초   ② 20초   ③ 22초

④ 24초   ⑤ 26초

[문항5]

A와 B는 출발점에서 둘레가 100m인 원을 같은 방향으로 돈다. A가 30m/s, B가 20m/s로 이동할 때, 처음으로 만나는 시간은?

① 6초　　　　　② 7초　　　　　③ 8초

④ 9초　　　　　⑤ 10초

[문항6]

터널 길이는 1,000m, 기차 A의 길이는 200m, 기차 B의 길이는 300m이고, 기차 A의 속도는 50m/s, 기차 B의 속도는 100m/s이다. 두 기차가 터널의 양 끝에서 출발할 때, 두 기차가 서로 완전히 통과하는데 걸리는 시간은?

① 8초　　　　　② 10초　　　　　③ 12초

④ 14초　　　　　⑤ 16초

[문항7] ★

A가 6m/s의 속도로 출발하고 30초 후 B가 24m/s의 속도로 쫓아가서 A를 만난 후 다시 B가 원점으로 돌아오는 데까지 B가 이동한 총 시간은?

① 10초　　　　　② 15초　　　　　③ 20초

④ 25초　　　　　⑤ 30초

[문항8] ★★

A와 B는 둘레가 400m인 원을 반대로 돈다. A는 50m/s, B는 30m/s로 총 60초 동안 달리면 A와 B는 총 몇 번 만나는가?

① 10번　　　　　② 12번　　　　　③ 14번

④ 16번　　　　　⑤ 18번

01 ★

철수의 집에서 학교까지 거리가 400m이다.
평소에는 xm/s로 등교하지만, 발목을 다쳐서 평소보다 40% 느린 속도로 등교했더니 시간이 100초 늘어났다.
평소 등교 속도인 xm/s의 값은?

① 2m/s   ② $\dfrac{7}{3}$m/s   ③ $\dfrac{8}{3}$m/s

④ 3m/s   ⑤ $\dfrac{10}{3}$m/s

02

철수는 A지역에서 B지역으로 여행을 가는 길의 정중앙에 있는 휴게소에 들려서 30분 휴식할 예정이다. A에서 휴게소까지는 80km/h의 속도로 이동했고, 휴게소에서 B까지는 60km/h의 속도로 이동했다.
총 걸린 시간이 4시간일 때, 철수가 이동한 거리는?
(단, A지역, 휴게소, B지역은 일직선 상에 있다.)

① 200km   ② 210km   ③ 220km

④ 230km   ⑤ 240km

03

철수의 집에서 회사까지 거리가 500m이다.
3m/s의 속도로 출근 중 집에서 150m 떨어진 지점에서 사원증을 두고온 것을 확인하여 집으로 돌아가 사원증을 챙긴 후, 10m/s의 속도의 차를 타고 회사에 도착했다.
이때 총 걸린 시간은?

① 1분 30초   ② 2분   ③ 2분 30초

④ 3분   ⑤ 3분 30초

04

철수가 강 하류에서 Lm 떨어진 상류까지 갔다가 다시 하류로 내려왔다. 상류로 갈 때 10초 걸렸고 하류로 갈 때 8초 걸렸을 때, 강의 유속을 L로 표현한 것은?

① $\dfrac{1}{80}L$(m/s)   ② $\dfrac{1}{40}L$(m/s)   ③ $\dfrac{3}{80}L$(m/s)

④ $\dfrac{1}{20}L$(m/s)   ⑤ $\dfrac{1}{16}L$(m/s)

05

두 기차 A, B가 길이가 1,800m인 터널의 양 끝에서 출발한다. 기차 A의 길이는 40m, 속도는 20m/s이고, 기차 B의 길이는 60m, 속도는 25m/s이다.
두 기차가 서로 만나는 순간까지 걸리는 시간은?

① 20초   ② 25초   ③ 30초

④ 35초   ⑤ 40초

06 ★

두 기차 A, B가 길이가 1,500m인 터널의 양 끝에서 출발한다. 기차 A의 길이는 60m, 속도는 30m/s이고, 기차 B의 길이는 120m, 속도는 50m/s이다.
두 기차가 서로 완전히 통과하는 데까지 걸리는 시간은?

① 18초   ② 19초   ③ 20초

④ 21초   ⑤ 22초

07 ★★★

철수와 영희가 A지점에서 600m 떨어진 B지점으로 동시에 이동한다.
철수의 속도가 영희보다 1m/s 더 빨라서 철수가 먼저 도착해서 영희를 찾으러 다시 마중을 나갔다.
철수와 영희가 만나는 데까지 총 걸린 시간이 80초일 때, B지점과 철수와 영희가 만난 지점 사이의 거리는?

① 40m   ② 50m   ③ 60m

④ 70m   ⑤ 80m

08 ★★

철수와 영희가 길이가 400m인 원형트랙의 출발점에서 서로 반대 방향으로 달린다.
철수의 속도는 25m/s이고 영희의 속도는 15m/s일 때, 철수와 영희가 출발한 후 7번째 만나는 지점과 출발점 사이의 거리는?

① 50m   ② 75m   ③ 100m

④ 125m   ⑤ 150m

04. 일률 완성, 빈칸 채우기

[개요]

일률 문제는 대부분 일량을 주지 않기에, 일량을 1로 잡는 풀이가 많다.

이 말은 즉, 일량을 아무 값이나 잡아도 상관없다는 의미이다.

계산속도를 빠르게 하기위해 일량을 1이 아니라 어떻게 잡는 것이 유리한지 알아보자.

• 일량 = 일률 × 시간 (거속시 개념과 같은 구조)

[공식]

〈일량 정하기〉: 공배수로 정하기 → 정수화 → 계산량 감소

$$일량 = \begin{cases} 1 & (X) \\ 공배수 & (O) \\ 어떤값 & (\Delta) \end{cases}$$

[예문]

숙제 푸는데 철수는 3일, 영희는 2일 걸렸다. 둘이 같이 풀면 며칠 걸리는가?

1) 3과 2의 공배수인 6을 일량으로 잡자.

2) $V_{철수} = 2$, $V_{영희} = 3$

3) $6 = 5 \times T$　　　　…　　　　정답은 $T = \dfrac{6}{5}$일

[빈칸 채우기]

수조에 물을 가득 채우는 데 A 펌프로는 6시간, B 펌프로는 2시간 걸린다.

그리고 가득 찬 상태에서 C 구멍을 열어 완전히 배수하는 데 3시간이 걸린다.

다음은 A 펌프, B 펌프, C 구멍을 동시에 열었을 때

수조를 가득 채우는데 걸리는 시간을 구하는 과정이다.

빈칸을 모두 채우시오,

> 6과 2와 3의 (　　　)인 6을 일량으로 잡자.
>
> 이때 A 펌프의 속도는 (　　　), B 펌프는 (　　　), C 구멍은 (　　　)이다.
>
> 따라서 [일량 = 일률 × 시간] 꼴로 정리하면
>
> $6 = (V_A + V_B + V_C) \times T = (\quad + \quad + \quad) \times T$
>
> $T = (\quad)$시간

[문항1]

A와 B 각각 일을 마무리하는 데 A는 3일, B는 4일 걸릴 때, A와 B가 함께 일하면 며칠 걸리는가?

① $\frac{12}{7}$일   ② $\frac{13}{7}$일   ③ 2일

④ $\frac{15}{7}$일   ⑤ $\frac{16}{7}$일

[문항2]

수조를 가득 채우는 데 A관은 20분, B관은 15분 걸린다. 또한, 가득 찬 상태에서 완전히 배수하는 데 10분이 걸린다. A와 B, 배수관을 동시에 열면 수조를 가득 채우는 데 얼마나 걸리는가?

① 30분   ② 45분   ③ 60분

④ 75분   ⑤ 90분

[문항3]

A는 물건을 완성하는 데 15일, B는 물건을 완성하는 데 5일이 걸린다.

A와 B가 함께 일하다가 B 혼자 3일 더 일해서 물건을 완성하였을 때, A와 B가 함께 일한 일수는?

① 0.5일   ② 1일   ③ 1.5일

④ 2일   ⑤ 2.5일

[문항4] ★

A가 9일 걸려서 끝내는 일을, B가 하면 5일이 걸린다. B가 혼자 하다가 A에게 넘겼을 때, 총 6일을 넘지 않으려면 B는 최소한 며칠 일해야 하는가? (단, 일하는 시간은 1일 단위로 계산한다.)

① 1일   ② 2일   ③ 3일

④ 4일   ⑤ 5일

01

일을 끝내는데, 철수는 6일, 철수와 영희가 함께하면 4일 걸린다. 영희 혼자 일하면 걸리는 시간은?

① 8일　　　　② 9일　　　　③ 10일

④ 11일　　　　⑤ 12일

02

일을 끝내는데, A는 6일, A+B는 4일, B+C는 5일이 걸릴 때, A+C가 일을 끝내는데 걸리는 시간은?

① $\frac{30}{17}$일　　　② $\frac{40}{17}$일　　　③ $\frac{50}{17}$일

④ $\frac{60}{17}$일　　　⑤ $\frac{70}{17}$일

03 ★

수조를 가득 채우는 데 A펌프로는 30분, B펌프로는 20분 걸린다. 그리고 가득 찬 상태에서 C구멍을 열어 완전히 배수하는 데 15분 걸린다.

A펌프와 B펌프를 동시에 열어서 반만큼 채운 후에 C구멍도 열어서 가득 채웠을 때, 총 걸린 시간은?

① 30분　　　　② 36분　　　　③ 42분

④ 48분　　　　⑤ 54분

04 ★★

철수와 영희가 함께 과제를 한다. 철수 혼자 하면 3일 걸리고, 영희 혼자 하면 4일 걸린다. 철수와 영희가 함께 일하면 철수의 속도는 25% 증가하고, 영희의 속도는 50% 증가한다.

철수와 영희가 1일간 같이 과제를 하고 남은 과제는 철수 혼자 했을 때, 총 걸린 시간은?

① 1일 9시간　　② 1일 12시간　　③ 1일 15시간

④ 1일 18시간　　⑤ 1일 21시간

『경우의 수는 이론보다 문제와 해설이 중요합니다』

- 보석같은 -

05. 경우의 수와 확률

[개요]

경우의 수와 확률은 다른 단원에 비해 개념이 모호한 편이다.

그러한 이유로 인해 기계적으로 풀기 힘들고 문제 상황에 따라 풀이법이 다를 수 있다.

하지만 큰 틀에서 보면 쓰이는 개념이 적어서 응용만 잘하면 쉽게 적용할 수 있다.

• 경우의 수, 확률에서 가장 중요한 것은 **대칭성**이다.

[사칙연산]

〈합의 법칙〉 : 선택의 귀로에서 대칭성(X) → 경우의 수에 따라 분기가 갈린다.

〈곱의 법칙〉 : 선택의 귀로에서 대칭성(O) → 한가지로 가정하고 곱하기 적용

〈마이너스〉 : 여사건, 중복제외

〈나눗셈〉 : 같은 것을 포함한 순열, 원순열 → 순서를 무시해도 될 때, 나눗셈 적용

[순열과 조합 – 개념 익히기]

조합은 선택하기, **순열**은 선택하고 나열하기로 이해하면 된다.

〈순열〉 : 선택하고 + 나열하기와 같으므로 $_nC_r × r!$이다.

(나열하기에 해당하는 $r!$은 상황에 맞게 적용하면 된다.)

〈조합〉 : 선택하기이므로 $_nC_r$이다.

[순열과 조합 – 유형 분석]

순열과 조합이 가장 많이 쓰이는 유형은 〈줄 세우기〉, 〈뽑기〉 등이 있다.

〈줄 세우기〉 : 선택하고 + 나열하기와 같으므로 주로 $_nC_r × r!$을 사용한다.

〈이웃하지 않도록〉 : 나머지를 먼저 놓고 남은 자리에 놓는 방법이 활용도가 높다.

〈같은 것을 포함한 순열〉 : 순서를 무시해도 되므로 같은 것끼리 나눗셈(÷)을 사용한다.

〈뽑기〉 : 상자나 바구니에서 뽑기를 할 경우엔 선택하기이므로 $_nC_r$을 사용해야 한다.

> **[예시]**
>
> 1학년 3명, 2학년 2명, 3학년 2명을 일렬로 세우는데, 1학년끼리는 이웃하지 않도록
> 나열하는 경우의 수는?
>
> | 1 | 2 | 1 | 2 | 1 | 3 | 1 | 3 | 1 |
> |---|---|---|---|---|---|---|---|---|
>
> **[풀이]** 이웃하지 않도록 유형이므로 나머지를 먼저 놓자.
>
> 나머지(흰색)에 해당하는 2학년과 3학년을 먼저 나열하면 4!이다.
>
> 1학년(하늘색)을 2학년과 3학년 사이사이에 놓고 나열하면 되므로 $_5C_3 × 3!$이다.
>
> 따라서 정답은 4! × ($_5C_3 × 3!$) = 1,440가지이다.

[원순열]

원순열은 순열과 달리 **기준점이 없기에**, 회전하면 같은 경우로 본다.
따라서 **원순열의 기준점을 잡아주면 순열과 같아진다.**
원순열은 〈순서대로 놓기〉와 〈대칭축으로 나누기〉의 방법으로 풀 수 있다.
★〈순서대로 놓기〉 : 첫 번째 대상을 먼저 놓으면 기준점이 잡히므로, 순열과 같아진다.

$$\rightarrow\ 1 \times (n-1)!$$

〈대칭축으로 나누기〉 : 순열로 취급하고 나열 후에, 대칭축의 개수로 나누는 방법이다.

$$\rightarrow\ n! \div n$$

[예시]
6인용 원탁에 아빠, 엄마, 아들 3명, 딸 1명이 앉을 때, 아빠와 엄마는 이웃하게 앉는
방법의 수는?

[풀이] 원순열이므로 순서대로 놓기로 풀자.
　　　아빠를 먼저 놓으면, 어디에 앉아도 되므로 1가지
　　　다음에 엄마를 놓으면, 아빠의 좌우에 앉을 수 있으므로 2!가지
　　　나머지 4명은 자유롭게 앉으면 되므로 4!가지
　　　따라서 정답은 (1 × 2!) × 4! = 48가지이다.

TIP

원순열 문제는 대부분
〈순서대로 놓기〉로
푸는 것이 좋다.

→ 보편적으로 적용 가능

[색칠하기]

색칠하기는 영향력이 가장 큰 곳부터 채우는 것이 좋다.
그 이유는 **영향력이 클수록 대칭성이 존재**하여 풀이 식이 **간결**해지기 때문이다.

[예시]
그림과 같이 생긴 구역을 4가지 색으로 같은 색은 이웃하지 않도록 칠하는
방법의 수는? (단, 같은 색을 여러 번 사용할 수 있다.)

A	B	→			

C	D	E

[풀이] 색칠하기이므로 영향력이 가장 큰 곳부터 채우자.
　　　A~E 중에 D가 가장 많은 영역과 닿고 있으므로 D가 영향력이 가장 크다.
　　　D에는 4가지, 다음으로 A에 3가지, B에는 2가지, C에는 2가지, E에는 2가지
　　　따라서 정답은 4 × 3 × 2 × 2 × 2 = 96가지이다.

TIP

하나씩 채울 때마다
이웃한 색을 제외하고
채우면 된다.

[노가다]

간혹 **노가다**로 풀어야 하는 문제도 있다.
노가다로 푼다면 오름차순 또는 내림차순으로 방향을 하나로 고정하여 풀자.

TIP

노가다로 풀다 보면
규칙성이 보인다.

TIP

중복조합은 쉽게 판단이
어려우므로 H의 어원을
이해하여 적용하자.

TIP

중복순열 : $_n\Pi_r = n^r$

[중복조합 - 개념 익히기]

중복조합은 조합과 비슷하지만, 중복을 허락한다는 차이점이 있다.

〈**중복조합**〉 : 서로 다른 n개에서 중복을 허용하여 r개를 고르는 조합 : $_nH_r = _{n+r-1}C_r$

중복조합의 H는 Homogeneous의 개념을 담고 있다. 즉, **동차항**을 의미한다.
동차항이란 다항식에서 각 항의 차수의 합이 모두 같은 것을 의미한다.

- 예를 들어, $(x+y+z)^5 = x^5 + ax^4y^1 + bx^3y^1z^1 + ... + z^5$로 전개된다.

  여기서 $x^5y^0z^0$, $x^4y^1z^0$, $x^3y^1z^1$, $x^0y^2z^5$은 모두 차수의 합이 5로 같다.

  이때 나열된 **전체 항의 개수**가 **중복조합의 수**와 같다.　　… $_3H_5$

TIP

4가지 유형 중에서
1번과 3번은 분할이므로
노가다로 풀어야 한다.

3개 상자 <u>ABC를 AAA로</u>
<u>같은 것을 포함한 순열</u>로
취급하고 나눠도 되지만,
규칙이 복잡해서 사실상
불가능에 가깝다.

[중복조합 - 유형 분석]

중복조합은 유형이 다양하게 나올 수 있으므로 헷갈릴 수 있다.

위에서 배운 **중복조합의 어원인 동차항의 의미를 적용**해야 판단이 쉽다.

1. 같은 3개 바구니에 같은 4개 공을 넣는 경우의 수 : 분할(노가다)	4가지
2. 다른 3개 바구니에 같은 4개 공을 넣는 경우의 수 : 중복조합	$_3H_4 = 15$가지
3. 같은 3개 바구니에 다른 4개 공을 넣는 경우의 수 : 분할(노가다)	14가지
4. 다른 3개 바구니에 다른 4개 공을 넣는 경우의 수 : 중복순열	$_3\Pi_4 = 3^4$가지

TIP

1번과 2번을 비교하면
중복조합에서 상자를
나열하지 않으면 분할이
된다.
(중복조합 수 > 분할 수)

1. 분할은 상자의 나열이 필요 없다.
　이 경우엔 노가다로 푸는 것이 좋다.

A상자	A상자	A상자
1111		
111	1	
11	11	
11	1	1

2. 중복조합은 상자의 나열이 필요하다.
　이 경우엔 $_3H_4 = _6C_4 = 15$가지

A상자	B상자	C상자	상자 나열
1111			3가지
111	1		6가지
11	11		3가지
11	1	1	3가지

※ 3번 분할과 4번 중복순열도 똑같이 이해하면 된다.

실전 전략 : 서로 다른 바구니에 같은 공을 넣는 상황이라면 중복조합이라고 생각하자.

골대1　골대2　골대3

공 8개　 : $_3H_8$

김밥　라면　덮밥　국수

6명　 : $_4H_6$

[확률]

확률은 크게 〈경우의 수〉와 〈확률〉 2가지로 이해할 수 있다.
둘 중 어떤 방법으로든 풀면 된다. (어떤 풀이가 옳은지 그른지 나눌 수 없다.)
  〈경우의 수〉 : 확률 = [해당 경우의 수 ÷ 전체 경우의 수]
  〈확률〉 : 확률 = $p_1 + p_2 + p_3 + \cdots = P(A)$

TIP

확률 문제는 경우의 수,
**확률 어떤 방법으로 풀든
상관없지만**, 확률로 접근
한다면 수학적 이해가
깊어질 수 있다.

[이항분포]

이항분포는 (1) **독립시행**이면서 (2) **시행마다 확률이 고정**일 때 사용하면 된다.
  주로 〈동전〉, 〈주사위〉, 〈맞춘 문제 개수〉 등 [yes or no] 느낌으로 출제된다.

이항분포의 식은 $P(A) = {}_nC_r \times (p)^r \times (1-p)^{n-r}$ 이다.

n : ${}_nC_r$: n개 중에 r개가 발생할 때,

p : $(p)^r$: 이 사건은 p의 확률로 r번 발생했고

q : $(1-p)^{n-r}$: $(1-p)$의 확률로 $(n-r)$번 발생하지 않았다.

TIP

이항(Binomial)은 Binary
로 이해하면 된다.
사건이 일어나거나(p)
일어나지 않거나(q)
2가지 확률로 표현된다.

[예시 1]
동전을 10번 던졌을 때, 앞면이 7번 나올 확률은?

[풀이] 동전 던지기는 <u>독립시행</u>이면서 <u>시행마다 확률이 고정</u>이므로 **이항분포**를 쓰자.

$$P(A) = {}_{10}C_7 \times \left(\frac{1}{2}\right)^7 \times \left(\frac{1}{2}\right)^3$$

TIP

이항분포는 npq(엔피큐)로
외우자.

n : ${}_nC_r$
p : 일어날 확률
q : 일어나지 않을 확률

[예시 2]
주사위를 6번 던졌을 때, 3의 배수가 4번 나올 확률은?

[풀이] 주사위는 <u>독립시행</u>이면서 <u>시행마다 확률이 고정</u>이므로 **이항분포**를 쓰자.

3의 배수는 3과 6이므로 $p = \frac{1}{3}$ 이다.

$$P(A) = {}_6C_4 \times \left(\frac{1}{3}\right)^4 \times \left(\frac{2}{3}\right)^2$$

[빈칸 채우기 1]

다음은 과장 1명, 대리 2명, 사원 3명을 일렬로 나열할 때 사원끼리는
이웃하지 않는 경우의 수를 구하는 과정이다. <u>빈칸을 모두 채우시오.</u>

사원 3명이 서로 이웃하지 않아야 하므로 (A)를 먼저 놓고
그 사이사이에 (B)을 놓으면 된다.

(A)끼리 자리 바꾸는 경우를 생각하면 (   )!이고
(B)이 놓일 수 있는 자리는 총 $_4C_3$가지, 자리 바꾸는 경우는 (   )!이므로
정답은 $_4C_3 \times$ (   )! $\times$ (   )!이다.

| V | 과1 | V | 대1 | V | 대2 | V |

[빈칸 채우기 2]

다음은 변마다 1자리씩 있는 정오각형 탁자에 3명의 남자와 2명의 여자가
앉으려고 할 때, 여자끼리 이웃하지 않는 경우의 수를 구하는 과정이다.
<u>빈칸을 모두 채우시오.</u>

[순서대로 놓기 - 여자]

여자 A를 먼저 놓으면, 남은 여자 B가 앉을 수 있는 자리의 개수는 (N)개 뿐이다.
여기서 <u>여자끼리 자리를 바꾸는 건 회전했을 때 같으므로</u> (고려 / 무시)한다.
그리고 남은 모든 자리는 남자 3명이 앉으면 되므로
정답은 (N) $\times$ (   )!가지이다.

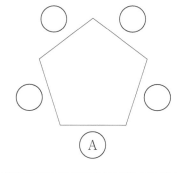

경우의 수와 확률 예문

정답 및 해설 244p

[문항1] - 줄세우기

남자 4명과 여자 3명을 일렬로 나열할 때, 다음을 구하시오.

1) 여자 3명이 서로 이웃하지 않도록 나열하는 경우의 수 ★

2) 양 끝에 남자만 오도록 나열하는 경우의 수 ★

[문항2] - 같은 것을 포함한 순열

알파벳 a, a, a, b, n, n을 나열하여 단어를 만들 때, 다음을 구하시오.

1) 가능한 전체 경우의 수

2) n 바로 뒤에 반드시 a가 오게 하는 경우의 수

[문항3] - 원순열

30명이 탁자에 앉을 때 전체 경우의 수를 구하시오.

 1) 원탁에 앉을 때, 전체 경우의 수

 2) 정삼각형 탁자에 앉을 때, 전체 경우의 수(단, 한 변에 10명씩 앉는다.) ★

 3) 정십각형 탁자에 앉을 때, 전체 경우의 수(단, 한 변에 3명씩 앉는다.) ★

[문항4] - 색칠하기

 1) 4개의 색깔로 [그림1]을 이웃한 부분끼리는 서로 다른 색을 칠하는 경우의 수

 2) 3개의 색깔로 [그림2]를 이웃한 부분끼리는 서로 다른 색을 칠하는 경우의 수 ★★

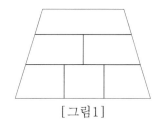

[그림1]

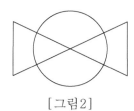

[그림2]

[문항5] - 중복조합

편의점에서 컵라면, 도시락, 삼각김밥을 섞어서 0개 이상씩 총 6개 구매하려고 할 때,

 1) 가능한 전체 경우의 수

 2) 컵라면은 1개 이상, 도시락은 2개 이상 구매하는 경우의 수 ★

[문항6] - 확률의 사칙연산

동전을 던져서 앞면이 나오면 사과 1개, 뒷면이 나오면 포도 1개를 받는다.

여러 번 던져서 최초로 한 종류 과일을 3개 받았을 때 이 시행을 멈춘다.

 1) 동전을 4번 던진 순간 시행이 멈췄을 때, 포도의 개수가 3개일 확률을 구하시오. ★

 2) 포도를 3개 받고 시행을 멈췄을 때, 사과의 개수가 1개일 확률을 구하시오. ★★★

01

A~G 7명을 일렬로 나열할 때, A와 B가 양 끝에 서고,
C가 A 또는 B 옆에 서는 경우의 수는?

① 24가지　　　　② 48가지　　　　③ 72가지
④ 96가지　　　　⑤ 120가지

03 ★

철수는 게임에서 이기면 노트에 1을 적고, 지면 노트에
2를 적는다. 게임에서 총 4승 3패를 했을 때, 노트에
적힌 숫자로 가능한 모든 경우의 수는?
(단, 숫자는 순서대로 일렬로 적는다.)

① 15가지　　　　② 20가지　　　　③ 25가지
④ 30가지　　　　⑤ 35가지

02 ★

A~G 7명을 일렬로 나열할 때, A, B, C가 서로 이웃하지
않고, D, E가 이웃하는 경우의 수는?

① 288가지　　　　② 360가지　　　　③ 432가지
④ 504가지　　　　⑤ 576가지

04

철수를 포함한 남자 4명과 영희를 포함한 여자 3명이 원
탁에 앉는다. 철수와 영희는 1칸 떨어져 있고 그사이에
여자만 앉을 수 있을 때, 경우의 수는?

① 48가지　　　　② 60가지　　　　③ 72가지
④ 84가지　　　　⑤ 96가지

05 ★★

철수를 포함한 남자 4명과 영희를 포함한 여자 3명이 원탁에 앉는다. 철수와 영희가 최대한 멀리 떨어져 앉고, 여자는 이웃하지 않도록 앉는 경우의 수는?

① 36가지   ② 48가지   ③ 60가지
④ 72가지   ⑤ 84가지

06 ★★★

아래 그림과 같이 4개의 색깔로 5개의 칸을 색칠할 때, 이웃한 칸끼리는 색이 다르고 양 끝의 색이 같을 경우의 수는? (단, 모든 색을 사용할 필요는 없다.)

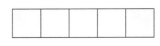

① 36가지   ② 48가지   ③ 60가지
④ 72가지   ⑤ 84가지

07 ★★

다음 조건과 같이 4명의 학생 A, B, C, D에게 같은 종류의 초콜릿 8개를 남김없이 나눠주는 경우의 수는?

> (가) 각 학생은 적어도 1개의 초콜릿을 받는다.
>
> (나) 학생 A와 학생 B는 같은 개수를 받는다.

① 7가지   ② 8가지   ③ 9가지
④ 10가지   ⑤ 11가지

08 ★★★ 한국철도공사 기출

아래 그림과 같이 좌석이 배치된 7인승 자동차에 사장과 직원 6명이 탑승하여 출장을 가기로 했다. 운전을 할 수 있는 사람은 직원인 A, B, C 3명이고, 사장은 조수석에 앉지 않을 때, 사장의 옆자리에 A가 앉지 않을 확률은?

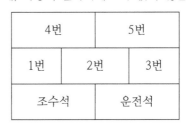

① 66%   ② 72%   ③ 78%
④ 84%   ⑤ 92%

06. 평균 = 가평균 + 편차합평균

출처 안내

평균의 일반식은
제가 만든 표현법이므로
공유 시 출처를 밝혀야
합니다.
(물론 수학적 분석으로
터득할 수 있습니다.)

[개요]

앞서 배운 가중평균과 같이 [평균 = 가평균 + 편차합평균] 개념은
<u>응용수리, 자료해석, 문제해결, 자원관리 모두 활용</u>이 가능하다.
• 이번 단원을 잘 익힌다면, 문제에서 [평균]이라는 단어만 보여도 반가울 것이다.

[공식]

평균 = 가평균$_1$ + 편차합평균$_1$ = 가평균$_2$ + 편차합평균$_2$ = …

1	2	4	6	7

1, 2, 4, 6, 7의 평균은?

TIP

가평균을 뭘로 잡느냐에
따라 계산량이 달라진다.

$$평균_1 = 0 + \frac{1+2+4+6+7}{5} = 4 \qquad 가평균_1 = 0 \qquad 편차합평균_1 = 4$$

$$평균_2 = 4 + \frac{-3-2+2+3}{5} = 4 \qquad 가평균_2 = 4 \qquad 편차합평균_2 = 0$$

$$평균_3 = 2 + \frac{-1+2+4+5}{5} = 4 \qquad 가평균_3 = 2 \qquad 편차합평균_3 = 2$$

위와 같이 **동일한 평균을 여러 방식으로 표현**할 수 있다.
(평균 = 가평균 + 편차합평균 꼴로 표현할 수 있다.)

[정리]

평균을 묻는 문제는 아래 2단계로 해결된다.
(1단계) : 적절한 가평균 정하기
(2단계) : 편차 합의 평균 구하기

우리가 알고 있는 평균의 공식인
$$평균 = \frac{1+2+4+6+7}{5} = 4$$
는 사실 가평균을 0으로 잡고, 편차의 평균을 구한 것**과 마찬가지**이다.

TIP

[적절한 가평균 정하기]
(1) **제시된 값**으로 잡기
(2) **중앙값**으로 잡기

〈적절한 가평균 정하기〉
(1) **제시된 값**으로 잡기
→ "17년~22년의 평균이 3,500 이상이다."라고 물었다면, 가평균을 3,500으로 잡으면 된다.

(2) **중앙값**으로 잡기
→ "152, 182, 234, 255의 평균"을 물었다면, 적당히 200을 가평균으로 잡으면 된다.

[빈칸 채우기 1]

다음은 A 학원의 1학년 10명 평균점수와 2학년 20명 평균점수의 차이를 구하는 과정이다.
<u>빈칸을 모두 채우시오.</u>

점수	70~80	80~90	90~100
1학년	2명	5명	3명
2학년	5명	9명	6명

(TIP)

1학년 평균이 2학년보다 크다는 사실은 계산해 보지 않아도 알 수 있다.
→ 1학년의 인원수를 2배 해보면 보인다.

[평균]을 구하는 문제이므로 일단 반갑다.

우선 점수가 <u>범위</u> 형태로 나와 있으므로 순서대로 75점, 85점, 95점으로 취급한다.

그리고 가평균을 중앙값인 (　　　)으로 선정하면, 아래 표와 같이 그려진다.

점수	(A)	0	(B)
1학년	2명	5명	3명
2학년	5명	9명	6명

1학년의 평균점수는 $85 + \dfrac{(\ A\ ) \times 2 + 0 \times 5 + (\ B\ ) \times 3}{(\quad)} = (\ C\ )$점

2학년의 평균점수는 $85 + \dfrac{(\ A\ ) \times 5 + 0 \times 9 + (\ B\ ) \times 6}{(\quad)} = (\ D\ )$점

평균점수의 차이는 (C) − (D) = (　　　)점이다.

[빈칸 채우기 2]

다음은 A 지역의 20년~23년의 평균 인구수는 23,000명 이상인지 판별하는 방법이다.
<u>빈칸을 모두 채우시오.</u>

연도	20년	21년	22년	23년
인구수	19,649	21,305	25,032	26,248

(TIP)

대소비교는 문제에서 제시한 값을 가평균으로 잡으면 편하다.
→ 편차 합의 평균이 양수인지 음수인지 판단

[평균]을 구하는 문제이므로 일단 반갑다.

제시된 기준이 23,000명이므로 23,000을 (A)으로 잡으면, 아래 표와 같이 그려진다.

연도	20년	21년	22년	23년
인구수	−3,350	−1,700	2,030	3,250

[평균 = 가평균 + 편차합평균] 식을 위에 적용하면

평균 인구수 = (A) + (양수 / 음수)이므로 정답은 (참 / 거짓)이다.

평균 = 가평균 + 편차합평균 예문

정답 및 해설 249p

[문항1]

다음은 A 학원에 다니는 전체 학생의 점수 분포표이다. 전체 학생의 평균점수는?

점수	68	72	76	80	88	92
학생수	3	4	7	8	6	2

① 79.2점   ② 79.4점   ③ 79.6점

④ 79.8점   ⑤ 80점

〈세트문항 3~4〉

아래 표를 보고 [문항3], [문항4]의 물음에 답하시오.

구분	18년	19년	20년	21년	22년
인구수	2,304	2,659	2,883	3,027	3,254
총금액	403만	256만	215만	207만	468만

[문항3] ★★

18년~22년의 총금액 평균은 310만 이상이다. (O, X)

[문항2] ★★

400명의 참가자가 A, B, C, D 4개로 팀을 나눠서 퀴즈를 풀었다. 전체 참가자의 평균점수는?

> (가) A팀은 92명이고, 평균점수가 92점이다.
>
> (나) B팀은 100명이고, 평균점수가 88점이다.
>
> (다) C팀은 96명이고, 평균점수가 93점이다.
>
> (다) D팀은 112명이고, 평균점수가 87점이다.

① 89.64점   ② 89.84점   ③ 90.04점

④ 90.24점   ⑤ 90.44점

[문항4] ★★

18년~22년의 인구수 평균을 고르면?

① 2,725명   ② 2,775명   ③ 2,825명

④ 2,875명   ⑤ 2,925명

01

철수와 영희의 4과목 평균점수를 순서대로 고른 것은?

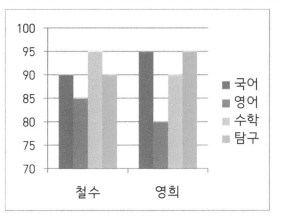

① 85점, 85점   ② 85점, 90점   ③ 90점, 85점
④ 90점, 90점   ⑤ 90점, 95점

02 ★

A의 올해 평균 월급은?
(단, 분기는 1년을 3개월씩 4등분한 것이다.)

분기	1분기	2분기	3분기	4분기
월급 총액	720만	780만	810만	870만

① 245만   ② 265만   ③ 280만
④ 795만   ⑤ 805만

〈세트문항 03~04〉

다음은 철수, 영희, 민수의 월별 지출비용이다.
물음에 답하시오.   (단위: 십 원)

구분	1월 (1분기)	2월 (1분기)	3월 (1분기)	4월 (2분기)	5월 (2분기)
철수	50,183	56,821	52,307	43,183	60,203
영희	48,387	59,376	52,810	46,859	55,703
민수	50,472	61,454	53,764	42,233	61,726

03 ★★

1분기 지출비용이 두 번째로 높은 사람의 1~5월 월평균
지출비용은?

① 494,270원   ② 510,270원   ③ 526,270원
④ 542,270원   ⑤ 558,270원

04 ★★★

1~5월 월평균 지출비용이 3월 지출비용보다 높은 사람은
누구인가?

① 철수   ② 민수   ③ 철수, 영희
④ 철수, 민수   ⑤ 영희. 민수

07. 방정식 몰아주기

[개요]

방정식, 부등식 문제는 주로 2개의 식을 세운 후 연립하여 풀어야 한다.

이때 1개의 식을 몰아주면 식이 1개만 남기 때문에 암산으로도 풀린다.

- 단, 이 개념은 **수학적 감각이 필요**하므로 힘들면 정석으로 푸는 게 나을 수 있다.

[이론]

문제에서 요구하는 조건으로 가정하고 몰아주고 푸는 것

[A + B = k] 꼴의 방정식이 있다면 사용할 수 있다.

TIP

몰아주는 대상은 상황에
맞게 편한 대로 정하자.

[1]
강아지로 잡아도 되고
참새로 잡아도 된다.

[2]
A 음식으로 잡아도 되고
B 음식으로 잡아도 된다.

[예시]

[1]

> 강아지와 참새가 총 10마리 있고 다리 수는 총 26개다. 강아지는 몇 마리인가?
>
> 1) 참새를 10마리로 몰아주면 다리 수는 20개
> 2) 강아지를 1마리 넣으면서 참새를 1마리 빼면, 다리 수는 $20+2n$ ← **10마리 고정**
> 3) 따라서 강아지는 3마리이다.

[2]

> A 음식에는 100g당 탄수화물 10g, 단백질 8g이 들어있고
> B 음식에는 100g당 탄수화물 20g, 단백질 5g이 들어있다.
> 총 1,000g 먹을 때, 탄수화물을 170g 이상 먹으면서 먹을 수 있는 단백질의 최대량은?
>
> 1) A만 1,000g으로 몰아주면 탄수화물 100g, 단백질 80g이다.
> 2) B를 100g 넣으면서 A를 100g 빼면, 탄수화물은 $100+10n$, 단백질은 $80-3n$
> 3) 따라서 $n = 7$일 때, 탄수화물 170g, 단백질 59g이다.
> 4) A는 300g, B는 700g

방정식 몰아주기 빈칸 채우기

정답 및 해설 252p

[빈칸 채우기 1]

다음은 강아지와 참새가 총 10마리 있고 다리 수는 총 26개일 때,
참새는 몇 마리인지 찾는 과정이다. 빈칸을 모두 채우시오.

1) 강아지를 10마리로 몰아주면 다리 수는 (　　)개다.

2) 참새를 1마리 넣으면서 강아지를 1마리 빼면, 다리 수는 (　　) ← 10마리 고정

3) 따라서 참새는 (　　)마리

[빈칸 채우기 2]

A음식에는 100g당 탄수화물 10g, 단백질 8g이 들어있고
B음식에는 100g당 탄수화물 20g, 단백질 5g이 들어있다.
총 1000g 먹을 때, 단백질을 62g 이상 먹으면서 먹을 수 있는 탄수화물의 최대량을
찾는 과정이다. 빈칸을 모두 채우시오.

1) B만 1000g으로 몰아주면 탄수화물 (　　)g, 단백질은 (　　)g이다.

2) A를 100g 넣으면서 B를 100g 빼면, 탄수화물은 (　　$-n$)g, 단백질은 (　　$+n$)g이다.

3) 따라서 n = (　　)일 때, 탄수화물 (　　)g, 단백질 (　　)g이다.

4) A는 (　　)g, B는 (　　)g

[빈칸 채우기 3]

철수는 2점 10문제, 3점 20문제, 4점 5문제이고 합격점수가 49점인 수학시험을 쳤다.
2점과 4점 문제를 맞힌 개수의 합이 10개이고, 3점 문제를 2점 문제보다 1개 더 맞혔을 때,
3점 문제를 최소한으로 맞히고 합격하는 방법을 찾는 과정이다. 빈칸을 모두 채우시오.

1) 2점 문제만 10문제로 몰아주면 총점은 (　　)$_{2점}$ + (　　)$_{3점}$ + (　　)$_{4점}$ = (　　)점이다.

2) 4점 문제를 1개씩 넣으면서 2점 문제를 빼면, 총점은 (　　n)점씩 감소한다.

3) 따라서 n = (　　)일 때, 3점 문제를 최소한으로 (　　)개 맞히면서 합격하게 된다.

[문항1]

연필 A 또는 연필 B만 대량으로 구매하려고 한다. 연필 A의 가격은 600원, 연필 B의 가격은 550원이다.

연필 A는 7개부터 20% 할인된 가격으로 구매 가능할 때, 몇 개 이상 구매해야 연필 A를 구매하는 게 이득인가?

① 10개   ② 11개   ③ 12개

④ 13개   ⑤ 14개

[문항2] ★★

A는 10g당 계란 5g, 간장 3g이 들어가고 B는 10g당 계란 3g, 간장 4g이 들어간다.

계란은 총 180g 이상, 간장은 총 185g 이상 사용할 때, A와 B의 총 무게의 최솟값은?

① 400g   ② 450g   ③ 500g

④ 550g   ⑤ 600g

01 ★★

철수와 영희가 동전 던지기 게임을 n판 했다.

앞면이 나오면 철수가 앞으로 2걸음, 영희가 뒤로 1걸음 이동하고

뒷면이 나오면 영희가 앞으로 2걸음, 철수가 뒤로 1걸음 이동한다.

철수가 영희보다 12칸 앞에 있고 영희가 4판 이겼을 때, n의 값은?

① 8   ② 9   ③ 10

④ 11   ⑤ 12

02 ★★

A 물품 1개를 만들 때는 나무 30g, 철근 60g이 필요하고,

B 물품 1개를 만들 때는 나무 40g, 철근 50g이 필요하다.

나무는 780g 있고, 철근은 1,200g 있을 때, 만들 수 있는 A와 B의 최대 개수 합을 고르시오.

① 20개   ② 22개   ③ 25개

④ 28개   ⑤ 30개

08. 원가이익

문제가 복잡할수록
[총액 = 이익]으로 두고
실수하는 경우가 많다.

(1) 실수를 줄이기 위해
[총액 = 총액]으로 풀자.

(2) 20% 할인했다면 $\frac{8}{10}$
으로 표현하자.

(3) 최대한 나중에 정리
하면 소거를 할 수 있다.
→ 계산량 대폭 감소

[개요]

원가이익 계산문제는 크게 2가지로 나눠진다.

[총액을 구하는 문제] 또는 [이익을 구하는 문제]가 나온다.

• 총액에 이익이 포함되어 있기에, 구분 짓지 말고 [총액을 구하는 습관]을 들이자.

[이론]

(1) 좌변에는 변동액(총액)을 쓰고, 우변에는 결과액(총액)을 쓰자.

(2) 소수 대신에 분수로 **표현**하자.

(3) 계산은 **최대한 나중에 정리**하고, 비례식을 고려하자.

[예시]

[1]

원가가 20,000원인 물건을 20% 올려서 정가를 정했다가

잘 팔리지 않아서 다시 $x\%$ 할인해서 판매했더니

총 22,800원을 벌었다. $x\%$를 구하시오.

1) $20{,}000 \times \dfrac{12}{10} \times (1 - x\%) = 22{,}800$

2) $\dfrac{12}{10} \times (1 - x\%) = \dfrac{114}{100}$

3) 정리하면 $x\% = 1 - \dfrac{114}{120} = \dfrac{6}{120} = \dfrac{1}{20} = 5\%$

---

[2]

원가가 14,000원인 물건을 $x\%$ 올려서 정가를 정했다가

잘 팔리지 않아서 다시 10% 할인해서 판매했더니

총 5%의 이익을 얻었다. $x\%$를 구하시오.

1) $14{,}000 \times (1 + x\%) \times \dfrac{9}{10} = 14{,}000 \times \dfrac{105}{100}$

2) 위 식에서 14,000은 중복이므로 소거하면 $(1 + x\%) \times \dfrac{9}{10} = \dfrac{105}{100}$

3) 정리하면 $x\% = \dfrac{105}{90} - 1 = \dfrac{15}{90} = \dfrac{1}{6} = 약\ 16.7\%$

원가이익 빈칸 채우기

정답 및 해설 254p

[빈칸 채우기 1]

원가가 x원인 물건을 30% 인상하여 정가를 매겼더니,
팔리지 않아서 정가에서 10%를 다시 내렸다.
이때 3,400원의 이익이 생겼을 때, 원가 x원을 구하는 과정이다.
<u>빈칸을 모두 채우시오.</u>

> $x \times ($ A $) \times ($ B $) = x + 3,400$
>
> (여기서 A는 인상률, B는 인하율이다.)
>
> 따라서 $x = ($ $)$원이다.

[빈칸 채우기 2]

원가가 500원인 물건 20개 중에 n개는 10% 인상하고,
나머지는 30% 인상하여 판매하였다.
이때 2,200원의 이익이 생겼을 때, 개수 n개를 구하는 과정이다.
<u>빈칸을 모두 채우시오.</u>

> 개수를 고려해야 하므로 아래처럼 식을 세워야 한다.
>
> $n \times 500 \times ($ $) + (20 - n) \times 500 \times ($ $) = ($ $) + 2,200$
>
> 따라서 $n = ($ $)$개다.

원가이익 예문

정답 및 해설 254p

[문항1] ★

버스회사에서 시외버스 금액을 인상하려고 한다. 현재 24,000원이고 하루에 판매되는 버스표 수는 20개다.
금액을 2,000원 올릴 때마다 하루에 판매되는 버스표가 1개씩 줄어들 때, 얼마로 올려야 최대 이득인가?

① 29,000원   ② 30,000원   ③ 31,000원
④ 32,000원   ⑤ 33,000원

[문항2] ★★

1만 원으로 원가가 20원인 제품을 최대한 생산했다. 전체 제품을 25% 인상하여 판매했는데 40%만 팔렸다.
나머지 60%는 다시 $x\%$ 인하하여 모두 판매했을 때, 총이익이 1000원이었다. $x\%$는?

① 20%   ② 25%   ③ 30%
④ 35%   ⑤ 40%

01

원가가 x원인 상품을 20% 인상하였다가 잘 팔리지 않아,

10% 인하하였더니 이익이 400원이 되었다. 원가 x원을 구하시오.

① 5,000원 ② 6,000원 ③ 7,000원

④ 8,000원 ⑤ 9,000원

02 ★★★

원가가 500원인 껌 x개를 2일로 나눠서 반씩 판매할 예정이다.

1일 차에는 원가의 20%만큼 인상하여 판매하였더니, 10개가 팔리지 않아서 폐기했다.

2일 차에는 1일 차보다 10%만큼 할인하여 판매하였더니, 전부 다 팔렸다.

2일간 총이익이 3,100원일 때, x개의 값은? (단, x는 짝수이다.)

① 100개 ② 130개 ③ 160개

④ 200개 ⑤ 230개

09. 나무심기

(TIP)

나무심기를 원리부터
적용방법까지 완벽하게
배워보자.

[개요]

나무심기 유형은 암기로 풀면 응용문제를 풀기 힘듭니다.

• 원리를 이해해서 어떻게 접근하면 되는지 알아봅시다.

(TIP)

[나무심기 확인사항]
(1) 양 끝을 포함하는가?
(2) 닫혀있는가?
→ 선인가? 다각형인가?

[기본 이론]

기본 이론 : 몫으로 접근

기본 공식 : [한 변의 길이 ÷ 간격] + [1]

(TIP)

(파란 원) 몫

(빨간 원) $[0 \div n]$인 지점

[예시]

[1] – 1개의 선분

20m 도로의 양 끝에 나무를 심고, 4m마다 나무를 심으면 몇 개가 필요할까? [5+1 = 6개]

4m마다 심으므로 4÷4, 8÷4, 12÷4, 16÷4, 20÷4인 지점마다 심는 것이다.
(즉, 20÷4의 몫인 5곳에 나무를 심어야 한다.)
여기서 **추가**로 [+1]을 해주는 이유는 0÷4를 고려**해야 하기 때문**이다.
0÷4는 일반적인 몫에 포함되지 않지만, **양 끝을 포함**하므로 추가해야 한다.

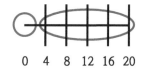

```
0   4   8  12  16  20
```

[2] – 2개의 선분

거리가 15m인 A, B와 거리가 10m인 B, C에 같은 간격으로 나무를 심는다.
A, B, C 지점에는 반드시 나무를 심을 때, 필요한 최소한의 나무 개수는? [3+2+1 = 6개]

각 지점마다 심어야 하므로 **최대공약수**인 5m가 간격이다. 15m와 10m를 따로 보면
15m는 **5÷5, 10÷5, 15÷5인 지점마다 심고, 0÷5인 지점**도 추가하면 [3+1]개,
10m는 **5÷5, 10÷5인 지점마다 심고, 0÷5인 지점**도 추가하면 [2+1]개이다.

하지만 15m와 10m를 연결하면 **15m의 끝 지점과 10m의 시작 지점**이 중복되므로
10m의 0÷5는 무시해야 한다.

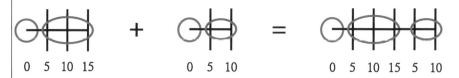

[3] – 다각형

가로가 12m이고 세로가 9m인 직사각형 도로에 같은 간격으로 최소한의 나무를 심는다.
각 꼭짓점에 반드시 나무를 심을 때, 필요한 최소한의 나무 개수는? [4+3+4+3 = 14개]

각 지점마다 심어야 하므로 **최대공약수**인 3m가 간격이다. 12m와 9m를 따로 보면
12m는 **3÷3, 6÷3, 9÷3, 12÷3**인 지점마다 심고, **0÷3인 지점도 추가**하면 [4+1]개,
9m는 **3÷3, 6÷3, 9÷3**인 지점마다 심고, **0÷3인 지점도 추가**하면 [3+1]개이다.

하지만 다각형을 연결하면 **끝 지점과 시작 지점**이 중복되므로 0÷3는 전부 무시해야 한다.

(TIP)

다각형은 선과 달리
닫혀있기 때문에 $[0÷n]$
을 전부 무시해야 한다.

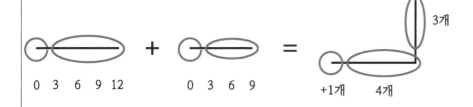

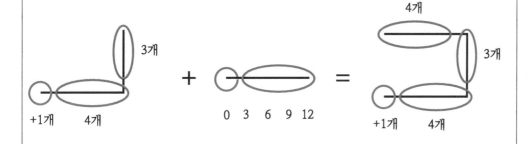

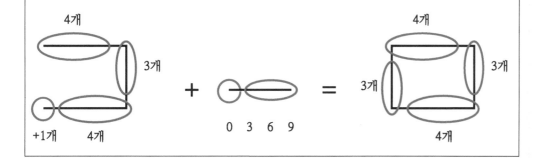

[빈칸 채우기 1]

네 지점 A, B, C, D가 $\overline{AB}$ = 12m, $\overline{BC}$ = 9m, $\overline{CD}$ = 15m의 길이를 갖는다.
네 꼭짓점을 모두 포함하고 같은 간격으로 가로등을 세울 때,
최소한으로 세울 수 있는 가로등 개수를 구하는 과정이다. <u>빈칸을 모두 채우시오.</u>

> 12, 9, 15의 최대공약수는 (X)이므로 (X)m 간격으로 세워야 한다.
>
> 이때 0 ÷ (X)는 $\overline{AB}$지점만 포함하면 되므로
>
> 전체 가로등 개수는 (   ) + (   ) + (   ) + (   ) = (   )개다.

[빈칸 채우기 2]

가로가 18m이고 세로가 12m인 직사각형 도로에 같은 간격으로 최소한의 나무를 심는다.
각 꼭짓점에 반드시 나무를 심을 때, 필요한 최소한의 나무 개수를 구하는 과정이다.
<u>빈칸을 모두 채우시오.</u>

> 18, 12의 최대공약수는 (X)이므로 (X)m 간격으로 세워야 한다.
>
> 이때 0 ÷ (X)는 전부 중복으로 사라지므로
>
> 전체 가로등 개수는 (   ) + (   ) + (   ) + (   ) = (   )개다.

나무심기 예문

[문항1]

교육청에서 720m 거리에 학교가 있다.

교육청과 학교 사이에 60m 간격으로 가로등을 세우고, 36m 간격으로도 가로등을 세우려고 한다.

가로등이 겹칠 때는 가로등을 하나만 세우고 교육청과 학교에도 가로등을 세울 때,

필요한 전체 가로등의 개수는?

① 25개   ② 26개   ③ 27개

④ 28개   ⑤ 29개

[문항2] ★★★

A지점과 B지점 사이에 [그림]과 같이 지하철역을 같은 간격으로 세우려고 한다.

A지점과 B지점을 포함하여 모든 환승역에도 지하철역을 세울 때,

세워야 하는 최소한의 지하철역 개수는?

(단, ◯는 환승역을 의미한다.)

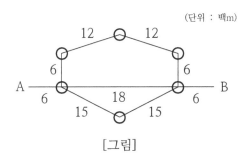

(단위 : 백m)

[그림]

① 27개   ② 29개   ③ 31개

④ 33개   ⑤ 35개

나무심기 실전

정답 및 해설 257p

01 ★★

세 지점 A, B, C가 $\overline{AB} = x$m, $\overline{BC} = y$m의 길이를 갖고, x와 y의 최대공약수는 20이다.
세 꼭짓점을 모두 포함하고 같은 간격으로 나무를 심을 때,
최소한으로 세울 수 있는 나무의 개수를 x, y로 표현한 것은?

① $\dfrac{20xy}{x+y}$개

② $\dfrac{20xy}{x+y} + 1$개

③ $\dfrac{x+y}{20} - 1$개

④ $\dfrac{x+y}{20}$개

⑤ $\dfrac{x+y}{20} + 1$개

02 ★★★

거리가 240m인 A지점과 B지점 사이에 나무를 60m 간격, 40m 간격, 30m 간격마다 심으려고 한다.
같은 지점에 2개가 겹치는 경우엔 1개만 심고, 3개가 겹치는 경우엔 2개를 같이 심기로 했다.
A지점과 B지점에도 나무를 심을 때, 필요한 전체 나무의 수는?

① 13개　　② 14개　　③ 15개

④ 16개　　⑤ 17개

『시계는 빈출이 아니므로 힘들면 넘어가도 됩니다』

- 보석같은 -

10. 시계 한줄풀이

[개요]

시계를 다른 시각에서 바라보면 거속시 문제와 차이가 없다는 것을 알 수 있다.

속도가 빠른 분침이 속도가 느린 시침을 쫓아가는 **원형트랙**으로 이해할 수 있다.

여기에 제논의 역설을 합치면 시계 문제의 공식이 완성된다.

• 원리는 어려워서 무시해도 되지만, **실전 적용은 쉬우니** 포기하지 말고 배워보자.

[공식]

$$\frac{12}{11} \times m_1 = m_2$$

이제부터 시계 문제는 위 공식에 대입만 하면 30초 만에 풀 수 있다.

원리부터 알아보고 다음 페이지에서 실전 적용방법을 배워보자.

[원리 증명]

〈제논의 역설 & 무한등비급수〉

1. 시침과 분침의 속도를 1:12의 비를 갖는다.

2. 시침이 더 느리므로 **분침이 시침을 쫓아간다고 생각하면 거속시**와 같다. ← **원형트랙**

3. **같은 속도비**로 점점 느리게 무한히 쫓아가면 결국 한 지점에 수렴한다. ← 제논의 역설

4. 같은 비율로 점점 느리게 쫓아가므로 무한등비급수의 형태가 된다. ← **무한등비급수**

5. 무한등비급수 공식인 $\frac{S}{1-r}$ 에서 속도비는 $\frac{1}{12}$, 초항 $S = m_1$, 결과는 m_2가 된다.

6. 따라서 $\dfrac{m_1}{\left(\dfrac{11}{12}\right)} = \dfrac{12}{11} \times m_1 = m_2$가 된다.

제논의 역설 & 무한등비급수(시계에 적용)

• 분침이 12분 쫓아가면 시침은 1분 달아난다.

• 분침이 1분 쫓아가면 시침은 $\frac{1}{12}$분 달아난다.

• 분침이 $\frac{1}{12}$분 쫓아가면 시침은 $\frac{1}{12^2}$분 달아난다.

• 분침이 $\frac{1}{12^2}$분 쫓아가면 시침은 $\frac{1}{12^3}$분 달아난다.

• 이 과정을 무수히 반복해도 시침과 분침은 절대 만나지 않는다.

제논의 역설

• 하지만 거의 같은 값으로 수렴한다.

• 그게 바로 무한등비급수의 개념이고, 시계 공식의 원리이다.

무한등비급수

[실전 적용]

기본원칙 1 : 항상 시침은 정시에 두고 생각한다.

(아래 그림과 같이 생각한다는 의미이다.)

기본원칙 2 : 분침의 1분은 6도와 같고, 시침의 1분은 0.5도와 같다.

(123도를 분으로 표현하면 20.5분이다.)

만약 9시 30분이라면
시침을 9시로 옮기고
분침도 그만큼 옮긴다면
이루는 각도는 같다.
옮겨진 분침의 위치가 m_1
원래 있던 분침의 위치가 m_2

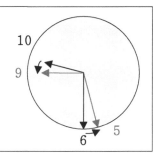

1) 시간을 구하는 문제 : m_1을 대입해서 m_2 구하기

[예문1]

7시와 8시 사이에 시침과 분침이 이루는 각도가 $90°$일 때, 현재 시각을 구하시오.

(단, 현재 시각은 7시 30분 이전이다.)

[풀이1]

(1단계) : 시침을 7시에 둔다. **(기본원칙 1)**

(2단계) : $90°$가 되는 위치인 4시로 분침을 옮긴다. → $m_1 = 20$

(3단계) : 공식에 대입하면 $\dfrac{12}{11} \times 20 = \dfrac{240}{11}$분 → 따라서 정답은 약 7시 22분

TIP

[시간을 구하는 문제]
(1단계) 시침 옮기기
(2단계) 분침 옮기기
(3단계) 공식에 대입하기
→ m_1을 대입해서 찾기

[각도를 구하는 문제]
(1단계) 시침 옮기기
(2단계) 분침 대입하기
(3단계) 공식에 대입하기
→ m_2를 대입해서 찾기

2) 각도를 구하는 문제 : m_2를 대입해서 $|m_{시침} - m_1| \times 6°$ 구하기

[예문2]

8시 24분의 시침과 분침이 이루는 작은 쪽의 크기를 구하시오.

[풀이2]

(1단계) : 시침을 8시에 둔다. **(기본원칙 1)**

(2단계) : 공식에서 m_2에 24분을 대입하면 $\dfrac{12}{11} \times m_1 = 24$ → $m_1 = 22$분

(3단계 : 시침의 위치는 40분이므로 $|40 - 22| \times 6° = 108°$이다.

TIP

[각도를 구하는 문제]
$|m_{시침} - m_1| \times 6°$에서
절댓값은 계산하지 말고
6을 먼저 곱하자.
→ 계산량 대폭 감소

[예시 상황]
$|40 - \dfrac{425}{12}| \times 6°$
$= |240 - 212.5|$
$= 27.5°$

정답 및 해설 258p

TIP

[3시와 4시 사이]

(1) 시침 3시로 옮기기

(2) 분침 3시로(겹치기)

(3) $m_1 = 15$

$\rightarrow m_2 = \dfrac{180}{11}$ 분

[4시와 5시 사이]

(1) 시침 4시로 옮기기

(2) 분침 4시로(겹치기)

(3) $m_1 = 20$

$\rightarrow m_2 = \dfrac{240}{11}$ 분

[빈칸 채우기 1]

다음은 3시와 5시 사이에 시침과 분침이 겹치는 순간의 시각을 각각 구하는 과정이다.
<u>빈칸을 모두 채우시오.</u>

시간을 구하는 문제이므로 (　　　)을 대입해서 (　　　)을 구하자.

(1) 3시부터 확인하면 아래와 같이 풀 수 있다.

1단계 : 시침을 (　　　)시에 둔다.

2단계 : 분침을 시침과 겹치게 옮긴다. → m_1 = (　　　)분

3단계 : 공식에 대입하면 $\dfrac{12}{11} \times$ (　　　) = (　　　)분

따라서 정답은 약 3시 (　　　)분

(2) 4시부터 확인하면 아래와 같이 풀 수 있다.

1단계 : 시침을 (　　　)시에 둔다.

2단계 : 분침을 시침과 겹치게 옮긴다. → m_1 = (　　　)분

3단계 : 공식에 대입하면 $\dfrac{12}{11} \times$ (　　　) = (　　　)분

따라서 정답은 약 4시 (　　　)분

TIP

[10시 17분]

(1) 시침 10시로 옮기기

(2) $m_2 = 17$ 대입

$m_1 = \dfrac{187}{12}$ 분

(3) $\left| 150 - \dfrac{187}{12} \right| \times 6°$

$= |300 - 93.5|°$

$= 206.5° \rightarrow 153.5°$

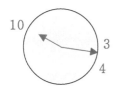

[빈칸 채우기 2]

다음은 10시 17분의 시침과 분침이 이루는 작은 쪽의 크기를 구하는 과정이다.
<u>빈칸을 모두 채우시오.</u>

각도를 구하는 문제이므로 (　　　)을 대입해서 (　　　) × 6°를 구하자.

1단계 : 시침을 10시에 둔다.

2단계 : 공식에서 (　　　)에 17분을 대입하면

$\dfrac{12}{11} \times$ (　　　) = (　　　) → m_1 = (　　　)분

3단계 : 시침의 위치는 (　　　)분이므로 (　　　) × 6° = (　　　)°이다.

시계 한줄풀이 예문

정답 및 해설 258p

[문항1] ★★

철수는 8시부터 쭉 시계를 쳐다보고 있다. 시침과 분침이 두 번째로 144도를 이뤘을 때의 시각은?

① 약 8시 15분   ② 약 8시 16분   ③ 약 8시 17분

④ 약 8시 18분   ⑤ 약 8시 19분

[문항2]

2시 51분의 시침과 분침이 이루는 작은 쪽의 크기는?

① 135도   ② 139.5도   ③ 144도

④ 148.5도   ⑤ 153도

정답 및 해설 259p

01 ★★

4시 x분에 시침과 분침이 서로 반대 방향으로 직선상에 놓였고, 5시 y분에 시침과 분침이 겹쳐졌다.

$\dfrac{x}{y}$의 값은?

① 1

② $\dfrac{4}{3}$

③ $\dfrac{5}{3}$

④ 2

⑤ $\dfrac{7}{3}$

02 ★★★

2시 24분의 시침과 6시 x분의 시침이 이루는 예각의 크기가 132도일 때, x분의 값은?

① 26분

② 32분

③ 38분

④ 44분

⑤ 48분

『달력은 자원관리 문제풀이를 위한 기반입니다』

- 보석같은 -

11. 달력 논리

[개요]

달력 문제는 <u>응용수리</u>와 <u>자원관리</u>에서 나올 수 있다.

응용수리에서 요구하는 것과 자원관리에서 요구하는 것을 나눠서 배워보자.

• 달력은 **7일을 주기로 반복**된다는 것이 핵심이다.

[이론]

기본원칙 1 : 달력은 7일 주기로 요일이 반복된다.
기본원칙 2 : N일 후의 요일은 N%7과 같다. (N%7은 N을 7로 나눈 나머지)

[응용수리 적용]

응용수리에 나오는 달력 문제는 **기본원칙 1, 2**에서 해결된다.

• 오늘이 수요일일 때, 7일 후의 요일은?	7 % 7 = 0	수
• 오늘이 수요일일 때, 68일 후의 요일은?	68 % 7 = 5	월
• 오늘이 수요일일 때, 365일 후의 요일은?	365 % 7 = 1	목

• 3월 2일이 금요일일 때, 4월 18일은?	(29 + 18) % 7 = 5	수
• 3월 2일이 금요일일 때, 6월 1일은?	(29 + 30 + 31 + 1) % 7 = 0 (1 + 2 + 3 + 1) % 7 = 0	금
• 3월 2일이 금요일일 때, 7월 23일은?	(29 + 30 + 31 + 30 + 23) % 7 = 3 (1 + 2 + 3 + 2 + 2) % 7 = 3	월

[자원관리 적용]

자원관리에 나오는 달력 문제는 직접 그려야 하는 경우가 발생한다.

이때는 **[달력을 간소화]**로 그리는 것이 중요하다.

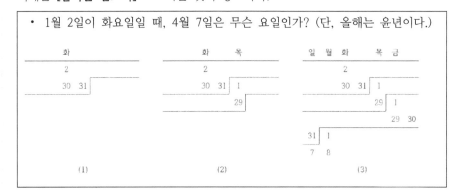

[빈칸 채우기 1]

다음은 3월 5일이 목요일일 때, 8월 23일이 무슨 요일인지 찾는 과정이다.
<u>빈칸을 모두 채우시오.</u>

TIP

달력 논리가 익숙해지면
단순한 문제는 30초
복잡한 문제는 1분
내외로 풀 수 있다.

3월 5일이 목요일이므로 매월 마지막 일자까지 다가가기를 반복하자.

3월 (   )일로 다가가면 +(A)일

4월 (   )일로 다가가면 +(B)일

5월 (   )일로 다가가면 +(C)일

6월 (   )일로 다가가면 +(D)일

7월 (   )일로 다가가면 +(E)일

8월 23일로 다가가면 +23일

(A) + (B) + (C) + (D) + (E) + 23을

(   )로 나눈 나머지인 (   )만큼 요일을 더해주면 된다.

따라서 정답은 (   )요일이다.

[빈칸 채우기 2]

다음은 오늘이 2월 3일 월요일일 때, 3년 후 2월 3일의 요일을 구하는 과정이다.
<u>빈칸을 모두 채우시오.</u> (단, 올해는 윤년이다.)

윤년은 2월이 29일까지 있는 연도로 4년에 한 번 있다.

즉, 올해는 윤년이므로 1년이 (   )일이다.

따라서 1년 후의 2월 3일은 +(   )일이므로 (   )요일이고

2년 후의 2월 3일은 여기에 +(   )일이므로 (   )요일이고

3년 후의 2월 3일은 여기에 +(   )일이므로 (   )요일이다.

따라서 3년 후 2월 3일은 (   )요일이다.

정답 및 해설 260p

[문항1] ★★

고등학교 3학년인 철수는 올해 9월 첫 번째 수요일에 9월 모의고사를 치고,

올해 11월 세 번째 목요일에 수능을 친다.

오늘이 8월 14일이고 9월 모의고사까지 23일 남았을 때, 수능 날은 11월 며칠인가?

① 11월 8일   ② 11월 9일   ③ 11월 15일

④ 11월 16일   ⑤ 11월 17일

[문항2] ★★

A아파트의 주민 회의 계획보고는 2주에 한 번씩 월요일마다 하고,

주민 회의 결과보고는 계획보고를 했던 주의 금요일마다 한다.

오늘이 4월 2일 목요일이고 지난주 금요일에 결과보고를 했을 때,

오늘부터 6월 3일까지 계획보고와 결과보고를 합쳐서 총 몇 회 하는가?

① 5회   ② 6회   ③ 7회

④ 8회   ⑤ 9회

01 ★★★

철수는 20일마다 치과를 가고, 매주 수요일, 토요일마다 NCS 수업을 듣는다.
치과와 NCS 수업이 겹치는 날은 NCS 수업을 가지 않고 치과를 가야 한다.
오늘 9월 1일 수요일에 치과를 갔을 때, 오늘부터 12월 31일까지 NCS 수업을 듣는 횟수는?

① 32회   ② 33회   ③ 34회
④ 39회   ⑤ 40회

02 고난도

철수는 A 수업을 매주 월요일, 수요일에 듣고, B 수업을 2주마다 월요일, 금요일에 듣고,
C 수업을 3주마다 수요일, 금요일에 듣는다.
우선순위가 C > B > A이고, 수업 듣는 요일이 겹칠 때는 우선순위가 높은 수업만 듣는다.
오늘 C 수업을 들었고, 3일 후에 A 수업을 들을 때,
오늘부터 101일 후까지 세 수업을 듣는 횟수로 옳은 것은?

	A 수업	B 수업	C 수업
①	17	12	8
②	17	12	9
③	18	12	8
④	18	12	9
⑤	18	13	9

01 ★★

철수와 영희가 원형트랙의 같은 지점에서
서로 반대 방향으로 달린다.
철수의 속도가 영희의 속도보다 2m/s 더 빠르고,
출발 후 7초가 지난 후 만났다.
그리고 3초 후에 철수가 1바퀴를 완주했을 때,
이 원형트랙의 길이는?

① 27m   ② 30m   ③ 32m

④ 35m   ⑤ 38m

02

A 지역에 사는 모든 성인 남녀 1,000명을 대상으로
현재 취업 여부를 조사했다. A 지역의 전체 취업률은
64%이고, 남자 취업률은 58%, 여자 취업률은 66%였을
때, A 지역의 성인 남자 인구수는?
(단, 취업률은 취업자 수를 인구수로 나눈 것이다.)

① 145명   ② 200명   ③ 250명

④ 290명   ⑤ 400명

03

철수는 2점, 4점 문제만 있는 수학시험에서 80점을
받았다. 총 맞힌 문제의 개수가 32개일 때, 철수가 맞힌
4점 문제의 개수는?

① 8개   ② 9개   ③ 10개

④ 11개   ⑤ 12개

04 ★

다음은 팀장 1명, 차장 2명, 과장 1명, 대리 1명, 주임
2명이 있는 인사팀의 자리 배치도이다.
차장은 팀장 바로 앞자리에만 앉아야 하고, 과장은 차장
바로 앞자리에만 앉아야 하고, 나머지는 자유로울 때,
자리 배치하는 전체 방법의 수는?

팀장	1	3	5	7
	2	4	6	8

바라보는 방향 →

① 60가지   ② 120가지   ③ 240가지

④ 360가지   ⑤ 480가지

05 ★

철수는 옷을 판매하기 위해 원가가 x원인 옷 100벌을 구매했다. 원가에서 150% 인상한 가격으로 옷을 전부 팔아서 300,000원의 이익이 생겼을 때, 원가 x원은?

① 2,000원　　② 2,500원　　③ 3,000원

④ 3,500원　　⑤ 4,000원

06 ★★

철수는 총 10번의 시험을 쳐서 평균점수를 60점 이상 받으면 합격한다. 8번의 시험까지 평균점수가 56점이었고, 9번째 시험을 58점 받았다. 10번째 시험은 몇 점 이상 받아야 합격하는가?

① 88점　　② 90점　　③ 92점

④ 94점　　⑤ 96점

07

농도가 8%인 소금물 220g에 소금 30g을 넣고, 농도가 5%인 소금물 xg을 넣었더니 농도가 15%인 소금물이 만들어졌다. 소금물 xg의 양은?

① 98g　　② 101g　　③ 104g

④ 107g　　⑤ 110g

08

왕복 거리가 2km인 강의 하류에서 상류까지 배를 타고 다시 하류로 돌아오는데 총 30분이 걸린다. 상류로 올라갈 때의 속도가 3km/h일 때, 강의 속도는?
(단, 배의 속도는 3km/h보다 크다.)

① 0.5km/h　　② 1km/h　　③ 1.5km/h

④ 2km/h　　⑤ 2.5km/h

09 ★

다음은 철수의 6개월간 NCS 점수를 조사한 것이다. n월의 지수 λ_n을 당월과 이전 두 달의 점수의 평균이라 할 때, λ_6과 λ_4의 차이는? (예를 들어, λ_3 = 71점이다.)

1월	2월	3월	4월	5월	6월
64점	73점	76점	80점	77점	87점

① 3점　　　　　② 4점　　　　　③ 5점
④ 6점　　　　　⑤ 7점

10

철수, 영희가 조별과제를 한다.
철수 혼자 하면 14일 만에 끝내고, 철수와 영희가 같이하면 철수의 속도가 50% 늘어서 4일 만에 끝낸다. 영희 혼자 하면 끝내는 데 며칠이 걸리는가?

① 6일　　　　　② 7일　　　　　③ 8일
④ 9일　　　　　⑤ 10일

11

철수는 200일마다 여자친구에게 선물을 준다.
철수가 3번째로 선물을 준 요일이 수요일일 때, 6번째로 선물을 준 요일은?

① 월요일　　　　② 화요일　　　　③ 수요일
④ 목요일　　　　⑤ 금요일

12 ★

A 의자를 1개 만드는데 나무 6kg과 철 4kg이 들고, B 의자를 1개 만드는데 나무 5kg과 철 8kg이 든다. 나무 300kg과 철 368kg으로 의자 종류와 관계없이 최대한 많이 만든다면 총 몇 개 만들 수 있는가?

① 50개　　　　　② 52개　　　　　③ 54개
④ 56개　　　　　⑤ 58개

13

수학을 잘하지 못하는 철수가 원가가 8,000원인 상품을 x%만큼 가격을 올렸더니 팔리지 않아서 올린 가격에서 x%만큼 가격을 내렸더니 500원을 손해를 봤다. x%의 값은?

① 25% ② 30% ③ 35%

④ 40% ⑤ 45%

14 ★★

A 농장에서는 고구마와 감자만 재배한다. 작년에는 총 3,500개를 재배했고, 올해는 작년보다 고구마는 20% 증가했고, 감자는 40% 증가해서, 총 800개 더 재배했다. 올해 감자의 개수는?

① 300개 ② 420개 ③ 500개

④ 700개 ⑤ 980개

15

가로가 24m, 세로가 20m인 직사각형 울타리가 있다. 나무를 각 모서리를 포함하여 같은 간격으로 심을 때, 필요한 나무의 최소 개수는?

① 18개 ② 19개 ③ 22개

④ 23개 ⑤ 26개

16 ★★

농도비가 3:2인 A 소금물 350g과 B 소금물 250g을 섞은 후 100g을 증발시켰더니 농도가 62%가 됐다. 섞기 전 A 소금물의 농도는?

① 48% ② 52% ③ 56%

④ 60% ⑤ 64%

17 ★★

철수가 5시 몇 분에 시계를 봤을 때, 분침과 시침이 이루는 예각의 크기가 90도보다 크고 120도보다 작았다. 철수가 본 시간으로 가능한 것은?

① 5시 41분 　　② 5시 43분 　　③ 5시 44분
④ 5시 50분 　　⑤ 5시 51분

18 ★★

길이가 60m이고 속도가 15m/s인 A 기차와 길이가 80m인 B 기차가 280m 떨어진 거리에서 서로 마주 보고 이동하고 있다.
20초 후에 봤을 때, A 기차가 B 기차에 가려져서 앞부분 40m만 보였다. B 기차의 속도는?

① 5m/s 　　② 10m/s 　　③ 15m/s
④ 20m/s 　　⑤ 25m/s

19 ★

철수는 필기시험에서 객관식 문제 5문제를 모두 찍었다. 평소에 답예측 훈련을 열심히 해서 찍어서 맞힐 확률이 40%일 때, 찍어서 총 4문제를 맞혔을 확률은?

① $\dfrac{24}{625}$ 　　② $\dfrac{36}{625}$ 　　③ $\dfrac{48}{625}$

④ $\dfrac{12}{125}$ 　　⑤ $\dfrac{24}{125}$

20 ★★

영희가 다니는 고등학교의 전체 학생 수는 600명, 남학생 수는 360명, 여학생 수는 240명이다.
전체 학생의 평균 몸무게는 영희보다 5kg 크고, 남학생 평균 몸무게는 영희보다 20% 크고, 여학생 평균 몸무게는 영희보다 4kg 작다. 이때 영희의 몸무게는?

① 50kg 　　② 55kg 　　③ 60kg
④ 65kg 　　⑤ 70kg

6. 문제 해결

01. 참거짓 논리

[개요]

참거짓 문제는 실전에서 무조건 맞혀야 하고, 쉽고 빠르게 풀 수 있어야 한다.

• 처음부터 누가 진실이고 거짓인지는 따질 필요가 없다.

(TIP)

[기본원칙 1]

3명이 진실, 2명이 거짓

→ 이 문제는 3:2로 시작

[기본원칙 4]

A : "B는 진실이다."

(A가 진실) 2:0

(A가 거짓) 0:2

[기본원칙 5]

A : "B는 거짓이다."

(A가 진실) 1:1

(A가 거짓) 1:1

[기본 이론]

기본원칙 1 : 문제에서 제시한 진실과 거짓의 개수를 $n : m$으로 **표현하기**

기본원칙 2 : "~는 진실이다." 또는 "~는 거짓이다." **언급 찾기**

기본원칙 3 : 진실과 거짓에 대한 언급이 없다면, 충돌하는 언급 찾기

기본원칙 4 : A) B는 진실이다. → 2:0 or 0:2

기본원칙 5 : A) B는 거짓이다. → 1:1

[핵심 전략]

진실과 거짓의 개수부터 파악하고

남은 조건에서 모순을 살피는 것이 핵심 전략

※ 누가 진실이고 거짓인지 <u>아직은</u> 중요하지 않다. (나중에 확인하기)

(TIP)

[빠른 풀이]

(1) 3:1

(2) BC 1:1 (B의 언급)

(3) AD 2:0 (2:0만 남음)

(4) 따라서 C는 범인

[예문]

A, B, C, D 중 진실이 3명, 거짓이 1명이다.

범인이 한 명일 때, 범인을 찾으시오.

> A : 나는 진실이다.
>
> B : C는 거짓말을 하고 있다.
>
> C : A는 범인이 아니다.
>
> D : C는 범인이다.

[풀이]

(1) 진실이 3명, 거짓이 1명이므로 3:1로 시작한다.

(2) B의 언급으로, B와 C가 1:1을 가져간다.

→ 여기서 B와 C 중 누가 진실이고 거짓인지는 중요하지 않다.

(3) 남은 것은 2:0이므로 A와 D는 둘 다 진실이다. → 따라서 범인은 C다.

[심화 이론]

• **연쇄작용 1 :** 진실로 묶여있을 때는 전부 진실이거나 전부 거짓이다.

A : "B는 진실이다." B : "C는 진실이다." →	(1) A, B, C 모두 진실 : OOO (2) A, B, C 모두 거짓 : XXX

• **연쇄작용 2 :** 거짓으로 묶여있을 때는 지그재그이다.

A : "B는 거짓이다." B : "C는 거짓이다." →	(1) A, B, C : OXO (2) A, B, C : XOX

• **모두를 지칭하는 조건을 먼저 보기 :** 조건 선택이 난해할 때는
모두를 지칭하는 조건을 먼저 **봐야 한다.**

A : "B와 C는 모두 거짓이다." →	A가 진실이면, B와 C는 거짓이다. (A만 확인해도 B와 C가 따라온다.)

• **모두를 지칭하는 조건을 만들기 :** 조건 선택이 난해할 때는
모두를 지칭하는 조건을 만들어야 **한다.**

A : "B 또는 C는 거짓이다." →	A가 거짓이면, B와 C는 진실이다. (A만 확인해도 B와 C가 따라온다.)

(TIP)

[모두를 지칭하는 조건]
조건이 복잡한 문제에선
어떤 조건부터 볼지
정해야 한다.
그런 선지로 적합한 것이
모두를 지칭하는 선지다.

모두를 지칭하는 선지의
진위 여부를 판별한다면
경우가 대폭 줄어든다.

만약 위의 언급에서 A가 진실이라 가정하면 3가지 경우로 나뉜다.
     (1) B는 거짓, C는 거짓
     (2) B는 거짓, C는 진실
     (3) B는 진실, C는 거짓

하지만 **A가 거짓이라 가정**하면 1가지 경우만 가능하다.
     (4) B는 진실, C는 진실

따라서 위와 같은 상황에서는 **A를 거짓이라고 가정**하고 푸는 것이 좋다.

참거짓 논리 빈칸 채우기

[빈칸 채우기 1]

다음은 A, B, C 중 한 명만 진실일 때, 진실인 사람을 찾는 과정이다.
<u>빈칸을 모두 채우시오.</u>

> A : C는 거짓이다.
>
> B : A는 진실이다.
>
> C : 나는 진실이다.

TIP

[빠른 풀이]

(1) 1:2

(2) AB 0:2 (B의 언급)

(3) 따라서 C는 진실

(1) 진실이 1명, 거짓이 2명이므로 (   ) : (   )이다.

(2) B의 말에 의해, A와 B는 (   ) : (   ) 또는 (   ) : (   )이다.

 → 진실은 한 명이므로 A와 B는 (   ) : (   )이다.

(3) 따라서 진실인 사람은 (   )이다.

[빈칸 채우기 2]

다음은 A, B, C, D, E 중 3명은 진실, 2명은 거짓일 때,
거짓말하는 사람과 회의에 참석하지 않은 사람을 각각 찾는 과정이다.
<u>빈칸을 모두 채우시오.</u>

> A : 나는 회의에 참석했다.
>
> B : A와 C는 회의에 참석했다.
>
> C : A는 회의에 참석하지 않았다.
>
> D : E만 회의에 참석하지 않았다.
>
> E : B는 거짓말을 하고 있다.

TIP

[빠른 풀이]

(1) 3:2

(2) BE 1:1 (E의 언급)

(3) ACD 2:1 (2:1 남음)

(4) AC 1:1 (서로 충돌)

(5) 따라서 D는 진실

→ C는 거짓, A는 진실

→ B는 진실, E는 거짓

(1) 진실이 3명, 거짓이 2명이므로 (   ) : (   )이다.

(2) E의 말에 의해, B와 E는 (   ) : (   )이다.

 → 따라서 남은 A, C, D는 (   ) : (   )을 가져간다.

(3) 여기서 A와 C의 말이 충돌하므로 A와 C는 (   ) : (   )이다.

 → 따라서 D는 무조건 (진실 / 거짓)이다.

(4) D의 말에 따라 정리하면, C는 (진실 / 거짓)이고,

　 B는 (진실 / 거짓)이다.

따라서 거짓말하는 사람은 (   )와 (   )이고,

회의에 참석하지 않은 사람은 (   )이다.

참거짓 논리 예문

[문항1]

철수, 영희, 민수, 진희 중 3명은 진실만을 말하고 있고,
1명은 거짓만을 말하고 있다.
네 명 중에 거짓말하는 사람은?

> 철수 : 영희는 진실이다,
>
> 영희 : 진희는 거짓이다.
>
> 민수 : 나는 진실이다.
>
> 진희 : 철수는 거짓이다.

① 철수   ② 영희   ③ 민수
④ 진희   ⑤ 알 수 없음

[문항2] ★

가현, 나영, 다혜, 라희 중 3명은 진실만을 말하고 있고,
1명은 거짓만을 말하고 있다.
네 명이 다음과 같이 진술했을 때, 범인은?
(단, 범인이 1명이라는 보장은 없다.)

> 가현 : 다혜가 범인이다.
>
> 나영 : 가현이 범인이다.
>
> 다혜 : 가현만 범인이다.
>
> 라희 : 범인은 2명이다.

① 가현
② 나영
③ 라희
④ 가현, 다혜
⑤ 나영, 다혜

[문항3] ★★

A, B, C, D, E가 진술한 두 언급 중 하나는 진실이고
하나는 거짓이다. 다섯 명이 트랙을 달려서 1등부터
5등까지 순위를 매겼을 때, 3등은?

> A : 나는 1등이 아니고, C는 2등이 아니다.
>
> B : E는 4등이고, C는 2등이다.
>
> C : 나는 1등이고, A는 5등이다.
>
> D : C는 2등이고, 나는 4등이다.
>
> E : 나는 3등이고, B는 2등이다.

① A   ② B   ③ C
④ D   ⑤ E

[문항4] ★★

A행성 사람들은 진실만 말하고, B행성 사람들은 거짓만
말한다. A행성 사람과 B행성 사람을 섞어서 4명에게
다음과 같은 진술을 받았다.
이 중 A행성 사람을 모두 고른 것은?

> 톰스 : 리오는 B행성에서 왔어.
>
> 엘라 : 나와 다른 행성에서 온 사람은 1명이야.
>
> 카일 : 나와 다른 행성에서 온 사람은 2명이야.
>
> 리오 : 엘라는 A행성에서 오지 않았어.

① 톰스
② 엘라
③ 톰스, 리오
④ 엘라, 카일
⑤ 카일, 리오

01

갑, 을, 병, 정 중 세 명이 시민이고 한 명은 도둑이다.
시민은 진실만 말하고 도둑은 거짓말만 할 때, 도둑은?

> 갑 : 나는 도둑이 아니야.
>
> 을 : 갑은 시민이야.
>
> 병 : 정은 도둑이야.
>
> 정 : 갑은 도둑이야.

① 갑   ② 을   ③ 병
④ 정   ⑤ 알 수 없음

02 ★★

A, B, C의 생일은 1월, 2월, 3월 중에 있고, 3명 모두
다른 달에 태어났다. 1월에 태어난 사람은 두 언급 모두
진실이고, 2월에 태어난 사람은 두 언급 모두 거짓이다.
그리고 3월에 태어난 사람은 하나의 언급은 진실을
말하고 하나의 언급은 거짓을 말한다.
이 중 1월에 태어난 사람은?

> A : 나는 키가 가장 크고, C는 나보다 생일이 늦어.
>
> B : 나는 2월에 태어났고, 내 생일은 지났어.
>
> C : B는 1월에 태어났고, 내 생일은 지나지 않았어.

① A   ② B   ③ C
④ 없음   ⑤ 알 수 없음

03 고난도

A, B, C, D 4명이 키가 서로 다르다.
키가 가장 큰 사람은 진실만 말하고,
키가 가장 작은 사람은 거짓만 말한다.
나머지 사람의 진위 여부는 알 수 없을 때,
진실만 말하는 사람을 모두 고른 것은?

> A : 키가 가장 큰 사람은 C야.
>
> B : 키가 가장 작은 사람은 C야.
>
> C : 키가 가장 큰 사람은 D야.
>
> D : 나는 키가 가장 크지 않아.

① A   ② B   ③ A, B
④ A, C   ⑤ B, D

04 ★★★

A, B, C, D, E 중 진실이 2명, 거짓이 3명이고 범인은
1명이다. 이 중에 반드시 범인은 누구인가?
(단, 범인은 진실을 말할 수도 있다.)

> A : B 또는 C는 거짓말을 하고 있다.
>
> B : D 또는 E가 범인이다.
>
> C : E가 범인이다.
>
> D : A와 B 중에 범인은 없다.
>
> E : B 또는 C가 범인이다.

① A   ② B   ③ C
④ D   ⑤ E

『참거짓과 명제는 도식화가 중요합니다』

- 보석같은 -

02. 명제 논리

[개요]

명제 논리는 크게 단순 명제, 표 그리기 명제로 나뉜다.
출제율은 단순 명제 > 표 그리기 명제 순이다.
난이도는 표 그리기 명제 > 단순 명제 순이다.
• 하나씩 풀이 비법을 배워봅시다.

[단순 명제]

기본원칙 1 : 대우를 항상 고려하기

• "A이면 B이다."   ↔   "B'이면 A'이다."

• "A 또는 B이면 C이다."   ↔   "C'이면 A' 그리고 B'이다."

• "A 그리고 B이면 C이다."   ↔   "C'이면 A' 또는 B'이다."

기본원칙 2 : 꼬리잡기

• A → ? → ? → D 꼴이라면, A 다음에 집중 + D 이전에 집중

기본원칙 3 : 대우의 활용

• A → D를 알기 위해선 반드시, A → △ 또는 △ → A'이 필요

[꼬리잡기]

1) "A이면 ?이다." 또는 "?'이면 A'이다." 찾기 ← 대우도 고려
2) "?이면 D이다." 또는 "D'이면 ?'이다." 찾기 ← 대우도 고려

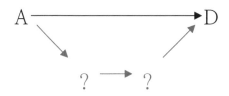

(TIP)

[대우의 활용]

결론은 [성 → 시]이다.
전제 1은 [공 →시]이다.
따라서 [성 → 공]을
이어주면 된다.

[대우의 활용]

결론이 참이 되기 위한 비어있는 명제로 가능한 것을 모두 적으시오.

전제 1 : 공부를 많이 하면 시험에 붙는다.
전제 2 : _____
결론 : 시험에 떨어진 사람은 성실하지 않다.

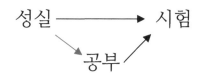

답으로 가능한 전제

(1) [성 → 공] 성실한 사람은 공부를 많이 한다.
(2) [공' → 성'] 공부를 많이 하지 않는 사람은 성실하지 않다.

[표 그리기 명제]

기본원칙 : 확인한 조건은 동그라미 치고 넘어가기
- 표 그리기 명제 문제가 막히면, 이미 확인한 조건을 또 보는 실수를 저지를 수 있다.

(1단계) : 가장 쉬운 케이스(i)를 가정하고 풀기
- 표 그리기 명제는 케이스가 다양하게 나오기에, 가장 쉬운 케이스를 잡고 가자.

(2단계) : 적당히 채우고 조건과 선지를 번갈아 가며 체크
- 표를 완벽하게 채우려면 여러 개를 그려야 되기에, 적당히 채우고 선지를 봐야 한다.

(3단계) : 남은 선지를 가정하고 다른 케이스(ii) 만들기
- 모순이 없으면 해당 선지는 진실 / 모순이 발생 시 해당 선지는 거짓

(TIP)

[3단계]

(2단계)까지 봤을 때 남은 선지가 ④, ⑤이라 예를 들어보자.

그러면 ④가 진실이라 가정하고 다른 케이스를 만들어 보는 것이다.

이때 모순이 발생하는지 확인하면 된다.

[예시]

아래와 같이 생긴 6인 회의실이 있다. A팀에서는 팀장, 과장, 주임이 참여하고,
B팀에서는 팀장, 대리, 주임이 참여한다. 아래 표와 같은 규칙으로 자리를 배정할 때,
항상 옳은 것은?

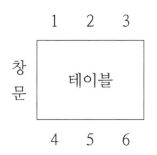

> ㄱ. 참여자는 자리에 앉아서 테이블 방향을 바라본다.
> ㄴ. 같은 팀끼리는 서로 이웃하게 앉아야 한다.
> ㄷ. A팀의 팀장은 항상 창문 옆자리에 앉는다.
> ㄹ. 과장은 주임과 마주 보고 앉지 않는다.
> ㅁ. B팀의 대리 오른쪽에는 아무도 앉지 않아야 한다.
> ㅂ. A팀의 과장은 중간 자리에 앉을 수 없다.

① A팀의 팀장과 B팀의 대리는 마주 보고 앉는다.
② A팀의 주임과 B팀의 주임은 마주 보고 앉는다.
③ B팀의 주임 옆에는 대리가 앉는다.
④ B팀의 팀장은 3번 자리 또는 6번 자리에 앉을 수 없다.
⑤ B팀의 주임은 3번 자리 또는 6번 자리에 앉을 수 없다.

[풀이]

A팀은 1~3번 또는 4~6번이 가능하기에, 크게 보면 2가지 케이스를 고려해야 한다.

(1단계) : 모든 케이스를 고려하지 말고, A팀을 1~3번에 놓고 본다. … 케이스(i)

(2단계) : 적당히 채우면 왼쪽의 그림과 같다.
- 더 생각하지 말고 바로 선지로 내려간다. / ①, ②, ③은 틀렸다는 것을 체크

(3단계) : ④, ⑤가 남았으므로 이 중에 ④를 진실이라 가정해보자. … 케이스(ii)
- 과장과 주임은 마주 보고 앉지 않으므로 ④는 모순이다. 따라서 정답은 ⑤

(TIP)

[케이스(i) 가정]

[케이스(ii) 가정]

[빈칸 채우기1]

아래 자료의 명제가 모두 참일 때, 선지의 명제가 참인지 <u>알 수 없는지</u> 구하는 과정이다. <u>빈칸을 모두 채우시오.</u>

> - 치킨을 좋아하지 않으면 피자를 좋아하지 않는다.
> - 김치를 좋아하지 않으면 찌개를 좋아하지 않는다.
> - 치즈를 좋아하면 김치를 좋아하지 않는다.
> - 피자를 좋아하지 않으면 찌개를 좋아한다.
>
> ① 치즈를 좋아하면 피자를 좋아한다. (참)　　　(알 수 없음)

[빠른 풀이]

치즈o → 김치x

→ 찌개x → 피자o

(눈으로 풀면 된다.)

① 치즈를 좋아하면 피자를 좋아한다. (참)　　　(알 수 없음)

결과가 [치즈o → 피자o]이므로 아래 4가지 명제를 찾아야 한다.

• 단순 명제의 **[기본원칙 3 : 대우의 활용]**

(A) 치즈 : "치즈를 좋아하면 ~"

(B) 치즈 : "~면 치즈를 좋아하지 않는다."

(C) 피자 : "~면 피자를 좋아한다."

(D) 피자 : "피자를 좋아하지 않는다면 ~"

위 4가지 명제 (A), (B), (C), (D) 중에서 (　)와 (　)가 존재하므로 이어주면 된다.

그 결과는 치즈o → (　　) → (　　) → 피자o

따라서 결과는 (　　)이다.

[빈칸 채우기2]

아래 자료의 명제가 모두 참일 때, 선지의 명제가 <u>참</u>인지 <u>알 수 없는</u>지 구하는 과정이다.
<u>빈칸을 모두 채우시오.</u>

- 치킨을 좋아하지 않으면 피자를 좋아하지 않는다.
- 김치를 좋아하지 않으면 찌개를 좋아하지 않는다.
- 치즈를 좋아하면 김치를 좋아하지 않는다.
- 피자를 좋아하지 않으면 찌개를 좋아한다.

② 치킨을 좋아하면 찌개를 좋아한다. (참)   (알 수 없음)

---

② 치킨을 좋아하면 찌개를 좋아한다. (참)   (알 수 없음)

결과가 [치킨o → 찌개o]이므로 아래 4가지 명제를 찾아야 한다.

• 단순 명제의 [기본원칙 3 : 대우의 활용]

(A) 치킨 : "치킨을 좋아하면 ~"
(B) 치킨 : "~면 치킨을 좋아하지 않는다."
(C) 찌개 : "~면 찌개를 좋아한다."
(D) 찌개 : "찌개를 좋아하지 않는다면 ~"

위 4가지 명제 (A), (B), (C), (D) 중에서 찌개를 이어주는 (   )는
존재하지만, 치킨을 이어주는 명제는 존재하지 않는다.

따라서 결과는 (   )이다.

[빠른 풀이]
치킨o → X
꼬리잡기를 할 수 없다.
(눈으로 풀면 된다.)

명제 논리 예문

정답 및 해설 267p

[문항1]

아래 명제가 모두 참일 때, 옳은 것은? (정답 2개)

> – 햄버거를 좋아하면 콜라를 좋아한다.
> – 커피를 좋아하지 않으면 햄버거를 좋아한다.
> – 우유를 좋아하면 콜라를 좋아하지 않는다.
> – 우유를 좋아하지 않으면 커피를 좋아하지 않는다.

① 커피를 좋아하면 콜라를 좋아한다.
② 커피를 좋아하지 않으면 콜라를 좋아하지 않는다.
③ 햄버거를 좋아하면 커피를 좋아하지 않는다.
④ 콜라를 좋아하지 않으면 우유를 좋아한다.
⑤ 커피를 좋아하면 콜라를 좋아한다.

[문항2]

아래 명제가 모두 참일 때, 가능한 전제는?

> 전제 1 : 사랑하면 생각이 난다.
> 전제 2 : _____
>
> 결론 : 사랑하면 연락을 자주 한다.

① 생각이 나면 연락을 자주 하지 않는다.
② 연락을 자주 하지 않으면 사랑하는 것이다.
③ 연락을 자주 하지 않으면 생각이 나지 않는 것이다.
④ 사랑하면 연락을 자주 하지 않는다.

[문항3]

A, B, C, D, E가 100m 달리기를 했다. 아래 조건을 모두 만족할 때, 2등으로 들어온 사람은?
(단, 동시에 들어온 사람은 없다.)

> – A는 3등으로 들어왔다.
> – B와 C의 사이에는 2명이 있다.
> – C는 D보다 늦게 들어왔다.
> – E는 5등으로 달리다가 결승선 앞에서 짝수 명을 앞지른 후 들어왔다.

① A　　　　② B　　　　③ C
④ D　　　　⑤ E

[문항4] ★

A, B, C가 4~6월 중에 각각 미국, 영국, 일본으로 여행을 갈 예정이다. 아래 조건을 모두 만족할 때, 월별 여행 국가로 가능한 조합은?

> – 매월 1명씩 여행을 가고 2번 이상 가지 않는다.
> – 미국 여행은 짝수 월에만 가능하다.
> – B는 6월에 여행을 가지 않고, 일본으로 가지 않는다.
> – C는 4월에 여행을 가지 않고, 영국으로 가지 않는다.
> – B보다 A가 1개월 늦게 출국한다.

	4월	5월	6월
①	미국	일본	영국
②	영국	일본	미국
③	일본	미국	영국
④	일본	영국	미국

01 ★

사기업에 다니는 A와 공기업에 다니는 B에 대하여
아래 명제가 모두 참일 때, 옳은 것은?

- 야망이 있는 사람은 사기업을 다닌다.
- 공기업을 다니는 사람은 저축을 잘한다.
- 사기업을 다니는 사람은 자동차가 있다.
- 자동차가 있는 사람은 저축을 잘한다.

① A는 야망이 있다.
② B는 자동차가 있다.
③ 자동차가 없는 사람은 저축을 못 한다.
④ 자동차가 없는 사람은 야망이 없다.
⑤ 저축을 잘하는 사람은 공기업을 다닌다.

02 ★

아래 명제가 모두 참일 때, 옳은 것은?

- 머리가 좋으면, 수학을 잘하거나 현명하다.
- 현명하면, 대학을 잘 가고 돈을 잘 번다.
- NCS를 잘 못 풀면, 수학을 잘 하지 않는 것이다.
- NCS를 잘 풀거나 전공을 잘하면, 공기업을 간다.

① 공기업을 못 간다면 현명하지 않은 것이다.
② 수학을 잘하면 돈을 잘 번다.
③ 수학을 못 해도 공기업을 갈 수 있다.
④ 머리가 좋으면 전공을 잘한다.
⑤ 머리가 좋으면 전공을 못 한다.

03 ★★

인사팀의 팀장 1명, 과장 1명, 대리 2명, 주임 1명이
아래 조건에 따라 월~금 휴가 일정을 짤 때, 수요일에
휴가를 갈 수 있는 직급을 모두 고른 것은?

- 인사팀 5명 모두 반드시 1일씩 휴가를 가야 한다.
- 주임과 대리는 월요일을 제외하고 모두 가능하다.
- 과장과 팀장은 휴가를 연달아 갈 수 없다.
- 대리끼리는 휴가를 연달아 갈 수 없다.
- 과장 다음 날에는 대리가 휴가를 갈 수 없다.

① 주임
② 주임, 대리
③ 대리, 과장
④ 주임, 대리, 과장
⑤ 주임, 대리, 팀장

04 ★

○○ 백화점은 총 5층이고 층마다 동쪽에는 의류 매장이
위치하고, 서쪽에는 식당이 위치한다. 백화점에는 3개의
의류 매장 남성복, 여성복, 아동복과 3개의 식당 한식당,
중식당, 양식당이 있다. 아래 조건을 참고할 때, 양식당은
몇 층에 위치하는가?

ㄱ. 한식당과 양식당의 층수 차이는 짝수이다.
ㄴ. 한식당과 아동복의 층수 차이는 짝수이다.
ㄷ. 남성복의 3층 아래에 여성복이 위치한다.
ㄹ. 중식당과 여성복은 같은 층에 위치한다.
ㅁ. 한식당 바로 위층에 중식당이 위치한다.
ㅂ. 3층에는 1개의 매장만 위치한다.

① 1층　　　② 2층　　　③ 3층
④ 4층　　　⑤ 5층

01

A, B, C, D 중 진실이 3명, 거짓이 1명이고 범인은 1명이다. 이 중에 반드시 범인은 누구인가? (단, 범인은 진실을 말할 수도 있다.)

> A : B와 C는 범인이 아니다.
> B : D는 거짓이다.
> C : A와 C는 범인이 아니다.
> D : A와 D는 범인이 아니다.

① A   ② B   ③ C
④ D   ⑤ 알 수 없음

02 ★★★

A, B, C, D, E 중 3명은 진실, 2명은 거짓이다. 1학년은 3명, 2학년은 2명이고, B와 C는 서로 학년이 다를 때, 2학년은 누구인가?

> A : C는 B보다 1학년 높다.
> B : D 또는 E는 나와 학년이 다르다.
> C : A와 B는 학년이 같다.
> D : A와 C의 학년이 다르다.
> E : C와 D는 학년이 다르다.

① A, B   ② A, C   ③ B, D
④ C, D   ⑤ D, E

03

아래 명제가 모두 참일 때, 옳은 것은?

> – 한식을 좋아하면 비빔밥과 불고기를 좋아한다.
> – 일식을 좋아하면 초밥 또는 라면을 좋아한다.
> – 라면을 좋아하지 않으면 비빔밥을 좋아하지 않는다.
> – 한식을 좋아하지 않으면 초밥을 좋아한다.

① 불고기를 좋아하면 초밥을 좋아한다.
② 일식을 좋아하지 않으면 초밥과 라면을 좋아하지 않는다.
③ 비빔밥을 좋아하면 초밥을 좋아한다.
④ 초밥을 좋아하지 않으면 라면을 좋아한다.
⑤ 라면을 좋아하면 불고기를 좋아한다.

04 ★

아래 명제가 모두 참일 때, 가능한 전제는?

> 전제 1 : 동물을 좋아하면 강아지를 좋아한다.
> 전제 2 : 잘 웃지 않으면 친절하지 않은 것이다.
> 전제 3 : _____
>
> 결론 : 동물을 좋아하면 잘 웃는다.

① 친절하면 강아지를 좋아한다.
② 친절하지 않으면 강아지를 좋아하지 않는다.
③ 친절하지 않으면 강아지를 좋아하는 것이다.
④ 강아지를 좋아하면 친절하지 않은 것이다.
⑤ 강아지를 좋아하지 않으면 잘 웃지 않는다.

05 ★★★

A 기업의 4개 부서인 기획부, 인사부, 재정부, 감사부에 각각 대리 1명과 주임 1명이 있다.
이 8명에 대한 이번 주 당직 근무일정이 아래와 같을 때, 이에 대하여 항상 옳은 것은?

- 이번 주 당직은 월요일부터 목요일까지 매일 일직 1명, 숙직 1명으로 2명씩 구성해야 한다.
- 인사부 대리와 감사부 대리는 수요일에 당직을 서지 않는다.
- 재정부 대리와 재정부 주임의 당직 일은 3일 차이 난다.
- 주임 중 3명이 숙직을 한다.
- 대리끼리 일직과 숙직을 같이 서는 요일은 하루뿐이다.
- 재정부 대리 당직 다음 날에 기획부 주임이 당직을 선다.
- 기획부 주임 당직 다음 날에 기획부 대리가 당직을 선다.

① 기획부 대리와 같은 날 당직을 서는 직급은 대리이다.
② 재정부 주임은 월요일에 당직을 선다.
③ 대리끼리 당직을 서는 요일은 화요일이다.
④ 인사부 대리가 목요일에 당직을 서면, 감사부 주임은 화요일에 당직을 선다.
⑤ 인사부 주임이 화요일에 당직을 서면, 감사부 주임은 수요일에 당직을 선다.

06 ★

갑, 을, 병, 정, 무, 기 6명이 식당에 도착한 순서대로 6인용 원탁에 앉으려고 한다.
아래 자료를 참고할 때, 기의 맞은편에 앉는 사람은 누구이고 어떤 음식을 먹는지 고른 것은?

- 한식은 3자리, 양식은 3자리이다.
- 한식을 먹는 사람끼리는 이웃하지 않는다.
- 갑의 맞은편에는 정이 앉는다.
- 정과 기는 이웃하지 않는다.
- 을과 병은 이웃하지 않는다.
- 을과 기는 한식을 먹는다.

① 을, 양식   ② 병, 한식   ③ 병, 양식
④ 무, 양식   ⑤ 기, 양식

[07~08] 다음은 OO공단 본사의 〈지하 1층 체력단련실 공사 안내〉 자료이다. 아래 자료를 참고하여 물음에 답하시오.

〈OO공단 본사 지하 1층 체력단련실 공사 안내〉

1. 공사개요
   - 발주기관 : OO공단 본사 1층 안전환경실
   - 공사내용 : 체력단련실 환경개선(방음), 샤워실 구축, 냉·난반기 구축
   - 소요예산 : 39,500,000원(방음시설(18,500,000원), 샤워실과 냉·난반기 구축(21,000,000원))

2. 공사일정
   - 공사기간 : 약 1개월 2024.05.07.(화) ~ 06.11.(화)
   ※ 공사 휴무일 : 일요일 및 공휴일(5월 15일 부처님 오신 날, 6월 6일 현충일)
   - 공사시간 : 오전 9시 ~ 오후 6시
   - 점심시간 : 오전 11시 30분 ~ 오후 1시
   ※ OO공단 점심시간과 동일

3. 안내사항
   ※ 공사기간이 포함된 주에는 체력단련실 이용 불가능(5월 6일 ~ 6월 16일 이용 불가능)
   ※ 공사시간 동안 지하 1층 비상문 폐쇄(단, 점심시간에는 개방)
   ※ 문의 : 안전환경실 전화 052)123-4567 또는 이메일 safe123@abc.or.kr로 문의

07

다음 중 OO공단 본사 지하 1층 체력단련실 공사 관련 내용 중 옳은 것은?
① 6월 13일에 체력단련실을 이용할 수 있다.
② 공사기간은 총 휴무일을 제외하고 총 29일이다.
③ 공사 관련 문의는 전화로만 가능하다.
④ 오전 11시에 지하 1층 비상문을 사용할 수 있다.
⑤ 전체 소요예산 중 방음시설의 비중은 45% 이하이다.

08 ★

공사 작업에 5월 7일부터 5월 31일까지는 8명이 투입되고 6월 1일부터는 4명이 추가로 투입되었을 때, 투입된 전체 인원이 근무한 총 시간은? (단, 점심시간은 근무시간에서 제외한다.)
① 1,840시간   ② 1,980시간   ③ 2,160시간
④ 2,480시간   ⑤ 2,660시간

09 ★

아래 자료는 4개의 시설인 학교, 병원, 공항, 시청의 위치를 정리한 자료이다.
공항과 시청 사이의 거리는?

- 모든 시설은 일렬로 나열되어있다.
- 시설 간 거리가 가장 먼 구간은 3,300m이다.
- 병원과 시청이 떨어진 거리는 2,500m이다.
- 학교와 시청이 떨어진 거리는 600m이다.
- 병원과 공항이 떨어진 거리는 500m 이하이다.

① 200m   ② 600m   ③ 2,500m
④ 2,700m   ⑤ 3,300m

10 ★★★

아래 자료는 A, B, C 3명의 선수가 치른 바둑대회 결과에 대한 자료이다.
항상 옳은 것을 모두 고른 것은?

- 바둑대회는 서로 1번씩 경기를 한다.
- 한 경기에서 3세트를 먼저 승리한 사람이 생기면 경기를 종료한다.
- A는 총 5세트를 승리했고, C에게 3세트를 승리했다.
- B는 승리한 세트 수와 패배한 세트 수가 다르다.
- C는 승리한 세트 수와 패배한 세트 수가 같다.

ㄱ. A가 패배한 총 세트 수와 C가 승리한 총 세트 수는 같다.
ㄴ. C가 승리한 총 세트 수가 3회라면, B가 승리한 총 세트 수는 4회이다.
ㄷ. B가 경기한 총 세트 수가 홀수라면, C가 패배한 총 세트 수는 4회이다.

① ㄱ   ② ㄴ   ③ ㄱ, ㄴ
④ ㄱ, ㄷ   ⑤ ㄴ, ㄷ

『모두가 버리는 문제를 풀어야 합격에 가까워집니다』

- 보석같은 -

7. 자원관리

01. 가중치와 순위

[개요]

가중치를 적용하여 순위를 구하는 문제는 자원관리의 <u>최다 빈출 유형</u>이다.
가중치 문제는 단순 계산이 아니라, <u>차이만 살펴야</u> 훨씬 빠르게 풀 수 있다.
* [가중치 보정]을 확실히 배워서 가중치 문제를 쉽고 빠르게 풀도록 하자.

[가중치 보정 미리보기]

[예시1]

철수, 영희, 민수가 A 기업에 지원하여 필기전형, 실기전형, 면접전형으로 다음과
같은 점수를 받았다. 각 전형의 점수 반영 비율이 3:3:4일 때, 최종 합격하는 1명은?

성명	필기전형	실기전형	면접전형	최종점수
철수	78점	62점	84점	??점
영희	83점	58점	82점	??점
민수	76점	63점	85점	??점

① 철수   ② 영희   ③ 민수

[풀이1]

성명	필기(3)	실기(3)	면접(4)	최종점수
철수	0.6점(2칸×30%)	1.2점(4칸×30%)	0.8점(2칸×40%)	2.6점
영희	2.1점(7칸×30%)	0점	0점	2.1점
민수	0점	1.5점(5칸×30%)	1.2점(3칸×40%)	**2.7점**

(0) **계산** : 각 전형별 최저점을 0점으로 잡고, 나머지 항목은 가중치에 맞게 점수를 매긴다.
(1) **순위 찾기** : 이렇게 구해진 점수 합의 순위가 실제 순위와 같다. (민수 〉 철수 〉 영희)
(2) **점수 차이** : 이렇게 구해진 점수 차이가 실제 차이와 같다. (1등과 2등은 0.1점 차이)
(3) **실제 점수** : 이렇게 구해진 점수가 <u>실제 점수는 아니다.</u> (민수의 실제 점수 ≠ 2.7점)
 ※ **만약 1등의 [실제 점수]를 구해야 한다면**
  (1)에서 순위를 찾은 후 → 실제 값에 대입하여 계산하자.
  → (1)에서 [가중치 보정]을 통해 민수가 1등임을 알았다.
  → 다시 문제로 돌아가서, [76×0.3 + 63×0.3 + 85×0.4 = 75.7점]을 계산하자.

[가중치 보정]

가중치 문제는 앞서 본 풀이처럼 풀면 된다.
가중치 보정 방법과 유형별 적용법을 자세히 알아보자.

⟨가중치 보정⟩
(1) 각 항목의 최저점을 0으로 잡은 후
(2) 나머지 항목들은 [점수 차이] × [가중치]만큼 부여하면 된다.

⟨유형별 적용법⟩
가중치 문제는 크게 3가지 문제로 나뉜다.
[순위 찾기] → [점수 차이 찾기] → [실제 점수 찾기]
위 순서대로 까다로운 유형이다.

(1) [순위 찾기]는 단순하게 <u>1위가 누구</u>인지만 찾으면 된다.
   → 가중치 보정을 적용하여 1위를 찾으면 된다.
(2) [점수 차이]는 2명의 <u>점수 차이</u>를 찾아야 하므로 조금 더 까다롭다.
   → 가중치 보정을 적용하여 나온 점수 차이를 구하면 된다.
(3) [실제 점수]는 1위의 <u>최종점수</u>를 묻는 경우이므로 가장 까다롭다.
   → 가중치 보정만으로 풀 수는 없기에 2단계로 나눠서 풀어야 한다.
      (1단계) 가중치 보정을 적용하여 순위 찾기
      (2단계) 1단계에서 찾은 대상의 실제 점수를 정석으로 계산하기

(TIP)

가중치 문제 풀이방법
(1) 순위 찾기
 → 가중치 보정

(2) 점수 차이 찾기
 → 가중치 보정

(3) 실제 점수 찾기
 → 가중치 보정 이후
 → 정석 계산

[특수 상황]

⟨가산점 부여⟩
일부 문제는 가산점을 부여하기도 한다.
[가중치 보정]을 적용한 후에, 가산점을 그대로 더해주면 된다.

⟨순위 찾기: 비례식 정리⟩
1등이 누군지만 찾는 문제라면 가중치를 더 쉽게 정리할 수 있다.
(예시 1) 가중치가 3 : 3 : 4라면, 1 : 1 : 1.3으로 가정하고 [가중치 보정] 적용
(예시 2) 가중치가 3 : 3 : 2 : 2라면, 1.5 : 1.5 : 1 : 1로 가정하고 가중치 보정] 적용
→ 위처럼 푼다면 가중치에 영향 있는 항목은 [1.3]과 [1.5]뿐이다.

(TIP)

가산점 부여
A, B, C 중에 A에게만
5점이 부여된다면,
[가중치 보정] 적용 후
가산점 5점을 더하기

순위 찾기: 비례식 정리
가중치가 3 : 3 : 4라면
1 : 1 : 1.3으로 두고
[가중치 보정] 적용하기
→ 계산량 대폭 감소

성명	필기(30%) : 1			실기(30%) : 1			면접(40%) : 1.3			최종점수
철수	78점	→	2점	62점	→	4점	84점	→	2.6점	8.6점
영희	83점	→	7점	58점	→	0점	82점	→	0점	7점
민수	76점	→	0점	63점	→	5점	85점	→	3.9점	8.9점

[예시2]

철수, 영희, 민수가 A 기업에 지원하여 필기전형, 실기전형, 면접전형으로 다음과
같은 점수를 받았다. 각 전형의 점수 반영 비율이 3:3:4이고
영희의 최종점수에 가산점 0.7점을 부여했을 때,
(질문1) 1위와 3위의 점수 차이는?　　　　(　　)점
(질문2) 2위의 최종점수는?　　　　　　　(　　)점

성명	필기전형	실기전형	면접전형	최종점수
철수	78점	62점	84점	??점
영희	83점	58점	82점	??점
민수	76점	63점	85점	??점

[풀이2]

성명	필기(3)	실기(3)	면접(4)	최종점수
철수	0.6점(2칸×30%)	1.2점(4칸×30%)	0.8점(2칸×40%)	2.6점
영희	2.1점(7칸×30%)	0점	0점	2.8점(2.1점+0.7점)
민수	0점	1.5점(5칸×30%)	1.2점(3칸×40%)	2.7점

위 표처럼 가중치 보정을 한 후 판단하자.

(질문1) 1위와 3위의 점수 차이는?
[점수 차이] : 1위와 3위는 영희와 철수이므로 0.2점 차이 난다.

(질문2) 2위의 최종점수는?
[실제 점수] : 2위는 민수이다. 민수의 최종점수는 $(76+63)×0.3 + 85×0.4 = 75.7$점

가중치와 순위 빈칸 채우기

[빈칸 채우기]

다음은 ○○전자의 TV 판매 요소인 기능, 해상도, 그기, 기격의 점수를 매긴 것이다.

철수가 생각하는 중요도는 순서대로 2:3:3:2의 점수 비율을 가질 때,

(1) 2등과 5등의 점수 차이와 (2) 최종점수가 가장 높은 TV의 점수를 구하는 과정이다.

<u>빈칸을 모두 채우시오.</u>

TV	기능	해상도	크기	가격
A	83	78	95	70
B	80	80	92	75
C	88	78	86	78
D	76	88	87	75
E	85	80	91	70

TV	기능	해상도	크기	가격
A	( )	0	( )	0
B	( )	( )	( )	( )
C	( )	0	0	( )
D	0	( )	( )	( )
E	( )	( )	( )	0

우선 위 빈칸을 [가중치 보정]으로 모두 채워보자.

가중치 보정 점수는 아래와 같다.

A : (   ), B : (   ), C : (   ), D : (   ), E : (   )

(1) 아래는 2등과 5등의 점수 차이를 구하는 과정이다.

2등은 (   )TV이고 (   )점, 5등은 (   )TV이고 (   )점

따라서 2등과 5점의 점수 차이는 (   )점이다.

(2) 최종점수가 가장 높은 TV는 (   )TV이다.

최종점수는 바로 구할 수 없으므로, 원본 자료로 돌아가자.

(   )TV의 최종점수는 [(   )×0.2 + (   )×0.3] = (   )점이다.

〈세트문항 1~2〉

A부대에서 부대 홍보영상을 제작한 병사들에게 포상휴가를 나눠주려 한다.
아래 자료를 참고하여 물음에 답하시오.

〈A부대 홍보영상 제작 공지사항〉

- 포상휴가 대상 : 병장 2명, 상병 2명, 일병 1명
- 홍보영상 평가 가중치 : 전문성 50%, 구성 30%, 영상 길이 20%
- 홍보영상 평가 방법 : 가중치 적용 후 계급별 최종점수가 높은 순

〈A부대 홍보영상 평가 결과〉

(단위 : 점)

성명	계급	전문성	구성	영상 길이
김병장	병장	87	76	88
이병장	병장	90	70	89
박병장	병장	88	73	91
최상병	상병	74	73	100
정상병	상병	77	71	96
조상병	상병	80	67	95
강일병	일병	70	80	90
윤일병	일병	69	75	96

[문항1] ★

포상휴가를 받지 못하는 병사는 누구인가?

① 김병장, 조상병, 강일병　　② 이병장, 최상병, 강일병　　③ 이병장, 최상병, 윤일병

④ 박병장, 정상병, 강일병　　⑤ 박병장, 정상병, 윤일병

[문항2] ★★

각 평가 항목마다 96점 이상을 받은 병사에게는 최종점수에 가산점 0.4점씩 부여하였을 때,
포상휴가를 받지 못하는 병사는? (단, 가산점은 최대 1.2점을 받을 수 있다.)

① 김병장, 조상병, 윤일병　　② 이병장, 최상병, 강일병　　③ 이병장, 최상병, 윤일병

④ 이병장, 조상병, 윤일병　　⑤ 박병장, 조상병, 강일병

<세트문항 3~4>

아래 자료는 A부서에 새롭게 도입할 다면평가 방식 및 예비시행 결과이다.

아래 자료를 참고하여 물음에 답하시오.

(단, A부서의 직급은 부장, 팀장, 차장, 과장, 대리, 주임 순이다.)

<A부서 신규 다면평가 방식>

- 다면평가 방법 : 가중치 적용 후 <u>항목별 점수 평균의 합산</u>
- 다면평가 평가자 가중치 : 부장 150%, 팀장 120%, 차장 이하 100% 점수 반영
- 다면평가 특이사항 : 상황에 따라 총점은 100점을 넘을 수 있다.

<A부서 신규 다면평가 예비시행 결과>

(단위 : 점)

대상자	평가항목(배점)	평가자별 평가점수				
		갑 부장	을 팀장	병 과장	정 대리	무 대리
박과장	의사소통(30)	26	26	29	27	28
	업무추진(30)	29	29	29	27	27
	성과향상(40)	40	39	40	39	39
이대리	의사소통(30)	24	27	28	30	29
	업무추진(30)	27	27	28	30	30
	성과향상(40)	40	38	39	40	39
오주임	의사소통(30)	24	26	30	28	28
	업무추진(30)	25	25	25	26	26
	성과향상(40)	38	39	40	40	40

[문항3] 고난도

대상자 3명의 다면평가 최종점수의 순위를 바르게 나열한 것은?

① 박과장 > 이대리 > 오주임   ② 박과장 > 오주임 > 이대리   ③ 이대리 > 박과장 > 오주임
④ 이대리 > 오주임 > 박과장   ⑤ 오주임 > 박과장 > 이대리

[문항4] ★★

박과장과 이대리의 다면평가 최종점수 차이는? (소수점 둘째짜리까지 계산)

① 0.02점   ② 0.08점   ③ 0.14점
④ 0.20점   ⑤ 0.26점

〈세트문항 01~02〉

축구 감독인 갑과 을이 5명의 공격수에게 평가 기준에 따라 점수를 부여하여 MVP를 선정하려고 한다.
아래 자료를 참고하여 물음에 답하시오.

〈선수평가 특이사항〉

- 선수평가 점수 : 항목별 점수는 5점이 만점이다.
- 특이사항 : 공격 항목의 경우 골 결정력, 위치선정, 드리블 점수의 평균에 가중치를 적용한다.
- 평가점수가 1위인 공격수를 MVP로 선정하고, 동점자 발생 시 테크닉이 높은 선수로 선정한다.

〈공식 평가점수〉

공격수	공격			피지컬	테크닉	멘탈
	결정력	위치선정	드리블			
A	4	3	5	4	2	3
B	3	4	2	3	5	2
C	4	3	5	4	1	5
D	5	2	3	5	4	2
E	3	5	4	3	3	4

〈갑의 평가점수 항목별 가중치〉

평가항목	공격	피지컬	테크닉	멘탈
100%	50%	30%	10%	10%

〈을의 평가점수 항목별 가중치〉

평가항목	공격	피지컬	테크닉	멘탈
100%	40%	20%	20%	20%

01 ★

갑이 선정한 MVP는 누구인가?

① A   ② B   ③ C   ④ D   ⑤ E

02 ★★

을이 선정한 MVP는 누구인가?

① A   ② B   ③ C   ④ D   ⑤ E

〈세트문항 03~04〉

다음은 OO기업의 채용 평가 항목별 점수 산정 방법과 점수에 대한 자료이다.
최종합격 인원이 2명일 때, 아래 자료를 참고하여 물음에 답하시오.

〈채용 점수 산정 방법〉

- 평가 항목은 서류전형, 필기전형, 면접전형이다.
- 서류전형 점수는 최상은 5점, 상은 4점, 중상은 3점이고,
  중 이하는 탈락한다.
- 필기점수와 면접점수는 90점 이상은 5점, 80점 이상 90점 미만은
  4점, 70점 이상 80점 미만은 3점이다.
- 필기점수 또는 면접점수가 70점 미만이면 탈락한다.
- 최종점수가 높은 순으로 최종합격하게 된다.

〈공식 평가점수〉

구분	서류전형	필기전형	면접전형
갑	상	87점	70점
을	중상	91점	87점
병	최상	75점	91점
정	상	90점	76점
무	중	84점	98점
기	중상	92점	68점
경	최상	80점	70점

---

03 ★★

서류전형, 필기전형, 면접전형의 점수를 3 : 3 : 4로 반영할 경우 최종합격자는?
① 갑, 병   ② 갑, 경   ③ 을, 병   ④ 을, 경   ⑤ 병, 경

04 ★★★

무의 서류전형이 최상으로 변경되고, 서류전형, 필기전형, 면접전형의 점수를
5 : 1 : 4으로 반영할 경우 최종합격자는?
① 갑, 경   ② 병, 무   ③ 병, 경   ④ 정, 무   ⑤ 무, 경

02. 금액계산

[개요]

금액계산 문제는 자원관리뿐만 아니라 자료해석, 문제해결 등 여러 영역에서 출제되는 <u>최다 빈출이자 고난도 유형</u>이다.

• 금액계산 문제의 핵심은 <u>90초 이내로 풀 수 있는가 판단</u>하고 푸는 것이다.

(TIP)

금액계산 문제는 어렵다.
끝자리를 확인하더라도,
**선지와 자료를 동시에
확인**해야 한다.

문제를 많이 풀어보면서
빠른 판단력을 기르자.
→ 힘든 문제는 버리자.

[끝자리 확인]

금액계산 문제는 아래 단계로 접근하자.

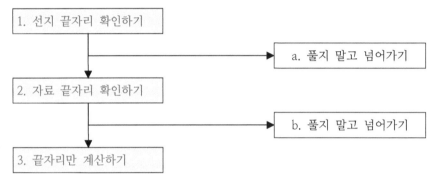

1. 선지 끝자리 확인하기

    → a. 풀지 말고 넘어가기

2. 자료 끝자리 확인하기

    → b. 풀지 말고 넘어가기

3. 끝자리만 계산하기

(TIP)

선지부터 확인하고
풀지 말지 정한 후에
문제와 자료를 확인하자.

(1) **선지 끝자리 확인하기** : 선지 끝자리로 답이 판별된다면 **끝자리만 확인**하면 된다.

> **예시 1)** 아래 선지는 문제가 어떻든 <u>일의 자리</u>만 신경 쓰면 된다.
>   ① 5,382,49<u>2</u>원   ② 5,468,68<u>5</u>원   ③ 5,542,73<u>6</u>원
>   ④ 5,625,82<u>1</u>원   ⑤ 5,709,49<u>7</u>원

> **예시 2)** 아래 선지는 일의 자리에서 판별되지 않으므로 <u>십의 자리</u>까지 확인해야 한다.
>   ① 5,3<u>22</u>개   ② 5,3<u>35</u>개   ③ 5,4<u>42</u>개
>   ④ 5,4<u>55</u>개   ⑤ 5,5<u>65</u>개

(TIP)

선지로 판별이 힘들면
버리는 것도 방법이다.
→ 실전에서는 2분 이상
풀면 손해이다.

(a) **풀지 말고 넘어가기** : 선지 끝자리로 답이 판별되지 않는다면 **풀지 말고 넘어가자**.

> **예시 3)** 아래 선지는 <u>끝자리 확인이 불가능</u>하므로 전체 계산이 필요하다.
>   ① <u>242,452원</u>   ② <u>252,452원</u>   ③ <u>262,452원</u>
>   ④ <u>272,452원</u>   ⑤ <u>282,452원</u>

(2) **자료 끝자리 확인하기** : 선지로 판별이 된다면 **주어진 자료의 상황을 확인**해야 한다.

예시 4) 아래 상황은 일의 자리지만, <u>10%를 가산</u>하므로 <u>십의 자리</u>까지 확인해야 한다.
① 6,082,49<u>3</u>원　　　　② 6,168,68<u>5</u>원　　　　③ 6,242,73<u>6</u>원
④ 6,325,82<u>1</u>원　　　　⑤ 6,456,25<u>2</u>원

　(상황 1) 합산 금액이 5,869,320원으로 계산됐다고 가정하자.
　(상황 2) 합산 금액에서 수수료 10%를 가산하여 최종 금액을 책정한다.

→ <u>수수료 10%를 가산하여 2원이 가산되어 정답은 ⑤이다.</u>
→ <u>10%는 0.1배이므로 **십의 자리**까지 계산해야 일의 자리를 알 수 있다.</u>

예시 5) 아래 상황은 일의 자리지만, <u>7%를 할인</u>하므로 <u>백의 자리</u>까지 확인해야 한다.
① 234,12<u>1</u>원　　　　② 247,52<u>4</u>원　　　　③ 260,67<u>9</u>원
④ 273,21<u>8</u>원　　　　⑤ 286,47<u>5</u>원

　(상황 1) 합산 금액이 280,300원으로 계산됐다고 가정하자.
　(상황 2) 합산 금액에서 할인 7%를 감산하여 최종 금액을 책정한다.

→ <u>할인 7%를 감산하여 21원이 감산되어 정답은 ③이다.</u>
→ <u>7%는 0.07배이므로 **백의 자리**까지 계산해야 일의 자리를 알 수 있다.</u>

TIP

끝자리를 확인했더라도
복잡한 경우가 많다.

10%가 증감된다면
0.1을 곱한 것과 같아서
자리를 1칸 올려야 하고,

1%가 증감된다면
0.01을 곱한 것과 같아서
자리를 2칸 올려야 한다.

(b) **풀지 말고 넘어가기** : 선지로 판별이 되더라도 **주어진 자료에 따라버려야** 할 수도 있다.

예시 6) 선지로는 쉽게 판별되더라도 <u>문제가 너무 어려운 경우</u>

예시 7) 선지로는 쉽게 판별되더라도 <u>자료가 너무 복잡한 경우</u>

(3) **끝자리만 계산하기** : 문제를 풀기로 정했다면 **끝자리만 살피면서 계산**해야 한다.

예시 8) 사과 8개, 포도 6개, 수박 3개, 멜론 2개를 사면 얼마인가?

사과	포도	수박	멜론
1,200원	3,300원	8,800원	7,500원

① 63,<u>2</u>00원　　　　② 67,<u>5</u>00원　　　　③ 70,<u>8</u>00원
④ 74,<u>1</u>00원　　　　⑤ 77,<u>4</u>00원

(1) 백의 자리만 살피자.
(2) 자료의 특이사항은 딱히 없다.
(3) 아래처럼 백의 자리만 계산하면 된다.
　[사과 200원 8개 = 600원] [포도 300원 6개 = 800원]
　[수박 800원 3개 = 400원] [멜론 500원 2개 = 000원]　… 정답은 800원 ③

TIP

끝자리에 영향을 주는
부분만 계산해야 한다.
→ 계산량 대폭 감소

[예문]

월 급여가 310만 원인 철수는 2023년 9월에 아래 자료와 같이 지출하였다.
2023년 9월의 지출비용은 총 얼마인가?

〈철수의 2023년 9월 지출표〉

- (여윳돈) = (월 급여) − (적금)

- (지출) = (식비) + (쇼핑) + (통신비) + (교통비) + (부조금)

- (적금) = 2,000,000원

- (식비) = (여윳돈) × 32%

- (쇼핑) = (여윳돈) × 24.5%

- (통신비) = 52,400원

- (교통비) = 102,400원

- (부조금) = 80,000원

---

① 763,600원 ② 794,500원 ③ 825,400원
④ 856,300원 ⑤ 887,200원

〈풀이〉

---

(1) 백의 자리만 살피자.

(2) 자료의 특이사항은 (식비)의 32%와 (쇼핑)의 24.5%이다.

(3) 아래처럼 백의 자리만 계산하면 된다.

[여윳돈 = 1,100,000원] [통신비 = 400원] [교통비 = 400원]

[식비+쇼핑 = 1,100,000원 × 0.565 = 1,100원 × 565 = 500원]

따라서 (식비+쇼핑) + (통신비) + (교통비) + (부조금) = 500 + 400 + 400 + 0
정답은 300원 ④이다.

금액계산 빈칸 채우기

[빈칸 채우기]

나음은 인사팀 부장 1명, 팀장 1명, 과장 2명, 내리 2명, 주임 1명에게
설날 선물로 과일을 주기 위해 드는 비용을 계산하는 과정이다.
아래 자료를 확인하여 <u>빈칸을 모두 채우시오.</u>

〈인사팀 설날 선물 공지사항〉

- 모든 직원은 수박 1개, 사과 3개, 포도 2개, 멜론 1개, 참외 3개를
  지급 받기로 되어있다. (단, 아래 조건에 따라 개수가 변경된다.)
- 부장과 팀장에게는 모든 과일을 1개씩 더 지급한다.
- 대리와 주임에게는 수박을 1개 빼고, 사과를 2개 더 지급한다.

과일	가격	비고
수박	23,900원	8개 이상 구매 시 10% 할인
사과	1,020원	10개 구매마다 1개 추가 제공
포도	3,680원	60,000원 이상 구매 시 10% 할인
멜론	4,400원	8개 이상 구매 시 10% 할인
참외	1,550원	20개 구매마다 1개 추가 제공

① 296,360원 　② 298,520원 　③ 299,560원
④ 336,310원 　⑤ 358,610원

---

(1) 선지를 보면 (　　)의 자리까지 확인해야 한다.

(2) 직원 수는 7명이므로 조건에 맞게 개수를 정하면 아래와 같다.
　수박 : (　　)개, 사과 : (　　)개, 포도 : (　　)개
　멜론 : (　　)개, 참외 : (　　)개
여기서 비고의 혜택을 받는 과일은 (　　), (　　), (　　)이다.

(3) 순서대로 (　　)의 자리까지만 계산하자.
　[수박 : (　　)원 (　　)개 = (　　)원]
　[사과 : (　　)원 (　　)개 = (　　)원]　　… 2개 서비스
　[포도 : (　　)원 (　　)개 = (　　)원]
　[멜론 : (　　)원 (　　)개 10% 할인 = (　　)원 × 0.9 = (　　)원]
　[참외 : (　　)원 (　　)개 = (　　)원]　　… 1개 서비스

따라서 백의 자리까지의 합은 (　　)원이다.　정답은 (　)번

〈세트문항 1~2〉

전체 직원 수가 100명인 OO기업에서 성과급을 지급하기 위하여 계획서를 작성 중이다.
아래 자료를 참고하여 물음에 답하시오.

〈OO기업 성과급 지급 공지사항〉

- 직급마다 상위부터 20%는 S급, 30%는 A급, 30%는 B급, 20%는 C급이다.

  (예를 들어, 과장은 S급이 4명, A급이 6명, B급이 6명, C급이 4명이다.)

〈OO기업 직급별 직원 수와 기본급 현황〉

직급	직원 수	기본급
부장	10	500만
팀장	10	420만
과장	20	320만
대리	30	280만
주임	30	250만

[문항1] ★

S급 직원에게 기본급의 2배, A급 직원에게 기본급의 1.5배, B급 직원에게 기본급의 1배,
C급 직원에게 기본급의 0.8배를 지급할 때, 대리의 총성과급은 얼마인가?

① 10,830만 원　　　　　② 10,888만 원　　　　　③ 10,946만 원
④ 11,004만 원　　　　　⑤ 11,062만 원

[문항2] ★★

S급 직원에게 기본급의 1.2배, C급 직원에게 기본급의 0.6배를 지급하고
나머지 등급의 직원에게는 기본급의 1배를 지급할 때, 팀장과 과장의 성과급 차이는 얼마인가?

① 2,112만 원　　　　　② 2,123만 원　　　　　③ 2,139만 원
④ 2,147만 원　　　　　⑤ 2,158만 원

<세트문항 3~4>

아래 자료는 2023년 기준 산재보험료 산정 방식이다.

아래 자료를 참고하여 물음에 답하시오.

〈2023년 산재보험료 산정 방식〉

- 산재보험료 = 월 평균보수액 × [업종별 보험료율 + 출퇴근보험료율 + 임금채권부담금 비율 + 석면피해구제 부담금률]

- 해외파견자 업종별 보험료율 = 1.4%

- 건설업 업종별 보험료율 = 3.6%

- 출퇴근보험료율 = 0.1%

- 임금채권부담금 비율 = 0.06%

- 석면피해구제 부담금률 = 0.004%

[문항3] ★★

철수는 2023년 1월부터 9월까지 해외파견자 업종으로 근무하였고
월 평균보수액이 2,800,000원이었다. 2023년 8월의 산재보험료는?

① 40,404원   ② 41,203원   ③ 43,792원

④ 46,648원   ⑤ 59,920원

[문항4] ★★

철수가 10월에 건설업 업종으로 이직하여 월 평균보수액이 3,200,000원으로 올랐을 때,
2023년 11월의 산재보험료는? (단, 철수의 월 평균보수액은 입사 후 1년간 동일하다.)

① 120,448원   ② 120,512원   ③ 126,173원

④ 130,525원   ⑤ 137,856원

〈세트문항 01~02〉

다음은 OO공사의 2023년 주택용전력 요금 산정 방식이다. 아래 자료를 참고하여 물음에 답하시오.
(단, 아래 자료에 표기되지 않은 산정 방식은 무시한다.)

〈주택용전력(저압)〉

기본요금(원/호)		전력량요금(원/kWh)	
200kWh이하 사용	910	처음 200kWh까지	120.0
201~400kWh 사용	1,600	다음 200kWh까지	214.6
400kWh초과 사용	7,300	400kWh초과	307.3

〈주택용전력(고압)〉

기본요금(원/호)		전력량요금(원/kWh)	
200kWh이하 사용	730	처음 200kWh까지	105.0
201~400kWh 사용	1,260	다음 200kWh까지	174.0
400kWh초과 사용	6,060	400kWh초과	242.3

〈요금 산정 방식〉

- 전기요금 산정은 누진제로 적용한다. 누진제란 기본요금과 전력량요금을 합산하는 방식이다. 전력량요금은 사용량이 증가함에 따라 순차적으로 높은 단가가 적용되는 요금 산정 방식이다.
- 슈퍼유저요금(저압) : 동계(12월 1일~2월 말일) 1,000kWh초과 전력량요금은 736.2원/kWh 적용
- 슈퍼유저요금(고압) : 동계(12월 1일~2월 말일) 1,000kWh초과 전력량요금은 601.3원/kWh 적용

01 ★★

슈퍼유저요금을 사용 중인 철수는 10월 한 달간 주택용전력 저압으로 1,200kWh를 사용하였다. 철수가 청구해야 하는 전기요금은 얼마인가?

① 312,740원　　　　　② 320,060원　　　　　③ 398,540원
④ 405,840원　　　　　⑤ 424,760원

02 ★★★

슈퍼유저요금을 사용 중인 영희는 12월 한 달간 주택용전력 고압으로 1,100kWh를 사용하였을 때, 영희의 전기요금과 [문항 3]의 철수의 전기요금의 차이는 얼마인가?

① 48,670원　　　　　② 49,230원　　　　　③ 50,350원
④ 51,210원　　　　　⑤ 52,690원

<세트문항 03~04>

다음은 OO기업의 운동회 개최를 위해 필요한 식비를 정리한 자료이다.
아래 자료를 참고하여 물음에 답하시오.

〈OO기업 운동회 식비 계획표〉

운동회 참여 인원은 직원이 50명, 스태프가 3명입니다. 모든 인원에게 도시락 1개 또는 김밥 2개를 제공할 예정이니 한 종류로 통일해 주세요. 그리고 생수 2개씩 준비해 주세요. 아 참, 도시락 또는 김밥은 모두 프리미엄으로 준비해 주시고, 스태프에게는 생수 1개만 제공하면 됩니다. 과일 세트는 상품으로 제공할 예정이라 직원 수의 60%만큼만 준비하시면 됩니다. 음식은 각각 다른 마트에서 구매해도 됩니다. 최저 예산으로 빠짐없이 제공할 수 있도록 해주세요.

〈마트별 가격표〉

음식	A마트	B마트	C마트	D마트
도시락	7,000원	7,500원(프리미엄)	7,200원(프리미엄)	6,500원
김밥	3,350원	3,400원	3,650원(프리미엄)	3,580원(프리미엄)
과일 세트	3,320원	3,230원	3,200원	3,220원
생수	510원	500원	550원	540원

〈마트별 할인행사〉

- A마트 : 전체 구매비용이 50만 원이 넘을 경우, 20% 할인
- B마트 : 과일 세트 30개 이상 구매 시 생수 3개 무료 제공
- C마트 : 생수 100개 이상 구매 시 생수 10% 할인
- D마트 : 생수 20개 구매마다 2개 제공

---

03 고난도

위 자료에 맞게 제공할 경우 총 식비는 얼마인가?

① 525,880원 ② 526,380원 ③ 526,465원
④ 526,780원 ⑤ 528,500원

04 고난도

직원 5명이 운동회에 참여하지 못한다면 총 식비는 얼마인가?

① 473,240원 ② 474,130원 ③ 475,020원
④ 475,980원 ⑤ 476,580원

03. 시차 논리

[개요]

NCS 시차 문제는 5급 PSAT만큼 복잡하게 나오진 않는다.

NCS에서는 단순한 문제 또는 시간이 오래 걸리는 시간, 금액계산 문제로 자주 나온다.

• 시차 문제의 핵심은 비행과 시차를 같이 계산하는 것이다.

(TIP)

시간이 빠르다는 것은
해가 빨리 뜨는 것이므로
시간을 더해야 한다. (+)

시간이 느리다는 것은
해가 늦게 뜨는 것이므로
시간을 빼야 한다. (−)

[시차에 대한 이해]

지구는 구형이므로 360°이다. 이를 시간으로 보기 위해 24등분하면 1시간은 15°이다.

영국 그리니치 천문대를 기준으로 동쪽이면 동경(+), 서쪽이면 서경(−)이라 정의한다.

• 그리니치 천문대를 기준으로 동쪽이라면 해가 더 빨리 뜨므로 (+) 시차이다.

• 그리니치 천문대를 기준으로 서쪽이라면 해가 더 늦게 뜨므로 (−) 시차이다.

• 서울은 동경 127°(+8시간)이므로 영국보다 약 8시간 빠르다.

[기본 개념]

- 왼쪽으로 이동하면 : −시차
- 오른쪽으로 이동하면 : +시차
- 서머타임이 적용된다. : +1시간

	한국 → 영국	영국 → 한국
한국이 영국보다 8시간 빠르다.	−8시간	+8시간

• 서머타임 : 여름에 1시간씩 앞당겨서 낮 시간을 조절하는 것

(TIP)

(2) 24시를 1일로 바꾸면
시간이 (−) 처리될 때
문제가 생기므로 반드시
계속 쌓아야 한다.

[핵심 개념]

(1) 시차 문제는 시간순으로 시간을 쌓기

(2) 이때 24시를 1일로 바꾸지 말고 계속 더한 후, 마지막에 일자로 바꾸기

• 22시 → 26시 → 47시 → ... → 53시(도착) = +2일 5시

(3) [비행시간 ± 시차]는 항상 같이 계산하기

• **항상 비행 후 시차가 적용**되므로 **한 번에 계산**하면 훨씬 쉬워진다.

(TIP)

비행시간과 시차는 항상
같이 계산하자.
[비행시간 ± 시차] = 결과

[예문]

나는 한국에서 3일 15시에 비행기를 타서 영국으로 이동하여 9시간 동안 여행할 예정이다.

한국은 영국보다 8시간 빠르고, 한국과 영국 간의 비행시간은 10시간일 때,

영국시각 기준으로 여행이 끝나는 시간은?

[풀이]

(3) 미적용 풀이 : 15시 → 25시 → 17시 → 26시(도착) = 4일 2시

(3) 적용 풀이 : 15시 → 17시 → 26시(도착) = 4일 2시

• [비행시간 ± 시차] = [10시간 − 8시간] = 2시간

[예문 1]

나는 한국에서 3일 오후 3시에 비행기를 타서, 영국에서 일정 시간 머문 후
미국에 4일 오전 2시까지 도착하려고 한다.
상황이 아래와 같을 때, 영국에서 머무를 수 있는 최대시간은?

> (가) 한국은 영국보다 8시간 빠르다.
>
> (나) 한국은 미국보다 13시간 빠르다.
>
> (다) 한국과 영국 간의 비행시간은 10시간이다.
>
> (라) 영국과 미국 간의 비행시간은 8시간이다.

① 2시간   ② 3시간   ③ 4시간
④ 5시간   ⑤ 6시간

〈풀이 1〉

> ※ 빠른 풀이 : 15시 → 17시 → 17시 $+ x$ → 20시 $+ x = 26$시   … $x = 6$시간
>
> (1) 15시에 한국에서 영국으로 이동한다.   15시 → 17시
> • 한국 → 영국 : [비행시간 - 시차] = [10시간 - 8시간] = 2시간
>
> (2) 영국에서 x시간 머문다.   17시 → 17시 $+ x$
>
> (3) 영국에서 미국으로 이동한다.   17시 $+ x$ → 20시 $+ x = 26$시
> • 영국 → 미국 : [비행시간 - 시차] = [8시간 - 5시간] = 3시간
>
> 따라서 정답은 6시간, ⑤이다.

TIP

[비행시간 + 시차]를
미리 구해두면 쉽게
계산할 수 있다.

한→영 : [10 - 8] = 2
영→미 : [8 - 5] = 3

[예문 2] 고난도

철수는 한국에서 12일 8시에 비행기를 타고 인도로 갈 출장을 간 후 인도에서 10시간 동안 일을 마치고, 바로 남아공으로 이동하여 6시간 동안 여행 후 서울로 복귀할 예정이다. 일은 현지 시각을 기준으로 9시~18시에만 할 때, 철수가 한국에 복귀하는 가장 빠른 시각은? (단, 비행시간 외의 소요시간은 고려하지 않는다.)

(가) 그리니치 표준시 기준으로 서울은 +9시, 인도는 +5.5시, 남아공은 +2시이다.
(나) 한국 ↔ 인도 비행시간 : 6시간 20분
(다) 인도 ↔ 남아공 비행시간 : 13시간 55분
(라) 남아공 ↔ 한국 비행시간 : 19시간

① 14일 8시 35분   ② 14일 11시 15분   ③ 15일 6시 15분
④ 15일 11시 35분   ⑤ 15일 17시 15분

(TIP)

[비행시간 ± 시차]를 미리 구해두면 쉽게 계산할 수 있다.

한→인 : 2시간 50분
인→남 : 10시간 25분
남→한 : 26시간

(TIP)

업무 등 특수 상황에는 시간의 점프가 필요하다.

※ 18시까지 근무한 후, 다음날 9시로 점프하기
(10시간 = 7:10 + 2:50)

〈풀이 2〉

※ 빠른 풀이 : 8시 → 10시 50분 → **18시** → **(13일) 11시 50분** → 22시 15분
→ 28시 15분 → 54시 15분 = 2일 6시 15분 ··· **15일 6시 15분**

(1) 8시에 한국에서 인도로 이동한다.   8시 → 10시 50분
• 한국 → 인도 : [비행시간 - 시차] = [6시간 20분 - 3시간 30분] = 2시간 50분

(2) 인도에서 10시간 근무하기   10시 50분 → 18시 → 13일 11시 50분
• 12일에 7시간 10분 근무 + 13일에 2시간 50분 근무 : (13일) 11시 50분

(3) 인도에서 남아공으로 이동한다.   13일 11시 50분 → 22시 15분
• 인도 → 남아공 : [비행시간 - 시차] = [13시간 55분 - 3시간 30분] = 10시간 25분

(4) 남아공에서 6시간 동안 여행하기   22시 15분 → 28시 15분

(5) 남아공에서 한국으로 이동한다.   28시 15분 → 54시 15분
• 남아공 → 한국 : [비행시간 + 시차] = [19시간 + 7시간] = 26시간

따라서 정답은 54시 15분 = 15일 6시 15분, ③이다.

[빈칸 채우기]

철수는 오전 업무를 마친 후 인천공항에서 비행기를 타고 두바이로 출장을 갈 계획이다. 인천은 두바이보다 5시간 빠르고, 인천공항에서 두바이까지 직항 비행기는 10시간 걸린다. 회사에서 인천공항까지 걸리는 시간은 2시간, 인천공항에 도착한 후 비행기를 타는 데까지 걸리는 시간은 1시간이다. 출장을 위해 두바이 공항에 1월 8일 17시까지 도착해야 한다. 철수는 늦어도 몇 시에 회사에서 출발해야 하는가?

① 1월 7일 19시   ② 1월 7일 22시   ③ 1월 8일 4시
④ 1월 8일 7시   ⑤ 1월 8일 9시

※ 빠른 풀이 : x시 → x시 + (A)시 → x시 + (A+B)시 = 1월 8일 17시

(1) x시에 회사에서 인천공항으로 이동 후 비행기 타기 전까지

• x시 + (A)시간

(2) 인천에서 두바이로 이동한다.

• 인천 → 두바이 : [비행시간 ± 시차] = [(   ) ± (   )] = (B)시간

(3) 두바이에 도착한 시간이 1월 8일 17시여야 한다.

• x시 + (A+B)시간 = 1월 8일 17시

따라서 x시는 (   )시이고, 이날은 (   )월 (   )일 (   )시이다.

시차 논리 예문

정답 및 해설 277p

〈세트문항 1~2〉

철수는 영국 현지 시각으로 8월 16일 오후 4시에 열리는 콘서트를 보러 갈 예정이다. 콘서트는 3시간이고, 끝난 후 21시간 동안 자유여행을 한 후 한국에 돌아올 예정이다. 영국은 한국보다 8시간 느릴 때, 아래 항공사별 일정을 참고하여 물음에 답하시오. (단, 문제에 제시되지 않은 소요시간은 고려하지 않는다.)

〈한국→영국 항공편〉

항공사	출발시각	비행시간
A항공사	8월 16일 8시	14시간
B항공사	8월 16일 12시	13시간
C항공사	8월 16일 10시	13시간 30분
D항공사	8월 16일 11시	12시간
E항공사	8월 16일 9시	15시간

〈영국→한국 항공편〉

항공사	출발시각	비행시간
A항공사	8월 17일 18시	11시간
B항공사	8월 17일 17시	11시간
C항공사	8월 17일 14시	10시간
D항공사	8월 17일 16시	12시간
E항공사	8월 17일 20시	10시간

※ 콘서트는 도중에 입장할 수 없다.

[문항1] ★★

철수가 모든 일정을 소화하고 한국에 최대한 빨리 돌아오기 위해 예약할 항공사는?

① A항공사   ② B항공사   ③ C항공사
④ D항공사   ⑤ E항공사

[문항2] ★★★

콘서트가 1시간 연기되어, 8월 16일 오후 5시에 시작하여 3시간 진행하고, 21시간 동안 자유시간을 한 후 한국으로 최대한 빨리 돌아오려고 한다. 철수가 한국에 도착한 시간은?

① 8월 18일 9시   ② 8월 18일 12시   ③ 8월 18일 18시
④ 8월 18일 23시   ⑤ 8월 19일 5시

〈세트문항 01~02〉

시애틀에 사는 철수와 서울에 사는 영희가 두바이에서 대면 회의에 참석할 예정이다. 회의는 이번 달 8일 오후 3시에 시작한다. 시애틀은 서울보다 17시간 느리고, 두바이는 서울보다 5시간 느릴 때, 아래 항공사별 일정을 참고하여 물음에 답하시오. (단, 문제에 제시되지 않은 소요시간은 고려하지 않는다.)

<table>
<tr><th colspan="4">〈시애틀→두바이 항공편〉</th></tr>
<tr><th>항공사</th><th>출발시각</th><th>비행시간</th><th>비용</th></tr>
<tr><td>A항공사</td><td>7일 2시</td><td>24시간</td><td>66만 원</td></tr>
<tr><td>B항공사</td><td>7일 2시</td><td>25시간</td><td>63만 원</td></tr>
<tr><td>C항공사</td><td>7일 3시</td><td>23시간</td><td>65만 원</td></tr>
</table>

<table>
<tr><th colspan="4">〈서울→두바이 항공편〉</th></tr>
<tr><th>항공사</th><th>출발시각</th><th>비행시간</th><th>비용</th></tr>
<tr><td>D항공사</td><td>8일 9시</td><td>11시간</td><td>36만 원</td></tr>
<tr><td>E항공사</td><td>8일 9시</td><td>10시간</td><td>37만 원</td></tr>
<tr><td>F항공사</td><td>8일 7시</td><td>12시간</td><td>38만 원</td></tr>
</table>

01 ★★

회의 참석을 위해 두바이에 회의 시작 1시간 전까지 도착해야 할 때, 가능한 항공편 조합은?

철수 항공편	영희 항공편
① A항공사	D항공사
② B항공사	E항공사
③ B항공사	F항공사
④ C항공사	D항공사
⑤ C항공사	E항공사

02 ★★

회의 참석을 위해 두바이에 회의 시작 1시간 전까지 도착해야 할 때, 가능한 가장 저렴한 항공편의 총비용은 얼마인가?

① 99만 원   ② 100만 원   ③ 101만 원
④ 102만 원   ⑤ 103만 원

04. 환율 논리

[개요]

환율 유형은 자주 나오진 않지만 나오면 생소하고 계산이 복잡해서 어려운 편이다.
어떻게 접근하면 쉽게 풀 수 있는지 배워보자.

- 환율 문제는 공식화해서 풀 수 있다.

TIP

분자 = 받는 화폐
분모 = 잃는 화폐

[단위로 접근하기]

일반적으로 환율의 단위는 (원/달러)와 같이 **두 화폐의 분수 꼴**로 이루어져 있다.

- 달러를 팔아서 원화를 받으면, [달러×(원/달러) = 원]이 된다.
- 위에서 알 수 있는 것은, **받는 화폐는 분자**이고 **잃은 화폐는 분모**이다.

즉, 환율 문제에서 받는 화폐는 분자, 잃는 화폐는 분모로 두면 된다.

[예문]

달러의 환율이 1,200원이고 위안의 환율이 180원일 때, 3달러를 원으로 바꾼 뒤, 위안으로
바꾼다면 총 얼마의 위안을 받을 수 있는지 구하시오.

〈풀이〉

※ 3달러 × (1,200원 / 1달러) × (1위안 / 180원) = **20위안**

(1) 달러를 잃고 원을 받는다. → (1,200원 / 1달러)
- 3달러 × (1,200원 / 1달러) = 3,600원

(2) 원을 잃고 위안을 받는다. → (1위안 / 180원)
- 3,600원 × (1위안 / 180원) = 20위안

따라서 정답은 **20위안**이다.

[빈칸 채우기]

아래는 매매 환율에 대한 자료이다. 아래 자료를 확인하여 <u>빈칸을 모두 채우시오.</u>

TIP

분자 = 받는 화폐
분모 = 잃는 화폐

〈매매 환율〉

· 1,200원/달러   · 50페소/달러   · 25원/페소

문제1) 10달러를 페소로 환전하는 경우 얼마인가?

문제2) 10달러를 원으로 환전한 후, 페소로 환전하는 경우 얼마인가?

문제3) 200페소를 달러로 환전한 후, 원으로 환전하는 경우 얼마인가?

[문제1]

1. (   )를 잃고 (   )를 받는다.

2. 따라서 식은 10달러 × (/   ) = (   )페소이다.

[문제2]

1. (   )를 잃고 (   )를 받은 후, (   )를 잃고 (   )를 받는다.

2. 따라서 식은 10달러 × (/   ) × (/   ) = (   )페소이다.

[문제3]

1. (   )를 잃고 (   )를 받은 후, (   )를 잃고 (   )를 받는다.

2. 따라서 식은 200페소 × (/   ) × (/   ) = (   )원이다.

환율 논리 예문

정답 및 해설 279p

〈세트문항 1~2〉

아래는 화폐에 따라 살 때와 팔 때의 환율을 나타낸 자료이다.

아래 자료를 참고하여 물음에 답하시오.

통화 명	환율(원/화폐)	
	살 때	팔 때
달러	1,200	1,100
유로	1,400	1,300
위안	220	200
100엔	1,100	1,000

[문항1]

6유로, 31위안, 1,000엔을 원으로 바꾼 후, 달러로 바꾸면 몇 달러인가?

① 14달러   ② 16달러   ③ 18달러
④ 20달러   ⑤ 22달러

[문항2] ★★

철수는 달러를 일정 수량만큼 원화로 바꾼 후 그 돈을 전부 위안으로 바꾼다는 게,
실수로 유로로 전부 바꿨더니 22유로를 살 수 있었다. 제대로 바꿨을 경우 몇 위안을 받는가?

① 112위안   ② 128위안   ③ 140위안
④ 150위안   ⑤ 168위안

01 ★

아래 표는 달러와 루피의 환율에 대한 자료이다.

찰스는 60만 원 중에 44만 원은 달러로 환전하고, 16만 원은 루피로 환전했다.

그 후 다시 전부 원으로 환전했을 때, 찰스가 가진 금액은 얼마인가?

통화 명	환율(원/화폐)	
	살 때	팔 때
달러	1,100	1,000
루피	16	15

① 55만 원　　　　② 56만 원　　　　③ 57만 원
④ 58만 원　　　　⑤ 50만 원

02 ★★

아래 표는 13일~14일의 환율과 피자 가격이다.

철수는 13일에 5만 원을 전부 달러로 환전한 후 피자를 2판 먹고 다시 원으로 환전했다.

14일에는 남은 돈을 전부 위안으로 환전한 후 피자 4판을 먹고 다시 원으로 환전했다.

최종적으로 철수가 가진 금액은 얼마인가? (단, 살 때와 팔 때의 환율은 같다.)

통화 명	환율(원/화폐)	
	13일	14일
달러	1,000	1,200
위안	200	190

통화 명	피자 가격	
	13일	14일
달러	6달러	7달러
위안	10위안	15위안

① 25,000원　　　　② 25,400원　　　　③ 25,800원
④ 26,200원　　　　⑤ 26,600원

01

다음은 A, B, C, D, E 5명의 수능 수학시험 결과를 조사한 자료이다.
성적이 가장 우수한 사람의 점수는?

학생	2점 문제	3점 문제	4점 문제
A	3개	12개	11개
B	3개	11개	12개
C	2개	13개	10개
D	3개	14개	10개
E	2개	13개	12개

〈수능 수학시험 결과〉

① 89   ② 90   ③ 91
④ 92   ⑤ 93

02 ★

철수는 강아지 사료를 구매하기 위해 A~E사료의 특성을 조사하였다. 철수가 키우는 강아지는 반드시 동결건조 사료를 먹어야 하고, 소형견용 사료를 먹어야 한다. 그리고 민감성, 단백질, 브랜드, 가격 순으로 중요도를 각각 40%, 25%, 20%, 15%로 점수를 매겨 총점이 가장 높은 사료를 구매할 때, 철수가 구매할 사료는?

〈사료별 특성〉

특성	A사료	B사료	C사료	D사료	E사료
브랜드	★★★	★★★★	★★★★	★★★	★★★★★
단백질	★★★★	★★★★	★★★	★★★★★	★★★
민감성	★★★★	★★★★★	★★★★	★★★★	★★★
가격	★★★	★★★★	★★★	★★★★	★★★★★
사료 종류	동결건조	동결건조	동결건조	습식	동결건조
견종 크기	소형견용	대형견용	소형견용	소형견용	소형견용

※ ★★★★★: 5점, ★★★★: 4점, ★★★: 3점, ★★: 2점, ★: 1점

① A사료   ② B사료   ③ C사료
④ D사료   ⑤ E사료

[03~04] 다음은 민지, 하니, 해린, 혜인, 다니엘 5명이 체조 대회에 참가하여 A~G 7명의 심사위원에게 받은 점수를 조사한 결과이다. 아래 자료를 참고하여 물음에 답하시오.

〈체조 대회 결과〉

참가자 \ 심사위원	A	B	C	D	E	F	G
민지	10	7	8	6	10	9	9
하니	9	9	7	8	7	10	9
해린	9	7	9	9	9	8	8
혜인	8	8	10	9	7	8	8
다니엘	9	9	9	9	6	8	8

※ 심사방법 1안 : 심사위원에게 받은 점수의 총합

※ 심사방법 2안 : 최고점과 최저점 1개씩을 제외한 5명의 심사위원에게 받은 점수의 총합

※ 특이사항(1) : 심사위원 합산 점수가 가장 높은 사람이 우승

※ 특이사항(2) : 동점자 발생 시 심사위원 B에게 받은 점수가 높은 참가자로 선정

03 ★★

심사위원 중 A, G를 제외한 후, 심사방법 2안을 적용하면 1등은 누구인가?
① 민지　　　　　② 하니　　　　　③ 해린
④ 혜인　　　　　⑤ 다니엘

04 ★★

체조 대회 결과에 대하여 다음 중 옳은 것은?
① 심사위원 A, B, C에게만 점수를 받고, 심사방법 1안을 적용하면 민지가 1등이다.
② 심사방법 1안을 적용하면 다니엘이 1등이다.
③ 심사방법 2안을 적용하면 해린이 1등이다.
④ 6점 이하 점수를 받은 사람을 탈락시키고, 심사방법 1안을 적용하면 하니가 1등이다.
⑤ 6점 이하 점수를 받은 사람을 탈락시키고, 심사방법 2안을 적용하면 혜인이 1등이다.

[05~06] 다음은 A~E 과일가게의 가격표를 조사한 자료이다. 아래 자료를 참고하여 물음에 답하시오.

〈A~E 과일가게 메뉴표〉

과일가게	사과	포도	수박	멜론
A	1,200원	3,500원	8,600원	7,800원
B	1,300원	3,400원	8,700원	7,600원
C	1,100원	3,600원	8,800원	7,700원
D	1,200원	3,300원	8,600원	7,900원
E	1,200원	3,700원	8,900원	7,500원

05

사과 4개, 포도 5개, 수박 2개, 멜론 3개를 구매할 때, 가장 저렴하게 구매할 수 있는 과일가게는?

① A   ② B   ③ C

④ D   ⑤ E

06 ★★

사과와 포도를 8개씩 구매하고, 수박과 멜론을 10개씩 구매할 예정이다. 가장 저렴하게 구매할 때, 총금액은? (단, 과일가게는 한 곳만 선택해서 구매하여야 한다.)

① 200,600원   ② 201,000원   ③ 201,800원

④ 202,400원   ⑤ 203,200원

[07~08] 다음은 축구동호회에서 회계를 담당하는 철수가 구매해야 하는 유니폼과 축구화 가격 정보를 조사한 자료이다. 아래 자료를 참고하여 물음에 답하시오.

〈유니폼과 축구화 판매 가격 정보〉

유니폼		축구화	
브랜드	가격	브랜드	가격
A	7,200원	A	21,300원
B	7,000원	B	23,550원
C	6,800원	C	22,300원

- 구매해야 하는 유니폼의 개수는 30개, 축구화는 15개다.
- 유니폼 중 최소 15개는 A브랜드로 구매해야 한다.
- 축구화 중 최소 10개는 B브랜드로 구매해야 한다.

07 ★

위 조건에 따라 유니폼과 축구화를 가장 저렴하게 구매할 경우, 금액은 얼마인가?

① 552,000원   ② 554,500원   ③ 557,000원

④ 559,500원   ⑤ 563,000원

08 ★★

유니폼과 축구화 가격이 아래와 같이 변동될 때, 가장 저렴하게 구매할 수 있는 금액은 얼마인가?

유니폼		축구화	
브랜드	가격 증감률	브랜드	가격 증감률
A	-5%	A	+10%
B	유지	B	유지
C	+5%	C	-10%

① 513,690원   ② 527,370원   ③ 541,050원

④ 554,730원   ⑤ 568,410원

09 ★

서울, 모스크바, 남아공 3개 도시에서 동시에 열리는 화상회의를 근무시간 내에 2시간 동안 진행하려고 한다. 근무시간은 현지기준 오전 9시부터 오후 6시이고, 야간근무자의 근무시간은 오후 9시부터 오전 6시까지이다. 다음 자료를 참고할 때, 남아공 현지기준으로 가능한 회의 시작 시각은?

<table>
<caption>〈도시별 시차 및 재택근무 정보〉</caption>
<tr><th>도시</th><th>그리니치 표준시</th><th>야간근무 여부</th></tr>
<tr><td>서울</td><td>+9시</td><td>O</td></tr>
<tr><td>모스크바</td><td>+3시</td><td>X</td></tr>
<tr><td>남아공</td><td>+2시</td><td>X</td></tr>
</table>

① 오전 9시 ② 오전 11시 ③ 오후 1시

④ 오후 2시 ⑤ 오후 4시

10 ★

아래는 달러의 환율을 일자에 따라 나타낸 자료이다. 철수는 10월 18일에 20달러를 구매 후, 10월 24일에 15달러를 판매하고 11월 3일에 5달러를 판매하였을 때, 손해 금액은 총 얼마인가?

일자	환율(원/달러)	
	살 때	팔 때
10월 18일	1,361	1,355
10월 24일	1,351	1,344
11월 3일	1,315	1,309

① 515원 ② 530원 ③ 545원

④ 560원 ⑤ 575원

8. 최 종 점 검

01 ★

농도를 알 수 없는 A 소금물 200g과 양을 알 수 없는 8%의 B 소금물을 섞었더니 농도가 너무 짙어서 물 100g을 추가로 넣었더니 5%의 소금물이 만들어졌다. 최종 소금물의 양이 처음 B 소금물 양의 2배일 때, 처음 A 소금물의 농도는?

① 2.5%   ② 3%   ③ 3.5%

④ 4%   ⑤ 4.5%

02 ★★

철수는 강의 하류에서 초속 10m인 배를 타고 상류를 향해 달리고 있고, 강 위를 날고 있는 새가 상류를 향해 초속 5m로 달리고 있다. 철수와 새가 떨어진 거리가 220m이고, 새가 88초 후에 잡혔다. 이때 강물의 유속은? (단, 새는 강물의 영향을 받지 않고, 새가 날고 있는 고도는 고려하지 않는다.)

① 2.5m/s   ② 2m/s   ③ 1.5m/s

④ 1m/s   ⑤ 0.5m/s

03 ★★★ 국토정보공사 기출 변형

알파벳 A, A, B, C, D, D, D를 일렬로 나열할 때, D끼리 이웃할 확률은?
(단, D가 2개만 이웃해도 이웃한 것으로 본다.)

① $\frac{7}{14}$ ② $\frac{4}{7}$ ③ $\frac{9}{14}$

④ $\frac{5}{7}$ ⑤ $\frac{11}{14}$

04 ★★★

수학학원에 다니는 50명의 학생이 수능 모의고사 시험을 쳤다. 1등급은 5명, 2등급은 15명, 나머지는 3등급을 받았다. 1등급 평균점수와 2등급 평균점수의 차이는 12점이고, 전체 평균점수와 3등급 이하 평균점수는 각각 72점, 66점일 때, 1등급과 2등급을 받은 학생의 평균점수는? (단, 등급은 1등급 > 2등급 > 3등급 순으로 높다.)

① 78점   ② 81점   ③ 84점
④ 87점   ⑤ 90점

05 고난도

독서실에 다니는 철수는 그림과 같이 순서대로 나열된 5개의 1인실을 매일 한 칸씩 옆으로 이동하며 사용한다. 1일 차에 1번 방에서 시작하여 9일 차에 5번 방을 사용했을 때, 5일 차에 3번 방을 사용했을 확률은? (단, 1번 방에서 바로 5번 방으로 넘어갈 수 없다.)

1일 차	1번 방	2번 방	3번 방	4번 방	5번 방
	철수				
5일 차	1번 방	2번 방	3번 방	4번 방	5번 방
			철수		
9일 차	1번 방	2번 방	3번 방	4번 방	5번 방
					철수

① $\dfrac{5}{13}$ ② $\dfrac{6}{13}$ ③ $\dfrac{7}{13}$
④ $\dfrac{8}{13}$ ⑤ $\dfrac{9}{13}$

06 ★★★

다음 〈표〉는 2020~2022년 A지역의 연령별 인구수를 조사한 결과이다.
20대 인구수의 증가율이 매년 일정하고, 30대 인구수의 감소율이 매년 일정할 때,
(가)와 (나)에 들어갈 인구수는?

〈표〉 2020~2022년 A지역 연령별 인구수

(단위: 명)

구분	2020년	2021년	2022년
20대 인구수	40,000	43,400	(가)
30대 인구수	30.000	28,500	(나)

	(가)	(나)
①	46,655	25,650
②	46,655	27,075
③	47,089	25,650
④	47,089	27,075
⑤	47,306	25,650

[07~08] 다음 〈표〉는 2017~2023년 OO구 A동, B동의 폐의약품 수거 현황을 조사한 자료이다.
아래 자료를 참고하여 물음에 답하시오. (단, OO구는 A동과 B동만 있다.)

〈표1〉 2017~2023년 OO구 폐의약품 수거 현황

(단위: kg, 개)

연도	수거량	수거함 개수
2017	2,360	127
2018	1,720	127
2019	2,030	126
2020	1,820	125
2021	1,920	130
2022	2,190	142
2023	2,310	145

〈표2〉 2017~2023년 OO구 A동, B동 폐의약품 수거 현황

(단위: kg, 개)

연도	A동		B동	
	수거량	수거함 개수	수거량	수거함 개수
2017	(가)	68	1,020	59
2018	900	67	820	60
2019	1,150	66	880	60
2020	1,020	65	800	60
2021	1,000	65	920	65
2022	1,140	72	(나)	70
2023	1,210	(다)	1,100	72

07 ★

위 자료에 대한 설명으로 옳지 않은 것은?

① 전체기간 동안 폐의약품 수거량은 14,350kg이다.

② (가)는 (나)보다 200kg 이상 많다.

③ 2018년 수거함 개수 대비 수거량은 A동이 B동보다 많다.

④ B동 폐의약품 수거량의 전년 대비 증가율이 가장 큰 연도는 2021년이다.

⑤ A동의 수거량이 전년 대비 증가하는 연도는 총 3개이다.

08 ★★

위 자료에 대한 그래프로 옳지 않은 것은?

① 2017~2020년 A동과 B동의 수거량

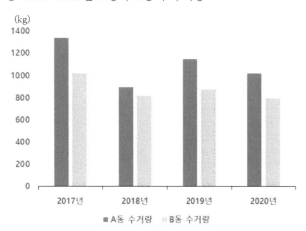

② 2019~2023년 B동 전년 대비 수거량 증감량

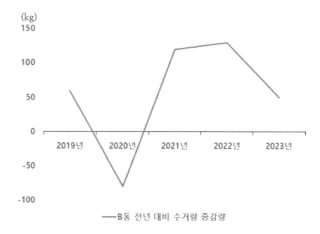

③ 2017~2023년 OO구 수거함 개수

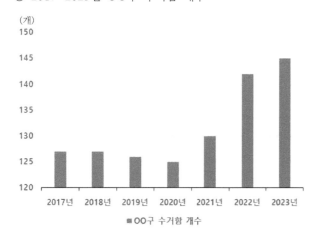

④ 2017~2023년 A동과 B동의 수거량 차이

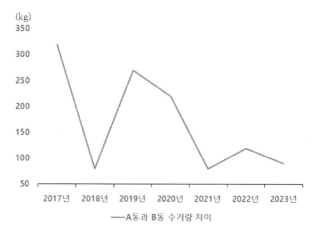

⑤ 2019~2023년 A동과 B동의 수거함 개수

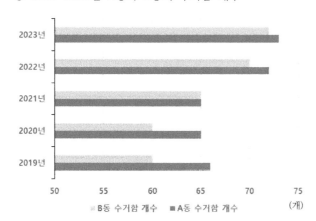

[09~10] 다음 〈표〉는 2022년 A~F마트의 매출 현황을 조사한 자료이다.
아래 자료를 참고하여 물음에 답하시오.

〈표〉 2022년 A~F마트 매출 현황

(단위: 천 원)

기업	매출액	매출총이익	매출원가
A마트	54,000	(가)	26,000
B마트	61,500	32,000	29,500
C마트	52,200	27,600	24,600
D마트	56,500	28,200	(나)
E마트	(다)	29,500	27,200
F마트	58,400	30,100	28,300

※ 매출액 = 매출총이익 + 매출원가
※ 매출총이익률 = 매출총이익 ÷ 매출액

09 ★★★

위 자료에 대한 설명으로 옳은 것을 모두 고르면? (단, 소수점 계산은 소수점 둘째 자리에서 반올림한다.)

ㄱ. 모든 마트의 매출총이익률은 50%가 넘는다.
ㄴ. A마트의 매출총이익률은 51.9%이다.
ㄷ. 모든 마트의 매출총이익 평균은 29,300천 원보다 크다.
ㄹ. C마트의 매출총이익률은 F마트의 매출총이익률보다 크다.

① ㄱ, ㄴ   ② ㄱ, ㄷ   ③ ㄴ, ㄷ
④ ㄴ, ㄹ   ⑤ ㄷ, ㄹ

10 고난도

A~F마트의 매출총이익과 매출원가의 비율을 나타낸 그래프로 옳은 것은?

①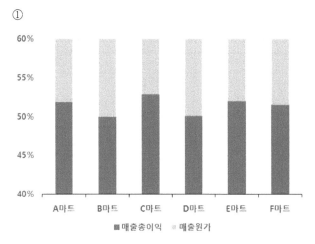

②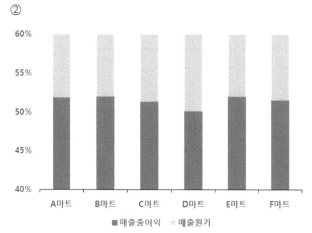

③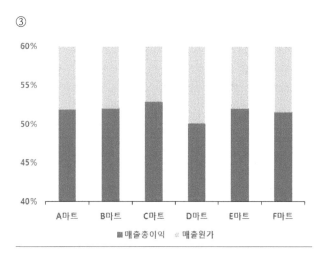

④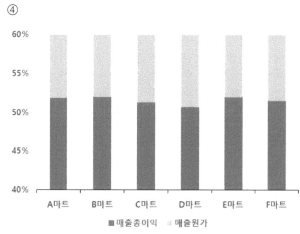

⑤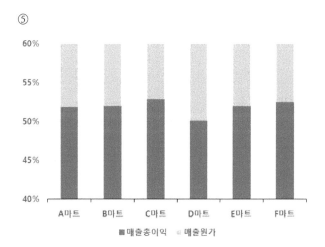

11 ★★★

3층 빌라에 갑, 을, 병, 정, 무 5명이 1층과 3층에는 각각 2명씩, 2층에는 1명이 거주한다. 4명은 진실, 1명은 거짓을 말할 때, 항상 옳은 것은?

> 갑 : 나는 무와 다른 층에 거주한다.
>
> 을 : 갑 또는 병은 1층에 거주하지 않는다.
>
> 병 : 무는 거짓말을 한다.
>
> 정 : 무는 3층에 거주한다.
>
> 무 : 정은 1층에 거주한다.

① 갑이 2층에 거주한다면, 을은 1층에 거주한다.

② 병이 1층에 거주한다면, 정은 1층에 거주한다.

③ 을이 2층에 거주한다면, 무는 진실이다.

④ 무가 진실이라면, 거주하는 조합으로 가능한 경우의 수는 3가지이다.

⑤ 갑은 2층에 거주한다.

12 ★★

A, B, C, D 4명 중 2명은 진실, 2명은 거짓이다. 범인이 3명일 때, 항상 범인인 사람은?

> A : C가 범인이다.
>
> B : 나는 범인이 아니다.
>
> C : D가 범인이다.
>
> D : C는 거짓이다.

① A, B   ② B, C   ③ A, B, C

④ A, B, D   ⑤ B, C, D

13 ★

아래 명제가 모두 참일 때, 동시에 먹을 수 있는 음식의 최대 가지 수는?

> – 콜라를 마시지 않았다면 피자와 치킨을 둘 다 먹지 않은 것이다.
> – 핫윙을 먹지 않았다면 피자를 먹지 않은 것이다.
> – 햄버거를 먹었다면 치킨을 먹지 않은 것이다.
> – 치킨과 피자 중 하나만 먹었다.
> – 고구마 또는 감자를 먹지 않았다면 햄버거를 먹은 것이다.

① 2가지   ② 3가지   ③ 4가지

④ 5가지   ⑤ 6가지

14 ★★

다음 조건에 따라 갑, 을, 병, 정, 무 5명이 일렬로 나열된 의자에 앉을 때, 3번 의자에 앉는 사람은?

> – 갑이 1번 또는 5번 자리에 앉으면 무는 3번 자리에 앉는다.
> – 을이 1번 또는 5번 자리에 앉으면 정은 3번 자리에 앉는다.
> – 병과 정 사이에 2명이 앉는다.
> – 정은 을 또는 무와 이웃하지 않는다.
>
>

① 갑   ② 을   ③ 병

④ 정   ⑤ 무

15 고난도

다음은 갑, 을, 병, 정, 무, 기 6명이 참여한 게임 대회의 진행방식과 경과일 때, 항상 옳은 것은?

〈게임 대회 진행방식〉

- 6명은 3명씩 무작위로 2개의 A팀, B팀으로 나눈다.
- 각 팀에서 리그전으로 1번씩 경기하여 1위와 2위는 토너먼트에 참여한다.
- 토너먼트는 4강전, 결승전 각각 1번씩 경기한다.
- 토너먼트는 대진표 아래 그림과 같이 배치한다.
- 리그전에서는 점수를 얻지 못하고, 토너먼트에서는 1승마다 1점을 얻는다.

※ 모든 승부에서 '공동 등수' 또는 '무승부'는 없다.

| A팀 1위 | B팀 2위 | B팀 1위 | A팀 2위 |

〈게임 대회 경과〉

- 갑, 무, 기는 서로 같은 팀이다.
- 을은 팀에서 1위를 했다.
- 기의 전체 경기 횟수는 병보다 많고, 갑과 정의 전체 경기 횟수는 같다.

---

① 갑과 기가 결승전에서 만날 수 있다.
② 정은 2점을 받을 수 없다.
③ 기의 전체 경기 횟수가 3회라면, 을은 점수를 얻을 수 없다.
④ 병의 전체 경기 횟수가 3회라면, 을은 결승전에 진출한다.
⑤ 을의 전체 경기 횟수가 3회라면, 무는 결승전에 진출한다.

다음은 A 은행의 환율표이다. A~E 5명이 아래와 같이 외화를 3월 8일에 구매 후 3월 11일에 판매하였다. 손해 금액이 가장 많은 사람과 적은 사람을 순서대로 바르게 나열한 것은?

〈3월 8일 환율표〉

통화 명	환율(원/화폐)	
	현금 살 때	현금 팔 때
달러	1,334.0	1,315.0
유로	1,416.0	1,393.0
위안	182.0	156.0

〈3월 11일 환율표〉

통화 명	환율(원/화폐)	
	현금 살 때	현금 팔 때
달러	1,329.0	1,309.0
유로	1,410.0	1,387.0
위안	177.0	150.0

- A : 3,000유로
- B : 2,000달러, 1,000유로
- C : 2,000달러, 1,000위안
- D : 1,000달러, 1,000유로, 1,000위안
- E : 1,000유로, 2,000위안

① B, C   ② C, A   ③ D, A

④ E, B   ⑤ E, C

[17~18] 다음은 OO공사에 지원한 A~E의 필기점수와 면접점수를 조사한 자료이다.
아래 자료를 참고하여 물음에 답하시오.

〈OO기업 지원자 평가점수〉

지원자	필기 원점수	면접 원점수	가산점
A	84점	76점	10점
B	81점	81점	5점
C	88점	86점	0점
D	79점	84점	5점
E	82점	82점	8점

〈OO공사 채용 안내사항〉

- 최종점수 = (필기 원점수 × 40%) + (면접 원점수 × 60%) + 가산점
- 최종점수가 높은 2명의 지원자가 합격함
- 최종점수에서 동점자 발생 시, 필기 원점수가 더 높은 사람이 합격함

※ 가산점은 소수점이 존재하지 않는다. 즉, 가산점은 정수이다.

17 ★

OO공사에 최종점수 2등으로 합격하는 지원자는 누구인가?

① A   ② B   ③ C
④ D   ⑤ E

18 ★★

현재 최종점수가 5등인 지원자가 1등으로 합격하기 위하여 추가로 받아야 하는 가산점은 최소 몇 점인가?

① 2점   ② 3점   ③ 4점
④ 5점   ⑤ 6점

19 ★★ 실전 필기 문항 변형

A마트에서 3,000명을 대상으로 경품을 증정하는 행사를 진행할 예정이다.
아래 자료에 맞게 경품을 준비할 때, 행사 진행을 위해 필요한 금액은?

<표>

〈경품 가격과 개수〉

(단위: 원, 개)

구분	A	B	C	D	E	F	G	H	I	J
가격	5,000	3,500	2,300	1,500	3,600	4,000	6,900	4,500	8,800	2,000
개수	200	300	200	100	200	300	200	400	600	500

① 13,440,000원   ② 13,590,000원   ③ 13,740,000원
④ 13,890,000원   ⑤ 14,040,000원

20 고난도

런던에서 근무 중인 찰스는 모스크바 지사에 방문하여 8시간 회의를 진행하고 곧바로 30시간의 자유여행을 한 후, 9월 30일 15시까지 서울에 도착하려고 한다. 아래 자료를 참고할 때, 찰스가 런던에서 출발할 수 있는 가장 늦은 시간은 언제인가? (단, 문제에 언급되지 않은 소요시간은 고려하지 않는다.)

- 모스크바는 런던보다 3시간 빠르고, 서울보다 6시간 느리다.
- 런던에서 모스크바까지 비행하는 데 14시간 걸리고, 모스크바에서 서울까지 비행하는 데 16시간 걸린다.
- 회의는 현지 업무시간에만 진행하고 업무시간 내에 끝내지 못할 경우, 다음날 업무시간부터 이어서 진행한다.
- 모스크바 지사의 업무시간은 9시~18시이다.
- 모스크바 지사의 점심시간은 12시~13시이고, 점심시간에는 회의를 진행하지 않는다.

① 26일 14시   ② 26일 16시   ③ 26일 18시
④ 27일 20시   ⑤ 28일 22시

9. 정답 및 해설

진단 테스트 해설

1.	④	11.	⑤
2.	③	12.	④
3.	④	13.	①
4.	②	14.	②
5.	①	15.	⑤
6.	①	16.	②
7.	④	17.	⑤
8.	③	18.	⑤
9.	⑤	19.	③
10.	③	20.	⑤

[01] – 계산요령 ④

ㄱ. $125 \times 80 = (1{,}000 \div 8) \times 80 = 10{,}000$이므로 (X)

ㄴ. 분자 증가율은 4% 이하, 분모 증가율은 5% 이상이므로 (O)

ㄷ. $1.67 ≒ \dfrac{10}{6}$이므로 $6{,}360 \div 6 = 1{,}060$이다. (X)

ㄹ. $45 \times 84 = 90 \times 42 = 3{,}780$이므로 (O)

[02] – 가중평균 한줄풀이 ③

[한줄풀이] : $70(200) = 88(80) + x(120)$

$x = 58$점

[그림풀이]

	+18		+y	
88		70		x
(80)				(120)

가중평균 공식에 의해 $18 \times (80) = y \times (120)$이므로

$y = 12$이고. $x = 58$점이다.

※ [응용수리 – 가중평균] 단원 참고

[03] – 소금물 완성 ④

[한줄풀이] : $20(200+x) = 8(200) + 100(x)$

$x = 30g$

[그림풀이]

	+12		+80	
8		20		100
(200)				(x)

가중평균 공식에 의해 $12 \times (200) = 80 \times (x)$이므로

$x = 30g$이다.

※ [응용수리 – 가중평균] 단원 참고

[04] – 거속시 완성 ②

비례식에 의해 $T_1 : (140 - T_1) = 2 : 5$이고, 정리하면 $T_1 = 40$초다.

따라서 $L = 5 \times 40 = 200m$이다.

※ [왕복]이므로 $L = V_1 T_1 = V_2 T_2$로 풀이가 가능하다.

[05] – 거속시 완성 ①

철수는 $5V$의 속도로 달리고, 영희는 멈춰있다고 가정.

2번 만났으므로 $1{,}200 = 5V \times 40$이다.

$V = 6m/s$이므로 철수와 영희의 속도의 합은 $30m/s$.

※ [동시운동]이므로 상대속도로 풀면 된다.

[06] – 일률 완성 ①

1) 3과 4의 공배수인 12를 일량으로 잡자.

2) $V_{철수} = 4$, $V_{영희} = 3$

3) $12 = 7 \times T$ $T = \dfrac{12}{7}$

※ 일률 문제는 일량을 공배수로 잡으면 된다.

[07] – 방정식 몰아주기 ④

가위바위보 1판마다 둘이 합쳐 2칸 올라간다.

무승부를 제외하고 7판에 14칸이 올라가야 하는데,

철수는 5칸 올라갔으므로 영희는 9칸 올라가야 한다.

※ [게임]을 할 때는 1판당 변화를 살펴야 한다.

[08] – 원가이익 ③

$$x \times \frac{12}{10} = x + 2,400$$

정리하면 $0.2x = 2,400$이므로 $x = 12,000$원이다.

※ [원가이익]은 좌변에 변동액, 우변에 총액을 쓰자.

[09] – 평균 = 가평균 + 편차합평균 ⑤

ㄱ. 두 학생 점수의 중앙값인 수학 점수 70점을 가평균으로 잡아 보면 둘 다 평균점수가 70점이다.

ㄴ. 좌변은 가평균을 0, 우변은 가평균을 5로 잡았다.

ㄷ. 7명의 평균점수가 58점이고, 2명이 76점을 받았으므로 평균점수는 아래와 같다.

$$m = 58 + \frac{36}{9} = 62점이다.$$

※ [평균 = 가평균 + 편차합평균] 단원 참고

[10] – 평균 = 가평균 + 편차합평균 ③

문제에서 요구하는 평균점수가 80점 이상이므로 가평균을 80점으로 잡자.

각 점수의 편차가 -15점, -5점, 0점, $+10$점이므로 5번째 시험은 $+10$점인 90점을 받아야 한다.

[11] – 시계 한줄풀이 ⑤

1) 시침을 정시에 고정 → 8시(시침 = 40분) 고정

2) 90도인 곳에 분침 고정 → 5시(분침 m_1 = 25분)

3) 정답은 8시 $\frac{12}{11} \times 25$분, $\frac{12}{11} \times 25 = \frac{300}{11} ≒ 27$분

※ $\frac{12}{11} \times m_1 = m_2$, [응용수리 : 시계 한줄풀이] 참고

[12] – 달력 논리 ④

격주 주기이므로 2주 단위로 끊어야 한다. 3월 1일을 1주로 시작하면 홀수 번째 주마다 월, 수, 금 3회 주차할 수 있다.

6월 9일까지 총 +31일 +30일 +31일 +9일 = 101일.

$101 \div 14 = 7...(+3)$, 몫이 7이고 나머지가 3이다.

따라서 3×7회 주차하고, 3일 더 지나므로 월+수를 추가하여 총 23회 주차할 수 있다.

※ 달력은 기본적으로 7일 주기이다.

[13] – 경우의 수와 확률 ①

과장 1명이 먼저 앉으면, 원탁이므로 경우의 수는 1가지

대리 2명이 다음으로 앉으면, 2!가지

여기서 사원 3명을 사이사이에 앉히면 된다.

사원 3명이 앉는 방법은 3!가지

따라서 정답은 $1 \times 2! \times 3! = 12$가지

※ [이웃하지 않는 경우]는 나머지를 먼저 놓고 본다.

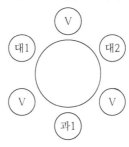

[14] – 경우의 수와 확률 ②

A와 B를 번갈아서 2번씩 뽑았을 때 흰 공이 1개만 나오려면 A에서만 흰 공이 1번만 나와야 한다.

(A에서 2번 뽑으면 반드시 흰 공이 나오기 때문)

A에서 흰 공이 나오는 경우는 두 가지이다.

1) A1○ B1● A2● B2● : $\frac{2}{3} \times \frac{2}{3} \times \frac{1}{2} \times \frac{1}{2} = \frac{1}{9}$

2) A1● B1● A2○ B2● : $\frac{1}{3} \times \frac{2}{3} \times \frac{2}{2} \times \frac{1}{2} = \frac{1}{9}$

따라서 정답은 $\frac{2}{9}$이다.

※ [확률]은 확률 또는 경우의 수로 접근하면 된다.

[15] - 참거짓 논리 ⑤

1) 이 문제는 2:1 관계이다.
2) 민수가 영희보고 진실이라고 했으므로, 2:0 또는 0:2
3) 0:2는 불가능하므로 영희와 민수가 진실, 철수 거짓
따라서 철수가 거짓이면 케이크를 먹은 사람이 있으나 누구인지 알 수는 없다.

※ 참거짓은 진실 vs 거짓의 개수부터 정리하면 된다.

[16] - 참거짓 논리 ②

1) 이 문제는 $n : m$ 관계를 알 수 없다.
2) 거짓으로 꼬리 잡는 연쇄작용이므로
   a) [영희O 민수X 철수O]
   b) [영희X 민수O 철수X]
3-a) 진희가 진실이면, 거짓말은 1명이므로 <u>모순</u>
4-a) 진희가 거짓이면, 거짓말은 2명이므로 <u>모순</u>
3-b) 진희가 진실이면, 거짓말은 2명이므로 정상
4-b) 진희가 거짓이면, 거짓말은 3명이므로 정상
따라서 철수와 영희는 반드시 거짓말을 하고,
진희는 진실 또는 거짓말을 한다.

철수	영희	민수	진희
O	O	X	모순
X	X	O	O/X

※ 거짓으로 꼬리 잡는 연쇄작용은 OXO / XOX 관계이다.

[17] - 명제 논리 ⑤

따라서 반드시 참인 것은 ⑤뿐이다.

※ [표 그리기 명제] 문제는 확정인 부분만 채우고 선지로 내려가야 한다.

[18] - 가중치와 순위 ⑤

가중치가 3 : 3 : 4인데 순위만 찾으면 되므로
1 : 1 : 1.3으로 바꿔준다.

성명	필기전형	실기전형	면접전형	최종점수
철수	2점	4점	2.6점	8.6점
영희	7점	0점	0점	7점
민수	0점	5점	3.9점	8.9점
진희	5점	1점	2.6점	8.6점
하니	0점	8점	1.3점	9.3점

※ [자원관리 - 가중치와 순위] 참고. 최저점을 0으로 잡고,
   나머지는 가중치만큼 칸수를 채워준다.

[19] - 금액계산 ③

모든 선지들은 천의 자리까지 살피면 구분할 수 있다.
① 4,500원 ② 7,000원 ③ 3,500원
④ 8,000원 ⑤ 2,500원
따라서 천의 자리까지만 계산하자.
책상 A) 2개 필요하므로 6,000원
책상 B) 3개 필요하므로 7,000원
의자 A) 4개 필요하므로 3,600원
의자 C) 7개 필요하므로 6,900원
다 더하면 6,000 + 7,000 + 3,600 + 6,900 = 3,500원

※ [금액계산]은 [끝자리만 보기]로 판별할 수 있다.

[20] - 시차 논리 ⑤

[빠른 해법]
21:00 → [8:20 - 5:00] → 24:20 → 27:20
→ [17:10 - 8:00] → 36:30 → 42:30
→ [13:40 + 13:00] → 69:10 = +2일 21:10

항상 비행 후 시차가 적용되므로
[비행시간 ± 시차]를 묶어서 계산하자.
한국 → 인도는 [8:20 - 5:00] = [3:20]
인도 → 미국은 [17:10 - 8:00] = [9:10]
미국 → 한국은 [13:40 + 13:00] = [26:40]
한편, 인도와 미국에서 각각 3시간, 6시간을 보내므로 추가하자.

※ [시차]는 [비행시간 ± 시차]를 묶어서 계산하자.

자료해석 : 10일 훈련 해설

[1일차]

1.	782명	5.	29명
2.	38명	6.	20.7%
3.	20명	7.	X
4.	4,433명	8.	O

1. [진료의사 × 진료의사 1인당 진료환자 수]와 같다.
(진료의사가 분모라서 상쇄)
따라서 34 × 23 = 680 + 102 = 782명이다.

2. [진료환자 수 ÷ 진료의사 수]와 같으므로
988 ÷ 26 = 38명이다.

3. 전체 진료의사 수에서 나머지를 빼야 하므로
먼저 나머지를 다 더한 후에 빼자.
(23 + 26 + 25 + 30 + 15 + 4) = 123명이므로 143 − 123 = 20명이다.

4. 전체의 합이므로 뒤부터 두 자리씩 끊어서 더해보자.
(82 + 88 + 80 + 50 + 85 + 48) = 433
(7 + 9 + 5 + 7 + 10 + 2) = 4,000
따라서 정답은 4,433명이다.
 ※ 객관식 문제에서 두 자리씩 끊어서 계산하면,
   뒷자리부터 진위를 판별할 수 있다.

5. [진료환자 수 ÷ 진료의사 수]와 같으므로 580 ÷ 20 = 29명이다.

6. 진료환자 수의 증가율은 120 ÷ 580과 같다.
12,000 ≒ 580 × (20 + 0.7)이므로 정답은 20.7%이다.

7. 전체 진료환자 수가 4,433명임을 알고 있으므로 50%는
약 2,216명이다. 988 + 700 = 1,688이고, 여기에 530만 더해도
2,216명을 넘으므로 거짓이다.
 ※ 4월 6일부터 4월 8일까지 더하기 전에 미리
   50%를 파악한 후 더하는 게 직관적으로 빠르다.

8. [응용수리 : 가중평균 한줄풀이] 참고
 • 정수꼴(A) : 진료의사 수
 • 분수꼴(B÷A) : 진료의사 1인당 진료환자 수
정수꼴과 분수꼴이 주어졌으므로 가중평균으로
풀 수 있다. (진료환자 수를 몰라도 풀 수 있다.)

		$+15x$		$4x$	
B÷A	12		( )		19
A	4				15

차이에 해당하는 $19x = 7$이므로 $x = \dfrac{7}{19}$이고,

$19 - 4x = 19 - \dfrac{28}{19} = 18 - \dfrac{9}{19} = 17.5\uparrow$ 이므로 참이다.

[2일차]

1.	11,380톤	5.	땅콩
2.	땅콩	6.	27.5%
3.	참깨, 팥	7.	O
4.	5,177톤	8.	O

1. 전체의 합이므로 뒤부터 두 자리씩 끊어서 더해보자.

(93 + 83 + 60 + 24 + 20) = 280

(25 + 24 + 22 + 20 + 20) = 11,100

따라서 정답은 11,380(톤)이다.

2. 농수산별 합이 가장 작은 농산물을 찾아야 하므로 전반적으로 작은 항목을 살피자.

항공과 해상에서 땅콩이 압도적으로 작으므로 정답은 땅콩이다.

3. 우선 항공수입량이 해상수입량의 5배 이상인 농산물부터 찾아야 한다. 눈으로만 봐도 참깨와 팥이다.

여기서 해상수입량의 6배 이하인 항목을 찾으면, 참깨와 팥이다. 따라서 정답은 참깨와 팥이다.

(팥에서 7 × 6 = 42이므로 계산하지 않아도 넘어선다.)

4. 해상과 육로를 먼저 더하고, 항공과 차이를 계산하면 된다.

78,437 + 2,483 = 80,920톤이고, 86,097 − 80,920 = 5,177이다.

5. 육로, 해상, 항공의 합에 대하여 육로수입량의 비중을 계산해야 한다. 육로는 큰 차이가 없으므로, 해상과 항공의 합이 가장 작은 농산물을 찾으면 된다. 따라서 정답은 땅콩이다.

6. [계산요령 : 어림산 보정] 참고

2,260 ÷ 8,219을 계산해야 한다.

226 ÷ 822로 바꾼 후, 계산하면 27.5%이다.

• 분모인 822를 2.5% 줄여서 800으로 바꾸고

  분자인 226도 2.5% 줄여서 220으로 바꿔도 된다.

7. [자료해석 : 자료해석 실전 비법] 참고

육로수입량의 비중이 가장 작은 농산물은 해상과 항공의 합이 가장 큰 농산물과 같으므로 콩이다.

콩의 농산물별 수입량은 354,050톤이므로

2,593 ÷ 354,050 ≥ 0.007을 판별해야 한다.

여기서 나눗셈을 곱셈으로 바꿀 수 있어야 한다.

2,593 ≥ 354,050 × 0.007이라 생각하면 훨씬 쉽다.

354 × 7 = 2,478이므로 한참 모자르므로 참이다.

※ 선지에서 제시한 0.7%를 가져와서 활용해야 한다.

※ 나눗셈을 곱셈으로 바꾸는 습관을 들여야 한다.

8. [응용수리 : 평균 = 가평균 + 편차합평균] 참고

5가지 농산물에 대한 항공수입량 평균을 구해야 하므로 선지에서 제시한 95,000톤을 가평균으로 잡으면 된다. 정리하면 아래와 같다.

농산물	항공
콩	+151,100
건고추	−8,900
땅콩	−68,900
참깨	−18,200
팥	−52,600

평균은 95,000 + a이므로 평균은 95,000톤 이상이고, 참이다.

1.	D	5.	27.8%
2.	175만 명	6.	340만 명
3.	3개	7.	O
4.	55.6%	8.	X

1. 단순 차이 비교이므로 절댓값으로 봐야 한다.

A부터 순서대로 40, 180, 30, 20, 60, 15이므로 정답은 D이다.

(눈으로 풀면 된다.)

2. 공공정책이 '유'인 홍보업체는 A, C, F이므로

50 + 80 + 45 = 175만 명이다. (눈으로 풀면 된다.)

3. 앞서 푼 1번 문제를 기억하고 활용하자.

두 번째로 작은 홍보업체의 차이가 20이었으므로 세 번째를

살펴보면 30이다. 따라서 3개

4. A의 미디어채널 대비 SNS 팔로워는 50 ÷ 90이다.

9 × 5 = 45, 9 × 0.5 = 4.5가 계속 반복되므로 정답은 55.6%

5. [계산요령 : 폰노이만 응용 나눗셈] 참고

공공정책이 '무'인 홍보업체는 B, D, E이므로 100 ÷ 360이다.

```
(1) 100 ÷ 360 = 27.777

              ×4        | 2 | 7 | … |
        4  0 | 1  0  0
                 2  0
             +      8
              ─────────
                 2  8
                    0  0
             +      2  8
              ─────────
                 2  8  …
```

따라서 정답은 27.8%이다.

6. [응용수리 : 평균 = 가평균 + 편차합평균] 참고

전체를 더해서 6으로 나누면 계산이 쉽지 않기에,

가평균과 편차로 풀어보자.

간단한 숫자인 50을 가평균으로 잡으면, 아래와 같다.

홍보업체	SNS 팔로워
A	0
B	-50
C	+30
D	+10
E	-10
F	-5

따라서 평균은 $50 - \dfrac{25}{6}$이므로 50보다 작은 B, E, F의

미디어채널 합을 구하면, 340만 명이다.

7. [자료해석 : 자료해석 실전 비법] 참고

80 ÷ 180 □ 44%를 판별해야 한다.

무작정 계산하는 것이 아니라, 44%를 활용해야 한다.

위 식을 80 □ 180 × 44%로 바꾸어 생각하면

우변이 72 + 7.2 = 79.2이므로 참이다.

※ 선지에서 제시한 44%를 가져와서 활용해야 한다.

※ 나눗셈을 곱셈으로 바꾸는 습관을 들여야 한다.

8. [응용수리 : 평균 = 가평균 + 편차합평균] 참고

미디어채널의 가평균을 100으로 잡으면 아래와 같다.

홍보업체	미디어채널
A	-10
B	+80
C	-50
D	-20
E	0
F	-40

따라서 평균은 $100 - \dfrac{40}{6}$이므로 10 이상 작은 홍보업체는

$90 - \dfrac{40}{6}$보다 작아야 하므로 C, D, F이다.

홍보업체 D는 공공정책이 '무'이므로 거짓이다.

[4일차]			
1.	458건	5.	2.3%
2.	39건	6.	3.6%
3.	2개	7.	O
4.	502건	8.	X

1. 국외 출원 건수가 두 번째로 높은 연도는
2016년이므로 458건이다.

2. 국내 출원 건수가 300건 이하인 연도는
2013년, 2021년, 2022년이므로 34 + 2 + 3 = 39건이다.

3. 국외 출원 건수에 20을 곱해서 찾으면 된다.
눈으로만 봐도 2013년과 2016년으로 2개라는 것을 알 수 있다.

4. [응용수리 : 평균 = 가평균 + 편차합평균] 참고
전부 더해서 나누지 말고, 500을 가평균으로 잡고 풀자.
정리하면 아래와 같다.

2016	2017	2018	2019
-42	+14	-19	+55

편차 합이 8이므로 평균은 $500 + \dfrac{8}{4} = 502$이다.

5. [계산요령 : 어림산 보정] 참고
9 ÷ 385를 계산하면 2.3%임을 쉽게 알 수 있다.
• 분모인 385를 4% 올려서 400으로 바꾸고
 분자인 9도 4% 올려서 9.36으로 바꿔도 된다.

6. [자료해석 : 자료해석 실전 비법] 참고
441 × 40 = 17,640이고, 441 × 4 = 1,764이므로
441 × 36 = 15,876임을 알 수 있다.
여기서 124만큼 더 다가가면 되므로
441 × 0.3만큼만 더 더해주면 된다.
따라서 16 = 441 × 3.63%과 같다.
※ 나눗셈을 곱셈으로 바꾸면 직관적이다.

7. [응용수리 : 평균 = 가평균 + 편차합평균] 참고
연도가 총 10개이므로 10% 이상이라는 의미는
평균 이상이라는 의미와 같다.
따라서 평균이 17보다 작은지 판별해야 한다.
편차 개념으로 접근하면 아래와 같다.
(17보다 큰 편차) : 17 + 9 + 4 + 4 = +34
(17보다 작은 편차) : -8 + (-8) + (-1) + (-15) + (-14) = -42
편차 합이 음수이므로 전체 국외 출원 건수의 평균은 17보다 작다.
따라서 2014년의 비중은 10% 이상이므로 참이다.

8. 연속한 2개 연도끼리 차이를 살피는 것이
직관적이고 빠른 풀이가 가능하다.
81 + 73 + (-33) + (-114) + (-92)이므로 홀수 연도가 더 크다.
따라서 거짓이다.

1.	18,065	5.	58.2%
2.	B국가	6.	12,967
3.	A국가	7.	O
4.	C국가	8.	X

1. GDP는 [세액감면액 ÷ GDP 대비 세액감면액]을
해주면 세액감면액은 상쇄되고 GDP만 남는다.
3,613 ÷ 0.2 = 1,806.5 ÷ 0.1 = 18,065이다.

2. 총지출액은 [세액감면액 ÷ 총지출액 대비 세액감면액]이므로
$\dfrac{12,567}{2.85}$ 와 $\dfrac{6,547}{4.14}$ 의 대소비교이다.
계산할 필요 없이 B국가가 더 크다는 것을 알 수 있다.
(나누기인데 곱하기로 착각하도록 유도하는 문제)

3. [계산요령 : 분수 비교] 참고
분모에 해당하는 GDP 대비 세액감면율의 값이 대부분
비슷하므로, 분자에 해당하는 세액감면액의 크기가
대소비교에 영향을 크게 준다.
여기서 B, D, E 국가는 눈으로 봐도 크므로 무시하자.
A국가와 C국가의 비교이므로 분수 비교로 생각하자.
$\dfrac{3,613}{20}$ □ $\dfrac{2,104}{13}$ 에서 분모의 증가율은 50%~60%,
분자의 증가율은 70%↑이므로 A국가가 더 크다.

4. [계산요령 : 분수 비교] 참고
총지출액 대비 GDP의 값은 총지출액이 분모이므로
[총지출액 대비 세액감면액 ÷ GDP 대비 세액감면액]을
구하면 된다.
분모에 해당하는 GDP 대비 세액감면액은 차이가 거의 없으므로,
분자에 해당하는 총지출액 대비 세액감면액이 대소비교에 영향을
크게 준다. 값이 큰 C와 D가 유력한 후보이므로 살펴보자.
$\dfrac{815}{13}$ □ $\dfrac{1,062}{16}$ 에서 분모의 증가율은 30%↓,
분자의 증가율은 30%↑이므로 C국가가 더 크다.

5. [자료해석 : 자료해석 실전 비법] 참고
2,104 ÷ 3,613을 계산해야 한다. 210 ÷ 361로 두고 계산하면
361 × 50 = 18,050이고, 361 × 8 = 2,888이므로
361 × 58 = 20,938임을 알 수 있다.
62만큼 더 다가가면 되므로 361 × 0.2만큼만 더 더해주면 된다.
따라서 210 = 361 × 58.2%와 같다.
 ※ 나눗셈을 곱셈으로 바꾸면 직관적이다.

6. C, D, E국가 합이므로 뒤부터 두 자리씩 끊어서 더해보자.
(4 + 16 + 47) = 67
(21 + 43 + 65) = 12,900
따라서 정답은 12,967(백만 달러)이다.

7. 6번 문제에서 C, D, E의 합이 12,967임을 구했다.
그리고 A는 3,613이고 B는 12,567이므로
A : B : (C + D + E) = 1 : 4 : 4에 가깝다.
1 : 4 : 4를 100%로 환산하면 11% : 44% : 44%와 비슷하다.
10%↑ : 40%↑ : 40%↑이다.
따라서 B국가는 40% 이상이므로 참이다.
 ※ 나눗셈을 곱셈으로 바꾸면 직관적이다.

8. [자료해석 : 자료해석 실전 비법] 참고
전형적인 계산은 쉽지만, 식이 어려운 문제이다.
GDP 대비 총지출액의 값은 GDP가 분모이므로
[GDP 대비 세액감면액 ÷ 총지출액 대비 세액감면액]을
구하면 된다.
선지에서 B를 기준으로 잡았으므로, B보다 큰 국가만
찾으면 된다.
A국가의 분자는 약 3배인데, 분모는 2배에 못 미친다.
따라서 A국가가 더 크므로 거짓이다.
 ※ 선지에서 주어진 조건(B국가)을 활용해야 한다.

[6일차]

1.	9.7	5.	14년
2.	3등	6.	12.2%
3.	80.9	7.	O
4.	15년	8.	O

1. 진흥지역 면적은 논 면적과 밭 면적의 합과 같으므로
80.7 = 71.0 + (   )이다. 따라서 밭 면적은 9.7이다.

2. 13년도가 가장 큰 것은 쉽게 보이고, 두 번째로 큰 연도는
14년이다. 밭 면적에서 빈칸들은 전부 9.9보다 작다는 것을
쉽게 알 수 있으므로 3등이다.

3. [응용수리 : 평균 = 가평균 + 편차합평균] 참고
15년부터 17년까지의 중앙값인 80.9를 가평균으로 잡으면
15년과 17년이 상쇄되므로 평균은 80.9이다.

15년	-0.2
16년	0
17년	+0.2

4. [계산요령 : 분수 비교] 참고

14년인 $\dfrac{171.5}{80.7}$ 과 15년인 $\dfrac{173}{80.9}$ 의 대소비교이다.

(분모) : 분모는 0.2 증가했으므로 0.25% 증가
(분자) : 분자는 1.5 증가했으므로 약 1%↓ 증가
따라서 15년이 더 크다.

5. [전체 농지 = 진흥지역 + 그 외 지역]이다.
따라서 전체 농지는 크면서, 진흥지역은 작은 연도를 찾으면 된다.
그 후보는 13년, 14년, 16년이다.
(13년 vs 16년) : 16년이 92.1이므로 더 크다.
(14년 vs 16년) : 14년이 94보다 크므로 더 크다.

6. [자료해석 : 자료해석 실전 비법] 참고
22 ÷ 180.1를 구해야 한다. 22 ÷ 18으로 두고 계산하면
18 × 10 = 180이고, 18 × 2 = 36이므로 18 × 12 = 216임을
알 수 있다. 여기서 4만큼 더 다가가면 되므로
18 × 0.22... = 3.99...만큼만 더 더해주면 된다.
따라서 22 = 180.1 × 12.2%와 같나.
※ 나눗셈을 곱셈으로 바꾸면 직관적이다.

7. [자료해석 : 자료해석 실전 비법] 참고
진흥지역이 아닌 농지의 비율이 55% 미만이라는 말은
진흥지역 농지의 비율이 45% 이상이냐는 말과 같다.
따라서 19년 전체 농지 중에 진흥지역 농지의 비율을 구하면 된다.
78 ÷ 164.4 ≥ 45%를 묻고 있으므로
78 ≥ 164.4 × 45%로 바꿔서 계산하자.
164.4 × 45 = 82.2 × 90이므로 73.98이다. 따라서 참이다.
※ 선지에서 주어진 조건(55% 미만)을 활용해야 한다.
※ 나눗셈을 곱셈으로 바꾸면 직관적이다.

8. [응용수리 : 평균 = 가평균 + 편차합평균] 참고
선지에서 168을 기준으로 잡았으므로
168을 가평균으로 잡고 편차의 부호만 따지면 된다.

13	+12.1
14	+7.9
15	+3.5
16	+5
17	+1.1
18	-0.1
19	-3.6
20	-5.9
21	-8.4
22	-9.9

편차 합이 양수이므로 평균은 168 이상이고, 참이다.

[7일차]			
1.	해설 참고	5.	78.9%
2.	1,012	6.	1,664
3.	3,638	7.	X
4.	2022년	8.	O

1. 전체 합에서 나머지 분야를 빼야 빈칸을 채울 수 있으므로 항목 수가 더 적은 연도(세로)로 계산하는 것이 더 효율적이다.
(1) 2021년 양자컴퓨팅은 1,162 – 877 = 285이다.
(2) 2018년 양자내성암호는 350 – 248 = 102이다.
(3) 2020년 계는 514 + 414 = 928이다.

2. 양자센서 투자금액 상위 2개 연도는 2020년과 2022년이므로 양자통신 투자금액 합은 1,012이다.

3. 전체 계에서 양자통신을 빼면, 5,310 – 1,672 = 3,638이다.

4. [계산요령 : 소수의 분수화] 참고
2019년 투자금액의 16.7%는 $\frac{1}{6}$과 같으므로 $\frac{626}{6}$ = 104↑이다.
2022년 투자금액의 5%는 112.2이다. 따라서 2022년이 더 크다.

5. [자료해석 : 자료해석 실전 비법] 참고
276 ÷ 350을 계산해야 한다.
35 × 7 = 245이고, 35 × 0.8 = 28이므로 35 × 7.8 = 273임을 알 수 있다.
여기서 3만큼 더 다가가면 되므로 35 × 0.09 = 3.15만큼만 더 더해주면 된다. 따라서 276 = 350 × 78.9%와 같다.
 ※ 나눗셈을 곱셈으로 바꾸면 직관적이다.

6. 연도별 투자금액이 두 번째로 큰 분야의 투자금액은 순서대로 102, 192, 289, 358, 723이다.
이 합은 1,664이다.

7. [자료해석 : 자료해석 실전 비법] 참고
723 ÷ 1,672 □ 44%를 판별해야 한다.
무작정 계산하는 것이 아니라, 44%를 활용해야 한다.
위 식을 723 □ 1,672 × 44%로 바꾸어 생각하면
우변이 6,888 + 688.8 = 7,577↑이므로 거짓이다.
 ※ 선지에서 제시한 44%를 가져와서 활용해야 한다.
 ※ 나눗셈을 곱셈으로 바꾸는 습관을 들여야 한다.

8. [계산요령 : 소수의 분수화] 참고
1,672 □ 1,223 × 1.33을 판별해야 한다.
위 식에서 0.33 = $\frac{1}{3}$과 같으므로 1,672 □ 1,223 × $\frac{4}{3}$을
판별하면 된다. 1,223 × $\frac{4}{3}$ ≒ 408 × 4 = 1,632이므로 참이다.

[8일차]

1.	27,513	5.	11%
2.	16,124	6.	4개
3.	2020년	7.	X
4.	3개	8.	X

1. 자동화설비의 순위는 2022년 > 2016년 > 2019년 순이므로
세 번째로 큰 연도는 2019년이고, 융합연구 연구비는 27,513이다.

2. 자릿수가 크므로 뒤부터 두 자리씩 끊어서 더해보자.
(20 + 83 + 21) = 124
(35 + 45 + 80) = 16,000
따라서 정답은 16,124이다.

3. 무작정 더하지 말고, 표를 살펴보면 연구비가 전반적으로
오름차순임을 알 수 있다. 따라서 세 번째로 큰 연도는 2020년이다.

4. 융합연구 연구비 대비 데이터 연구비가 50% 이상이라는
의미는 절반보다 크냐는 의미이다.
눈으로 풀어보면, 2016년, 2018년, 2021년이므로 총 3개이다.

5. [자료해석 : 자료해석 실전 비법] 참고
8,021 ÷ 73,211을 계산해야 하므로 802 ÷ 732로 보자.
732 × 10 = 7,320이고, 732 × 1 = 732이므로
732 × 11 = 8,052임을 알 수 있다.
11%까지 다가온 상태에서 31만큼 줄이면 되는데,
31은 73,211 입장에서 0.04% 정도밖에 안 되므로 무시해도
된다. (약 10.96%)
 ※ 나눗셈을 곱셈으로 바꾸면 직관적이다.

6. 크기 순위를 비교해야 하므로 전체 합의 대략적인 크기만
구하면 된다. (정확한 계산을 할 필요는 없다.)
이렇게 풀기 위해선 만, 천의 자리만 계산하면 된다.
41 + 31 + 27 + 27 + 15 + 10 + 4 = 155이므로
전체 합은 약 155,000 부근이다.
따라서 15%는 227,500 부근이므로 4개다.

7. [응용수리 : 평균 = 가평균 + 편차합평균] 참고
선지에서 25,000을 기준으로 잡았으므로 25,000을 가평균으로
잡고 편차의 부호만 따지면 된다.

2016	+2,100
2017	−5,000
2018	−2,000
2019	+400
2020	−2,100
2021	−700
2022	+6,400

편차 합이 음수이므로 평균은 25,000 이하다. 따라서 거짓이다.

8. [자료해석 : 자료해석 실전 비법] 참고
21,687 ÷ 9,540 □ 230%를 판별해야 한다.
무작정 계산하는 것이 아니라, 230%를 활용해야 한다.
위 식을 21,687 □ 9,540 × 230%로 바꾸어 생각하면
우변이 19,080 + 2,862 = 21,942이므로 거짓이다.

• 31,227 ÷ 9,540 □ 330%로 생각하고 9,540 × 330%를
계산하는 방법도 좋다.
 ※ 선지에서 제시한 230%를 가져와서 활용해야 한다.
 ※ 나눗셈을 곱셈으로 바꾸는 습관을 들여야 한다.

[9일차]

1.	12,592	5.	5.4%
2.	74.3%	6.	5.9%
3.	E	7.	O
4.	4개	8.	X

1. 전체의 합이므로 뒤부터 두 자리씩 끊어서 더해보자.

(32 + 60 + 40 + 60) = 192

(90 + 18 + 5 + 2 + 3 + 6) = 12,400

따라서 정답은 12,592이다.

2. [자료해석 : 자료해석 실전 비법] 참고

52 ÷ 70을 계산해야 한다.

7 × 7 = 49이고, 7 × 0.4 = 2.8이므로 7 × 7.4 = 51.8임을 알 수 있다.

0.2만 더 다가가면 되므로 7 × 0.03 = 0.21만 더해주면 된다.

따라서 정답은 74.3%이다.

※ 나눗셈을 곱셈으로 바꾸면 직관적이다.

3. 아래로 갈수록 차이가 작아지므로 E, F, 기타를 살펴보면 세 번째로 작은 지원항목은 E임을 알 수 있다.

4. 국비 대비 지방비의 비중이 20% 이상이라면

국비 : 지방비 = 5 : 1↑이라는 의미이다.

즉, [지방비×5]가 국비보다 크다는 의미이다.

눈으로 풀어보면, A, B, E, F로 총 4개이다.

5. [자료해석 : 자료해석 실전 비법] 참고

2,954 ÷ 55,058을 295 ÷ 550으로 계산하자.

55 × 5 = 275이고, 55 × 0.4 = 22이므로 55 × 5.4 = 297임을 알 수 있다.

5.4%까지 다가온 상황에서 2만큼 줄이면 되는데, 0.04%도 안 되므로 무시해도 된다. (약 5.36%)

※ 나눗셈을 곱셈으로 바꾸면 직관적이다.

6. [자료해석 : 자료해석 실전 비법] 참고

1,320 ÷ 22,464를 132 ÷ 225로 계산하자.

225 × 6 = 1,350이다. 따라서 6%까지 다가온 상황에서 30만큼 줄이면 되는데, 225 × 0.1 = 22.5이므로 0.1%만큼 줄여주면 된다. (약 5.87%)

※ 나눗셈을 곱셈으로 바꾸면 직관적이다.

7. [계산요령 : 소수의 분수화] 참고

5,200 □ 1,320 × 3.4를 판별해야 한다.

위 식에서 3.4는 $\frac{10}{3}$보다 살짝 크므로

5,200 □ 1,320 × $\frac{10}{3}$을 판별하면 된다.

1,320 × $\frac{10}{3}$ = 4,400이므로 참이다.

(4배 해야 5,200 근처이므로 바로 찾을 수도 있다.)

8. A : A제외 = 60%↓ : 40%↑을 묻는 것과 같다.

즉, A를 제외한 항목의 합을 1.5배 하면 A보다 큰지 확인하면 된다.

A를 제외한 항목의 합은 약 26,000이므로 1.5배 해도 39,000이다. 따라서 A보다 작으므로 거짓이다.

※ [A와 A를 제외한 항목끼리의 비교]이므로 전체 합을 구할 필요가 없다.

[10일차]

1.	42,469명	5.	23.9%
2.	1,758명	6.	61.9%
3.	여자	7.	O
4.	2종 보통	8.	X

1. 3개 항목의 합이므로 바로 계산하면
$39,312 + 1,758 + 1,399 = 39,312 + 3,157 = 42,469$

2. 합격자 수가 두 번째로 작은 운전면허 종류는 2종 소형이므로
응시자 수는 1,758명이다.

3. 어림산으로 보면 $\dfrac{331}{563}$ □ $\dfrac{108}{156}$ 을 판별해야 한다.

우변을 3배 해주면 $\dfrac{331}{563}$ □ $\dfrac{324}{468}$ 이다.

분자는 거의 같지만, 우변의 분모가 훨씬 적으므로
우변이 더 크다. (즉, 여자가 더 크다.)

※ 분수 비교 시엔 비슷한 크기로 맞춰주면 편하다.

4. 눈으로만 봐도 여자 합격률이 높은 후보는 1종 보통, 2종 보통
중 하나이다.

(1종 보통) : 눈으로만 봐도 $\dfrac{2}{3}$ 정도이다.

(2종 보통) : $14 \times 0.7 = 9.8$이므로 70% 이상이다.
따라서 여자 합격률이 가장 높은 것은 2종 보통이다.

5. [자료해석 : 자료해석 실전 비법] 참고
$991 \div 4,149$를 $991 \div 415$로 계산하자.
$415 \times 2 = 830$이고, $415 \times 0.4 = 166$이므로 $415 \times 2.4 = 996$
임을 알 수 있다.
24%까지 다가온 상황에서 5만큼 줄이면 되는데,
0.1%↑만 줄이면 된다. (약 23.88%)
※ 나눗셈을 곱셈으로 바꾸면 직관적이다.

6. [자료해석 : 자료해석 실전 비법] 참고
앞서 1번 문제에서 구한 2종 응시자 수를 쓰면
남자의 2종 응시자 수는 $42,469 - 14,330 = 28,139$명이다.
따라서 $17,414 \div 28,139$를 계산하면 된다.
어림산을 위해 $174 \div 281$로 계산하면, $281 \times 6 = 1,686$이고,
$281 \times 0.2 = 56.2$이므로 $281 \times 6.2 = 1,742.2$임을 알 수 있다.
62%까지 다가온 상황에서 28만큼 줄이면 되는데,
약 0.1%를 줄이면 된다. (약 61.9%)
※ 나눗셈을 곱셈으로 바꾸면 직관적이다.

7. 여자의 응시자는 바로 보이므로 여자부터 찾고,
남자는 나중에 계산하자.
(여자) : 눈으로만 봐도 1,316명이다.
(남자) : 앞서 6번 문제에서 남자 2종 응시자 수를 구했으므로
계산하면 $56,330 - 28,139 ≒ 28,200$이다.
남자는 100이므로 여자가 더 높다. 따라서 참이다.

8. 어림산으로 보면 $\dfrac{79}{134}$ □ $\dfrac{34}{60}$ 을 판별해야 한다.

우변을 2배 해주면 $\dfrac{79}{134}$ □ $\dfrac{68}{120}$ 이다.

여기서 우변을 1.1배씩 더 하면 $\dfrac{79}{134}$ □ $\dfrac{74.8}{132}$ 이다.

분모는 거의 같지만, 좌변의 분자가 훨씬 크므로
좌변이 더 크다. (즉, 남자가 더 크다.)

※ 분수 비교 시엔 비슷한 크기로 맞춰주면 편하다.

1.	③	6.	⑤
2.	④	7.	④
3.	⑤	8.	①
4.	④	9.	②
5.	③	10.	③

[01] ③

[푸는 순서]

(1) 옳지 않은 문제 → 뒷 선지 → [어려운 선지], [매년 키워드]

(2) ③ → ⑤ → ④ 순으로 풀기

(3) ①에 언급된 매년 키워드는 쉽고 앞 선지이므로 늦게 풀기

[핵심 선지]

③ : 2019년 전체 인구수는 A는 6,000명 B는 6,200명이다.

2020년 A는 600명 증가했으므로 10%로 기준을 잡고 간다.

B가 더 높기 위해선 620명보다 많이 증가해야 한다.

2020년 B는 620명 증가했으므로 똑같이 10% 증가했다.

따라서 틀린 선지이다.

※ 증가율을 정확히 계산하지 말고, 기준에 대한 증가량의
대소비교로 접근하자.

⑤ : 위에서 구했듯이 2019년은 200명, 2020년은 220명이다.

나머지 연도인 2021년과 2020년이 220명보다 적은지
눈으로 비교해보면 옳은 선지이다.

④ : 2021년 B의 남자 인구수는 3,600명, 2022년에는 50명이
증가했다. 3,600 입장에서 2%는 72명이므로 옳은 선지이다.

[남은 선지]

① : 적당히 눈으로 확인하면 옳은 선지이다.

6,000명 → 6,600명 → 7,000명 → 7,200명

② : 2019년 대비 2020년 A의 여자 인구수는 10% 증가했다.

2021년으로 넘어갈 때는 10%만큼 증가하지 못하였고,

2022년으로 넘어갈 때는 감소하였으므로 옳은 선지이다.

※ 자료해석은 옳은 문제인지, 않은 문제인지 파악 후에
바로 선지로 내려가는 것이 좋다. 선지에서 답인 후보를
2~3개 예측한 후에 자료를 확인하자.
(익숙해지면 자료를 보면서 답을 예측하자.)

[02] ④

[푸는 순서]

(1) 옳은 문제 → [어려운 선지], [정확한 계산]

(2) ④ → ③ → ⑤ 순으로 풀기

(3) ①, ②는 쉬워 보이므로 최대한 늦게 풀기

[핵심 선지]

④ : 가중평균으로 접근해야 한다. (그림풀이가 편하다.)

	+1%		+2%	
30%		31%		33%
(n)				(400)

가중평균 공식에 의해 $1 \times (n) = 2 \times (400)$이므로
1학년 남자는 800명이다. 따라서 1학년 전체 학생 수는
1,200명이므로 옳은 선지이다.

※ [응용수리 – 가중평균] 단원 참고

③ : 가중평균으로 접근해야 한다. (그림풀이가 편하다.)

	+1%		+2%	
30%		31%		33%
(n)		300		($300-n$)

가중평균 공식에 의해 $1 \times (n) = 2 \times (300-n)$이므로
1학년 남학생은 200명, 여학생은 100명이고, 틀린 선지이다.

⑤ : 가중평균으로 접근해야 한다. (그림풀이가 편하다.)

	+4%		+4%	
40%		36%		32%
(400)				(n)

가중평균 공식에 의해 $4 \times (400) = 4 \times (n)$이므로
2학년 남학생과 여학생 모두 400명이고, 틀린 선지이다.

[남은 선지]

① : 위의 ④에서 구했듯이 1학년 남학생이 여학생의 2배이다.

② : 위의 ⑤에서 구했듯이 2학년 남학생과 여학생의 수는 같다.

※ 옳은 문제이므로 [어려운 선지]와 [정확한 계산]에 집중한다.
이에 해당하는 선지는 ④ → ③ → ⑤ 순이다.

※ 한편, 이 문제가 가중평균이라는 사실은 즉각적으로 알 수
있을 정도로 연습하는 것이 좋다.

[03] ⑤

[푸는 순서]

(1) 옳지 않은 문제 → 뒷 선지 → [어려운 선지], [매년 키워드]

(2) ⑤ → ③ → ④ 순으로 풀기

(3) ①도 만만치 않은 선지지만, 후 순위로 두자.

[핵심 선지]

⑤ : 현재 과장의 전체 월 급여는 184 × 4,003,750이므로

184 × 4,003,750 = 200 × (x)로 식을 세울 수 있다.

따라서 (x)가 360만보다 작은지 대소비교하면 된다.

위 식을 어림산을 하면 184 × 400 ☐ 200 × (x)와 같다.

좌변의 400과 우변의 200이 2배 차이이므로 x ≒ 368이다.

어림산이긴 해도 이 정도 차이는 크다.

따라서 월 급여는 약 368만 원이므로 틀린 선지이다.

※ 대소비교는 정확하게 계산하지 말고, 비교만 하면 된다.
  어림산과 곱의 대소비교를 통해 쉽게 풀 수 있는 문제이다.

③ : 대리의 월 급여는 약 350만이고, 350만의 15%를 계산하면

52.5만이므로 과장의 월급이 최소한 402만 원은 넘어야 15%

이상이 된다. 따라서 차이는 15% 미만이고 옳은 선지이다.

※ 대리와 과장 월급 % 차이를 정확히 계산하지 말고,
  선지에서 언급된 15%를 가져가 계산하는 것이 중요하다.

④ : 차장의 전체 월 급여는 어림산하면 81 × 464이다.

앞산하면 80 × 464 = 37,120만이므로 3억 5천만을 넘긴다.

따라서 옳은 선지이다.

[남은 선지]

① : 주임과 대리를 어림산해서 대소비교하면 아래와 같다.

(주임) 423 × 324 ☐ 312 × 353 (대리)

324와 312는 비슷하고, 423은 353보다 훨씬 높으므로

계산하지 않아도 좌변이 더 크다. 따라서 옳은 선지이다.

② : 눈으로 보면 128명 차이가 나므로 옳은 선지이다.

※ 않은 문제이므로 [어려운 선지]와 [매년 키워드]에 집중한다.
  이에 해당하는 선지는 ⑤ → ③ → ④ 순이다.
  특히 ⑤처럼 [조건식 선지]는 답일 확률이 높다.

※ 한편, 이 문제는 곱의 비교가 자주 등장하는데, 곱의 비교는
  정확한 계산이 아니라 대소비교에만 집중하면 된다.

[04] ④

[푸는 순서]

(1) 옳지 않은 문제 → 뒷 선지 → [어려운 선지], [매년 키워드]

(2) ③ → ④ → ② 순으로 풀기

(3) ⑤도 만만치 않은 선지지만, 후 순위로 두자.

[핵심 선지]

③ : 6대 광역시의 유가증권인지 건수는 38건이므로

125 〈 38 × 3.3을 확인해야 한다.

38 × 3 = 114이므로 114 + 11.4 = 125.4로 계산하면 된다.

따라서 [125 〈 38 × 3.3]이므로 옳은 선지이다.

④ : 가평균을 650건으로 잡고, 편차의 합이 양수인지 확인하자.

부산	대구	인천	광주	대전	울산	편차합
+609	+41	+39	-195	-199	-304	-9

편차 합이 -9이므로 평균은 650건 미만이고, 틀린 선지이다.

(정확한 평균은 $650 - \dfrac{9}{6} = 648.5$건)

※ [응용수리 - 가평균] 단원 참고
  평균 계산은 거의 다 가평균으로 접근하면 된다.

② : 서울의 사기 건수가 53,879건이므로 6대 광역시의 사기

건수 합이 63,879건 이상인지 확인하면 된다.

1~3자리를 더하면 205 + 115 + 131 + 76 + 72 + 56

= 65,500건이므로 뒷자리는 더해보지 않아도 크다.

따라서 옳은 선지이다.

※ 값 vs 합의 대소비교이므로 앞산으로 접근해보자.

[남은 선지]

⑤ : 가장 큰 건수부터 순서대로 더하면 대소비교가 쉽다.

(큰 수) 5,606 + 794 + 346 + 110 = 6,856건

(작은 수) 17 + 12 + 10 + 3 = 42건

(최종) 6,856건 + 42건 = 6,898건

따라서 옳은 선지이다.

① : 눈으로 보면 둘 다 울산이므로 옳은 선지이다.

※ 않은 문제이므로 [어려운 선지]와 [매년 키워드]에 집중한다.
  이에 해당하는 선지는 ③ → ④ → ② 순이다.

※ 한편, 이 문제는 가평균 개념과 전체 합산 개념이 등장한다.
  가평균은 [응용수리 - 가평균] 단원을 참고
  전체 합산은 자리 단위로 끊어서 큰 수부터 계산하기

[05] ③

[푸는 순서]

(1) 옳은 문제 → [어려운 선지], [정확한 계산]

(2) ③ → ⑤ → ② 순으로 풀기

(3) ①도 유력한 선지이다.

[핵심 선지]

③ : 129 ÷ 187 〉 68%를 판별해야 한다.

대소비교이므로 나눗셈을 하지 말고 곱셈으로 바꾸자.

즉, 129 〉 187 × 68%를 계산해 보자.

187 × 70% = 130.9이고, 187 × 2% ≒ 3.7이므로

187 × 68% ≒ 127이다.

따라서 [129 〉 187 × 68%]이므로 옳은 선지이다.

※ [나눗셈을 곱셈으로 바꾸는 것]은 매우 매우 중요하다.

⑤ : 전체 주차장 개수의 평균이 170개 이상인지 확인을 위해

170개를 가평균으로 잡고 편차 합이 양수인지 확인하자.

방향	인삼	덕유	함양	산청	고성	편차합
하남	+17	+23	−69	−31	−10	−70
통영	+67	+36	−63	−66	+17	−9

편차 합이 −79이므로 평균은 170개 미만, 틀린 선지이다.

(정확한 평균은 $170 - \dfrac{79}{10} = 162.1$건)

※ [응용수리 – 가평균] 단원 참고

평균 계산은 거의 다 가평균으로 접근하면 된다.

② : 덕유산의 통영 방향 대비 하남 방향의 전체 주차장 개수는

193 ÷ 206이고, 분자가 (206 − 13)이므로 약 94%다.

눈으로만 봐도 산청이 가장 크고, 함양을 제외하곤 모두

덕유산보다 작다.

함양은 101 ÷ 107이고, 분자가 (107 − 6)이므로 약 94%다.

덕유산과 함양은 크기가 비슷하므로 분수 비교로 비교하자.

$\dfrac{193}{206}$ □ $\dfrac{202}{214}$ (2배) → 분자 증가율 4.5%, 분모 증가율 4%↓

따라서 함양이 더 크므로 덕유산이 3등이고, 틀린 선지이다.

※ 분수 계산은 파란 글씨처럼 센스있게 하자.

분수 비교는 분자 증가율과 분모 증가율로 판단해야 한다.

[남은 선지]

① : 하남 방향 휴게소 합은 569개이므로 틀린 선지이다.

④ : 산청 휴게소의 소형 대비 대형 주차장은 73 ÷ 170이므로

50% 미만이다. 따라서 틀린 선지이다.

※ 옳은 문제이므로 [어려운 선지]와 [정확한 계산]에 집중한다.

이에 해당하는 선지는 ③ → ⑤ → ② 순이다.

③은 나눗셈을 곱셈으로 바꾸는 과정이 매우 중요하다.

②는 분수 계산과 분수 비교의 핵심 개념을 담고 있다.

[06] ⑤

[푸는 순서]

(1) 옳은 문제 → [어려운 선지], [정확한 계산]

(2) ⑤ → ② → ① 순으로 풀기

(3) ③, ④는 틀린 선지로 유력하다.

[핵심 선지]

⑤ : ⑤를 풀기 위해선 ②를 먼저 풀어야 한다.

(미리 구했다고 치고) 아래에서 구한 ⓛ는 약 533,000이다.

2016년 대비 2019년의 차이는 약 78,000이다.

455의 15%는 228 × 30%와 비슷하므로 약 68,400이다.

따라서 15% 이상 증가했으므로 옳은 선지이다.

② : (어림산) ⓛ ÷ 325 = 164%를 정리하면 ⓛ = 325 × 164%

여기서 32는 2^5이고, 16은 2^4이므로 약 2^9 = 512,000보다

크다. 하지만 이것만으로는 판별할 수 없으므로 계산해 보자.

325 × 16 = 650 × 8 = 520,000이고 325 × 4 = 13,000

따라서 533,000이므로 틀린 선지이다.

※ [나눗셈을 곱셈으로 바꾸는 것]은 매우 매우 중요하다.

① : 정확한 계산을 요구하므로 매우 귀찮은 계산이다.

(어림산) $\dfrac{524}{329}$ = 162%임을 확인하기 위해, 우선 160%를

먼저 곱해보면 329 × 160% = 526.4이므로 524를 넘겼다.

즉, $\dfrac{524}{329}$ 는 160%보다 작다는 의미이므로 틀린 선지이다.

[남은 선지]

③ : ㉠이 160%보다 작았으므로 틀린 선지이다.

④ : ⓛ이 약 533,000이었으므로 틀린 선지이다.

※ 옳은 문제이므로 [어려운 선지]와 [정확한 계산]에 집중한다.

이에 해당하는 선지는 ⑤ → ② → ① 순이다.

②는 나눗셈을 곱셈으로 바꾸는 과정이 매우 중요하다.

전년 대비 증가율은 주어졌지만, 전년의 수출액을 알 수
없으므로 분모를 알 수 없는 문제이다.
전년의 수치를 구하는 문제는 매우 어려운 계산에 속한다.
이때는 어느 정도 눈대중으로 어림산을 해주는 것이 좋다.

[푸는 순서]

(1) 옳은 문제 → [어려운 선지], [정확한 계산]

(2) ③ → ④ → ⑤ 순으로 풀기

(3) ①은 주어진 자료로 전체 수출액은 알 수 없어서 무시

[핵심 선지]

③ : (어림산) 28 ÷ 140 □ 25.2%를 판별해야 한다.
나눗셈이 아니라 곱셈으로 풀기 위해 28 ÷ x □ 25.2%를
확인하는 게 아니라 y ÷ 140 □ 25.2%를 확인하는 게 좋다.
140 × 25.2% ≒ 140 ÷ 4 = +35
즉, 2020년 컴퓨터 수출액이 14,000백만 달러라면 25%
증가하면 2021년 컴퓨터 수출액은 +3,500이 증가하여
17,500백만 달러여야 한다. **따라서 틀린 선지이다.**

④ : 마찬가지로 전년의 수출액을 알 수 없기에 어려운 선지이지만
대소비교이므로 쉽게 풀 수 있다.
(어림산) 합성수지는 x × 152% = 292이고,
선박 해양구조물은 y × 117% = 230과 같으므로
$\dfrac{292}{152}$ □ $\dfrac{230}{117}$ 의 대소비교와 같다.
분모의 증가율은 30%, 분자의 증가율은 (30% − 3%) = 27%
이므로 우변에 해당하는 선박 해양구조물이 더 크다.
합성수지가 선박 해양구조물보다 작으므로 옳은 선지이다.

⑤ : (어림산) 반도체가 128이고, 5~10위 수출액의 합은
23 + 22.8 + 22.5 + 21.6 + 16.8 + 16.2 = 122.9이다.
어림잡아도 반도체가 훨씬 크므로 틀린 선지이다.
(반도체÷6으로 평균이 21 이상인지 확인하는 방법도 있다.)

[남은 선지]

① : 10대 수출품목의 수출액만 알 수 있고, 전체 수출액은
알 수 없으므로 틀린 선지이다.

② : 수입품목과 수입액은 알 수 없으므로 틀린 선지이다.
 ※ 옳은 문제이므로 [어려운 선지]와 [정확한 계산]에 집중한다.
   이에 해당하는 선지는 ③ → ④ → ⑤ 순이다.

[푸는 순서]

(1) ㄱㄴㄷ합답형 → [쉬운 조건], [선지 구성 확인]

(2) ㄹ부터 풀고, 선지 소거 후 ㄴ 풀기

[핵심 조건]

ㄹ : 가평균을 5,500명으로 정해서 편차 합이 300인지 확인하자.

A동	B동	C동	D동	E동	편차합
1,100	−500	300	500	−500	900

편차의 합이 300보다 크므로 가평균은 5,560보다 크다.

(정확한 평균은 5,500 + $\dfrac{900}{5}$ = 5,680명)

따라서 틀린 선지이다.

 ※ [응용수리 − 가평균] 단원 참고
   평균 계산은 거의 다 가평균으로 접근하면 된다.

ㄴ : 역순으로 생각하면 조금 쉬워진다.
(성인 여자 인구수 〈 재직 중인 성인 여자 인구수의 2배)
를 판별하면 된다.

A동 재직 2배 : 13,200명 　　A동 여자 : 14,000 × 90%
B동 재직 2배 : 10,000명 　　B동 여자 : 20,000 × 40%
C동 재직 2배 : 11,600명 　　C동 여자 : 22,000 × 50%
D동 재직 2배 : 12,000명 　　D동 여자 : 25,000 × 52%
E동 재직 2배 : 10,000명 　　E동 여자 : 18,000 × 45%
계산하지 않아도 A, B, C는 참이고, D와 E만 계산해 보자.
25,000 × 52% = 50,000 × 26% = 13,000이므로 D는 참.
18,000 × 45% = 9,000 × 90% = 8,100이므로 E는 거짓.
따라서 틀린 선지이다.

• ㄴ과 ㄹ이 틀렸으므로 정답은 ㄱ, ㄷ이다. 정답은 ①이다.
 ※ [계산요령 − 10의 배수로 만들기] 단원 참고
   52 × 25 = 26 × 50 　　　　18 × 45 = 9 × 90

[남은 조건]

ㄱ : ㄴ에서 구한 A동, B동 여자 인구수를 더하면
20,600명이다. 따라서 성인 여자 재직률은 $\dfrac{116}{206}$ 이다.
56%를 가져다 쓰면, 206 × 56% = 11,536이다.
즉, 만약 57%라면 11,742라는 의미이므로 56%가 11,600에
더 가깝다. 따라서 옳은 선지이다.
 ※ [자료해석 실전 비법 − 기본 원칙2] 단원 참고

ㄷ : ㄴ에서 구한 여자 인구수를 전부 더하면
12,600 + 8,000 + 11,000 + 13,000 + 8,100 = 52,700명
따라서 옳은 선지이다.

 ※ ㄱㄴㄷ합답형 문제이므로 [쉬운 조건]과 [선지 구성]에
   집중한다. 가장 쉬운 ㄹ부터 풀고, ②, ④, ⑤ 소거 후
   ㄱ과 ㄴ 중에 더 쉬운 조건을 선택한다.

[09] ②

평균을 묻는 문제이므로, 가평균을 잡은 후 계산하면 된다.
(이 문제는 <u>앞자리만 계산하는 것</u>을 더 추천한다.)

[가평균 풀이]

기준이 선지인 경우엔 선지에서 적절한 가평균을 잡으면 된다.

남자 : 160을 가평균으로 잡으면 아래와 같다.

남자	30대	40대	50대	편차합
	2.8	8.8	-8.5	3.1

평균 = $160 + \dfrac{3.1}{3} ≒ 161$ 이다.

16,100,000,000과 가장 가까운 선지는 ②, ③이다.

여자 : 175를 가평균으로 잡으면 아래와 같다.

여자	30대	40대	50대	편차합
	22.9	6.0	-30.2	-1.3

평균 = $175 - \dfrac{1.3}{3} ≒ 174.6$ 이다.

17,460,000,000과 가장 가까운 선지는 ②, ④이다.

따라서 정답은 ②이다.

[앞자리 계산]

적당히 앞자리 3자리만 계산해 보자.

남자 : 163 + 169 + 151 = 483이고, 483 ÷ 3 = 161이다.
16,100,000,000과 가장 가까운 선지는 ②, ③이다.

여자 : 198 + 181 + 144 = 523이고, 523 ÷ 3 ≒ 174이다.
17,400,000,000과 가장 가까운 선지는 ②, ④이다.

따라서 정답은 ②이다.

[10] ③

[푸는 순서]

(1) 그래프+않은 문제 → [2~4번 집중], [응용자료 집중]
(2) ③ → ④ 순으로 풀기
(3) 증감 추세부터 확인 후, 정확한 값 비교

[핵심 선지]

③ : 비중을 계산해야 하므로 응용자료이다.
　　우선 증감 추세부터 확인하면, 증가-증가-감소-증가이다.
　　20대부터 결제 1건당 결제금액을 눈대중으로 보자.

　　20대부터 50대까지 증가-증가-감소는 눈으로 보이지만,
　　50대와 60대의 비교는 분수 비교를 하는 것이 좋다.
　　60대를 2배 해서 수치를 비슷하게 맞추면 아래와 같다.

　　(50대) $\dfrac{145}{524}$ ☐ $\dfrac{154}{574}$ (60대)

　　분모의 증가율은 10%↓, 분자의 증가율은 7%↓
　　50대가 더 크므로, 증가-증가-감소-감소가 맞다.
　　따라서 틀린 선지이고, 정답은 ③이다.

[정확한 계산 시 참고]

20대 : 약 26,000↓ (50 × 26으로 128로 다가가기)
30대 : 약 29,000↓ (69 × 30으로 207 만들고 1칸 빼기)
40대 : 약 36,000↓ (50 × 36으로 180 만들기)
50대 : 약 28,000↓ (52 × 20으로 104 빼고, ×8 다가가기)
60대 : 약 26,000↓ (29 × 20으로 58 빼고, ×7 다가가기)

④ : 기초자료끼리의 차이를 묻는 선지이므로 응용자료이다.
　　우선 증감 추세부터 확인하면, 감소-감소-감소-증가이다.
　　증감 추세를 바로 확인하기 힘들기에 계산도 같이하자.
　　가로 선을 확인하면서 아래와 같이 눈대중으로 계산하자.

　　20대 : 15만 이하로 그려져 있네? 남자 356, 여자 504니까
　　　　　 대충 15만 이하 맞네!
　　30대 : 14만에 걸쳐 있네? 남자 551, 여자 691이니까
　　　　　 대충 14만 맞네!
　　(이하 생략)

[남은 선지]

① : 남자보다 여자가 더 큰가? 이후 50만 건, 70만 건에 주목

② : 증-증-감 확인 후 20대(90만)과 50대(150만) 수치에 주목

⑤ : 40대 vs 50대 주목하기 후 30대(1,200만) 수치에 주목
※ [공부법 – 자료해석 그래프 유형 접근법] 단원 참고
※ 그래프 문제는 옳은 선지보다 틀린 선지를 찾는 것이
　　훨씬 쉽고 빠르다. 따라서 최대한 증감 추세와 핵심 항목의
　　값을 보는 게 좋다. (핵심 항목에서 틀리게 내기 때문)

1.	③	6.	④
2.	①	7.	①
3.	②	8.	⑤
4.	⑤	9.	④
5.	⑤	10.	②

[01] ③

[푸는 순서]

(1) 옳은 문제 → [어려운 선지], [정확한 계산]

(2) ③ → ④ → ⑤ 순으로 풀기

(3) ②는 매년 키워드이므로 틀린 선지로 유력하다.

• 전체 직원 수의 증가량 = 입사자 수 − 퇴사자 수

[핵심 선지]

③ : 1,722명에서 1,737명이 된 것이므로, $15 \div 1,722 < 0.9\%$를 판별해야 한다. 따라서 $15 < 1,722 \times 0.9\%$로 바꿔서 보자.
1,722의 1%는 17.22이고, 1,722의 0.1%는 1.722이므로
$0.9\% = 17.22 - 1.722 = 15\uparrow$이다.
따라서 $15 < 1,722 \times 0.9\%$이므로 옳은 선지이다.

※ [나눗셈을 곱셈으로 바꾸는 것은 매우 매우 중요하다.]

④ : 21년으로 넘어갈 때, 20명이 증가하였으므로 5명이
퇴사하고 25명이 입사했다.
22년으로 넘어갈 때, 19명이 증가하였으므로 5명이
퇴사하고 24명이 입사했다.
21년과 22년의 입사자 수 합은 49명이므로 틀린 선지이다.

⑤ : 매년 퇴사자 수는 5명이지만, 어느 지역에서 퇴사한 지는
알 수 없으므로 수도권 입사자 수가 두 번째로 많은 연도는
정확히 알 수 없다. 따라서 틀린 선지이다.

[남은 선지]

① : 20년으로 넘어갈 때, 32명이 증가하였지만 5명이
퇴사하였으므로, 37명이 입사한 것이다. 따라서 틀린 선지이다.

② : 매년 퇴사자 수는 5명으로 동일하므로, 전체 직원 수의
증가량이 매년 증가하는지 확인하면 된다.
32명, 20명, 19명, 6명 순으로 증가하였으므로 틀린 선지이다.

※ 옳은 문제이므로 [어려운 선지]와 [정확한 계산]에 집중한다.
이에 해당하는 선지는 ③ → ④ → ⑤ 순이다.

[02] ①

이 문제는 자료해석 세트 문항이지만, 세트에 딸린 계산문제에 가깝다.

(1) 전체적으로 23년 12월에 2,800명이었으므로,
24년 1월에 28명이 입사한 것이다. 그리고 24년 7월에 5명이
퇴사하므로 24년 12월에는 23명이 증가한다.

(2) 수도권은 23년 12월에 1,063명에서 24년 12월에 1,065명이
됐으므로 2명이 증가한 것이다.

(3) 따라서 비수도권은 24년 12월에 21명 증가한 1,758명이다.

24년 12월 전체 직원 수는 2,823명이고, 비수도권 직원 수는
1,758명이다. 따라서 $1,758 \div 2,823$을 계산해야 한다.

선지를 봤을 때, 62% 근처이므로 $2,823 \times 62\%$를 먼저 계산하는
것이 좋다.
$2,823 \times 62\% \fallingdotseq 1,750$이므로 남은 8만큼만 더 다가가면 된다.
$2,823 \times 0.3\% > 8$이므로 62.3%보다 살짝 작아야 한다.
따라서 정답은 62.27%, ①이다.

※ [자료해석 실전 비법 – 기본원칙 2] 단원 참고
$1,758 \div 2,823$을 계산하는 것이 아니라, 선지에 제시된 62%를
그대로 가져다 $2,823 \times 62\%$를 계산하는 것이 중요하다.

[03] ②

[푸는 순서]

(1) 옳지 않은 문제 → 뒷 선지 → [어려운 선지], [매년 키워드]

(2) ⑤ → ② → ③ 순으로 풀기

(3) ①은 빈칸이므로 볼 수밖에 없는 선지이긴 하다.

• 총 판매금액 = 치킨 판매량 × 한 마리 가격

[핵심 선지]

⑤ : A 치킨집의 한 마리 가격이 100원 올라가면 총 판매금액은
$1,265 \times 100 = 126,500$원 올라간다.
A 치킨집의 총 판매금액이 가장 커지므로 옳은 선지이다.

※ [차이만 살피기]로 접근하면 100원만큼만 올리면 된다.

② : C 치킨집의 치킨 판매량을 알기 위해선 ①을 알아야 한다.
㉠ = $21,613,800 \div 16,300$을 계산하면 ㉠ = 1,326마리이다.
1,326의 12.5%는 1,326의 $1 \div 8$과 같으므로 정리하면,
$1,326 \div 8 ≒ 166$이다.
$1,326 + 166 = 1,492$이므로 12.5% 증가하면 1,492이다.
하지만, B 치킨집의 치킨 판매량은 1,488이므로 틀린 선지이다.

※ [계산요령] 단원 참고, 12.5% = $1 \div 8$

③ : 앞자리는 무시하고, $613,800 - 576,000 = 37,800$이다.
따라서 옳은 선지이다.

[남은 선지]

① : 위의 ②를 구하는 과정에서 구했다. 옳은 선지이다.

④ : B 치킨집이 1,488마리로 가장 많으므로 옳은 선지이다.

※ 않은 문제이므로 [어려운 선지]와 [매년 키워드]에 집중한다.
이에 해당하는 선지는 ⑤ → ② → ③ 순이다.
특히 ⑤처럼 [조건식 선지]는 답일 확률이 높다.
(물론 이 문제는 ②가 답이긴 하다.)

[04] ⑤

[푸는 순서]

(1) 옳은 문제 → [어려운 선지], [정확한 계산]

(2) ④ → ⑤ → ② 순으로 풀기

(3) ①은 [매년 키워드]이고 쉬운 선지이므로 답일 가능성이 작다.

[핵심 선지]

④ : (어림산) 637 → 660로 될 때, 4% 이상 증가하였는가?
$23 \div 660 > 4\%$이므로 $23 > 660 \times 4\%$를 확인해야 한다.
$24 + 2.4 = 26.4$이므로 $23 > 26.4$는 틀린 선지이다.

※ [나눗셈을 곱셈으로 바꾸는 것]은 매우 매우 중요하다.

⑤ : 가평균을 5,150개로 잡고, 편차의 합이 양수인지 확인하자.

1학년	2학년	3학년	4학년	5학년	6학년	편차합
−35	−126	−199	+247	+101	+79	67

편차 합이 67이므로 평균은 5,150개 이상이고, 옳은 선지이다.

(정확한 평균은 $5,150 + \dfrac{67}{6} ≒ 5,161$건)

※ [응용수리 - 가평균] 단원 참고
평균 계산은 거의 다 가평균으로 접근하면 된다.

② : 3학년의 21년 남자 학생 수와 여자 학생 수의 차이를 보자.
눈으로만 봐도 3,269명임을 알 수 있다.
(눈풀이) 3,300명 이상인 학년들을 살피면 5학년, 6학년이다.
따라서 3학년은 최소한 세 번째로 크므로 틀린 선지이다.

[남은 선지]

① : 21년은 감-증-감-감-감, 22년은 감-감-증-감-감이므로
틀린 선지이다.

③ : 3학년은 22년 여자 학생 수가 21년 여자 학생 수보다
더 많으므로 틀린 선지이다.

※ 옳은 문제이므로 [어려운 선지]와 [정확한 계산]에 집중한다.
이에 해당하는 선지는 ④ → ⑤ → ② 순이다.

※ 한편, 이 문제는 가평균 개념이 등장한다.
가평균은 [응용수리 - 가평균] 단원을 참고

[05] ⑤

[푸는 순서]

(1) ㄱㄴㄷ합답형 → [쉬운 조건], [선지 구성 확인]

(2) ㄷ부터 풀고, 선지 소거 후 ㄹ 풀기

(3) ㄱ은 생각보다 어려운 조건이다.

• 운행 시간 = (운행 거리) ÷ (운행 시간 대비 운행 거리)

[핵심 조건]

ㄷ : E의 운행 시간은 $\dfrac{910}{33}$, A의 운행 시간은 $\dfrac{812}{30}$이다.

분모의 차이가 정확히 10%이므로 분자도 10% 올려주면

A의 운행 시간은 $\dfrac{812}{30} = \dfrac{893.2}{33}$이다.

따라서 E의 운행 시간이 더 길기에, 옳은 조건이다.

• ㄷ이 맞으므로 ①, ③, ⑤만 남았고, 다음으로 ㄹ을 봐야 한다. (ㄱ이 틀릴 거라는 가정하에, ㄴ은 볼 필요 없기에)

ㄹ : 운행 시간 대비 연료 사용량은 아래와 같다.

　• (운행 시간 대비 운행 거리) ÷ (연비)

따라서 (4열) ÷ (3열)로 생각하자.

E의 값은 $\dfrac{33}{13} = 2 + \dfrac{7}{13} ≒ 2.5$이다.

나머지 중에 2.5보다 큰 운전자는 D뿐이므로 옳은 조건이다.

• ㄷ과 ㄹ이 맞았으므로 정답은 ㄴ, ㄷ, ㄹ이다. 정답은 ⑤이다.

[남은 조건]

ㄴ : 운행 거리는 (연료 사용량) × (연비)이므로 A의 연료 사용량이 2.5배가 되면, 운행 거리가 2.5배가 된다. A의 운행 거리는 812 × 2.5 = 406 × 5 = 2,030이 된다. B의 운행 거리인 1,972보다 많아지므로 옳은 선지이다.

ㄱ : ㄷ을 정리한 후에 ㄱ을 확인하면, 운행 시간은 E > A이므로 틀린 선지임을 알 수 있다. (정확히 풀기 위해선, (2열) ÷ (4열)의 값을 비교해야 한다.)

※ ㄱㄴㄷ합답형 문제이므로 [쉬운 조건]과 [선지 구성]에 집중한다. 가장 쉬운 ㄷ부터 풀고, ②, ④를 소거 후 ㄱ, ㄴ, ㄹ 중에 유력한 ㄹ을 선택한다.

---

[06] ④

[푸는 순서]

(1) 옳은 문제 → [어려운 선지], [정확한 계산]

(2) ④ → ① → ③ 순으로 풀기

(3) ②는 틀린 선지로 유력하다.

[핵심 선지]

④ : 40~60분 미만 고객 수는 총 283명이고, 20대는 40명이다.

40 ÷ 283 < 15%이므로 40 < 283 × 15%를 확인해야 한다.

283 × 15% ≒ 141 × 30% ≒ 42이다.

40 < 42이므로 옳은 선지이다.

※ [나눗셈을 곱셈으로 바꾸는 것]은 매우 매우 중요하다.

① : 20~40분 미만 고객 수는 251명이고, 10대 이하는 27명이다. 따라서 10대 이하를 제외하면 총 224명이므로 틀린 선지이다.

③ : 10대 이하 외엔 전부 증가하다가 감소하므로 틀린 선지이다.

[남은 선지]

⑤ : 30대 이하 고객 수는 82 + 125 + 139이고, 40대 이상 고객 수는 180 + 150 + 64이다. 대충 봐도 40대 이상 고객 수가 더 많으므로 틀린 선지이다.

② : 60대 이상에서 감소하므로 틀린 선지이다.

※ 옳은 문제이므로 [어려운 선지]와 [정확한 계산]에 집중한다. 이에 해당하는 선지는 ④ → ① → ③ 순이다.

[07] ①

ㄴ 보기가 특히 어려운 조건이다.

전체 고객 수 = (40대 이하 고객 수) + (50대 이상 고객 수)
라는 것을 파악해야 풀 수 있다.

[푸는 순서]

(1) ㄱㄴㄷ합답형 → [쉬운 조건], [선지 구성 확인]

(2) ㄷ부터 풀고, 선지 소거 후 ㄴ, ㄱ 순으로 풀기

(3) ㄴ은 어려운 선지지만 잘 파악하면 간단히 풀 수 있다.

(4) ㄹ은 귀찮은 선지이므로 가장 늦게 푸는 것이 좋다.

[핵심 조건]

ㄷ : 40분 미만 고객 수는 404명이고, 남성 고객 수는 210명이다.

$210 \div 404 > 55\%$이므로 $210 > 404 \times 55\%$를 확인해야 한다.

$404 \times 55\% = 202 + 20.2 = 222.2$이다.

$210 > 222.2$이므로 틀린 선지이다.

※ [나눗셈을 곱셈으로 바꾸는 것]은 매우 매우 중요하다.

• ㄷ이 틀렸으므로 ①, ②, ④만 남았고, 다음으로 ㄴ을 보자.
  (ㄹ은 너무 귀찮은 조건으로 보이기 때문이다.)

ㄴ : 40~60분 미만 남성 고객 수는 146명이므로 아래와 같다.
  • 146명 = (40대 이하 고객 수) + (50대 이상 고객 수)
  • (40대 이하 고객 수) = 146명 − (50대 이상 고객 수)

좌변이 최소가 되기 위해선 (50대 이상 고객 수)는 최대가
되어야 한다. 즉, 40~60분 미만 (50대 이상 고객 수)인
99명을 전부 남성으로 몰아주면 **최소가 47명**임을 알 수 있다.
따라서 ㄴ은 옳은 선지이다.

ㄱ : $\dfrac{355}{385}$ = 92%인지 확인해야 한다.

조건에 92%가 제시됐으므로 90%를 바로 곱하는 것이 좋다.
우선 $385 \times 90\%$부터 확인하면, $385 \times 90\% = 346.5$이다.
다음으로 8.5만큼만 더 채워주면 355이다.

$385 \times 2\% = 7.7$이므로 92%가 맞고, 옳은 선지이다.
($385 \times 92\% = 346.5 + 7.7 = 354.2$라는 의미이다.)

※ [자료해석 실전 비법 – 기본원칙 2] 단원 참고
  $355 \div 385$를 계산하는 것이 아니라, 선지에 제시된 92%를
  그대로 가져다 $385 \times (90\% + 2\%)$를 계산하는 것이 중요하다.

[남은 조건]

ㄹ : (52+43+10) + (53+89+15) + (48+68+16) + (23+31+2)
  = 105 + 157 + 132 + 56 = 450이므로 틀린 조건이다.

※ ㄱㄴㄷ합답형 문제이므로 [쉬운 조건]과 [선지 구성]에
  집중한다. ㄷ부터 풀고, ③, ⑤를 소거 후
  ㄱ, ㄴ, ㄹ 중에 유력한 ㄴ을 선택한다.

[08] ⑤

[푸는 순서]

(1) 옳지 않은 문제 → 뒷 선지 → [어려운 선지], [매년 키워드]

(2) ③ → ⑤ → ② 순으로 풀기

[핵심 선지]

③ : 분수 비교이고, D를 물었으므로 D를 기준으로 생각하자.

분모가 220~240으로 비슷한 A~D 학원부터 보자.

(C의 분자와 분모를 10%씩 올려주면 약 $\dfrac{66}{220}$이 된다.)

분모가 비슷해진 상황에서 분자가 가장 큰 B가 가장 크고,
D가 두 번째로 크므로 옳은 선지이다.

(기타 학원의 경우엔 분자와 분모를 3배만큼 올리면 $\dfrac{84}{264}$)

⑤ : 기타 학원을 제외한 전체 학생 수는 912명이다.

$340 \div 912 > 38\%$이므로 $340 > 912 \times 38\%$를 확인하자.

$912 \times 38\% = 912 \times (40\% - 2\%) = 365 - 18 = 347$이다.

$340 > 347$이므로 틀린 선지이다.

※ [나눗셈을 곱셈으로 바꾸는 것]은 매우 매우 중요하다.

② : 1학년은 210명이고, D학원은 45명이다.

$45 \div 210 > 20\%$이므로 $45 > 210 \times 20\%$를 확인하자.

$45 > 42$이므로 옳은 선지이다.

※ [나눗셈을 곱셈으로 바꾸는 것]은 매우 매우 중요하다.

[남은 선지]

① : 3학년은 430명이고, C학원은 198명이므로 252명 차이난다.
  따라서 옳은 선지이다.

④ : 모든 학원에서 3학년이 가장 많으므로 옳은 선지이다.

※ 않은 문제이므로 [어려운 선지]와 [매년 키워드]에 집중한다.
  이에 해당하는 선지는 ③ → ⑤ → ② 순이다.
  특히 ③, ⑤처럼 [어려운 선지]는 답일 확률이 높다.

[09] ④

[푸는 순서]

(1) 옳지 않은 문제 → 뒷 선지 → [어려운 선지], [매년 키워드]

(2) ② → ③ → ④ 순으로 풀기

[핵심 선지]

② : 1월 검거 건수 대비 4월 검거 건수가 가장 큰 연도는
　계산할 필요도 없이 2023년이 맞으므로 옳은 선지이다.
　(2023년은 거의 2배에 가까운 수준이다.)

③ : 눈으로만 봐도 2월만 신경 쓰면 된다.
　2월은 3,200건 + 19건 차이나므로 매월 3,200건 이상이 맞다.
　따라서 옳은 선지이다.

④ : 70%는 (100% − 30%) 또는 ×70%로 생각할 수 있다.
　70%로 생각하면 아래와 같다.
　1월 : 약 (142 × 7) 〉 975　← O
　2월 : 약 (111 × 7) 〈 833　← X
　3월 : 약 (141 × 7) 〈 1,042　← X
　4월 : 약 (155 × 7) 〈 1,215　← X
　5월 : 약 (152 × 7) 〈 1,195　← X
　6월 : 약 (158 × 7) 〈 1,174　← X
　따라서 70% 미만인 월은 1개이므로 틀린 선지이다.

[남은 선지]

① : 문제에서 제시된 6월부터 보면 약 5,400건이다.
　(눈풀이) 3월만 보면 된다. 5,000건 미만 증가하였으므로
　가장 큰 월은 6월이 맞고, 옳은 선지이다.

⑤ : 4개 월을 더해야 하므로 2개씩 더하면 아래와 같다.
　(8,594 + 12,829) + (14,816 + 12,668)
　= (21,423) + (27,484) = 48,907건이므로 옳은 선지이다.

※ 않은 문제이므로 [어려운 선지]와 [매년 키워드]에 집중한다.
　이에 해당하는 선지는 ③ → ⑤ → ② 순이다.
　특히 ③, ⑤처럼 [어려운 선지]는 답일 확률이 높다.

---

[10] ②

[푸는 순서]

(1) 그래프+않은 문제 → [2~4번 집중], [응용자료 집중]

(2) ② → ④ → ③ 순으로 풀기

(3) ②는 응용자료 중에서도 복잡한 편차의 절댓값이다.

(4) 증감 추세부터 확인 후, 정확한 값 비교

· 편차 : 평균과의 차이

[핵심 선지]

② : 편차의 절댓값을 계산해야 하므로 응용자료이다.
　편차란 평균과의 차이이므로 3월이 평균에 가까운지부터
　확인해야 한다. 3월을 가평균으로 잡으면 아래와 같다.

1월	2월	3월	4월	5월	6월	편차합
−38	−27	0	+17	−2	+51	1
ㅣ38ㅣ	ㅣ27ㅣ	0	ㅣ17ㅣ	ㅣ2ㅣ	ㅣ51ㅣ	1

　따라서 평균은 3월에 가까운 것이 맞고, 절댓값을 씌우면
　6월이 압도적으로 크고, 1월이 다음으로 커야 한다.
　하지만, 그래프는 2월과 6월이 가장 크므로 틀린 선지이다.

④ : 기초자료끼리의 차이를 묻는 선지이므로 응용자료이다.
　우선 증감 추세부터 확인하면, 감-중-감-감-중이다.
　증감 추세를 바로 확인하기 힘들기에 계산도 같이하자.
　가로 선을 확인하면서 아래와 같이 눈대중으로 계산하자.

　1~3월 : "45, 28, 37... 맞네!"
　4~6월 : "34, 32, 41... 맞네!"
　따라서 옳은 선지이다.

③ : 증감량이지만 정확한 값을 제시하여 까다로운 응용자료이다.
　우선 증감 추세부터 확인하면, 중-감-감-중이다.
　증감 추세를 바로 확인하기 힘들기에 계산도 같이하자.
　특히 정확한 값을 제시하였으므로 정확히 봐야 한다.
　(하나씩 눈으로 빠르게 계산하자.)
　2,641 / 4,537 / 3,171 / 2,306 / 7,047이므로 옳은 선지이다.

[남은 선지]

① : 연도별로 증가-감소이고, 5월은 21년 〉 23년이므로
　옳은 선지이다.

※ [공부법 − 자료해석 그래프 유형 접근법] 단원 참고
※ 그래프 문제는 옳은 선지보다 틀린 선지를 찾는 것이
　훨씬 쉽고 빠르다. 따라서 최대한 증감 추세와 핵심 항목의
　값을 보는 게 좋다. (핵심 항목에서 틀리게 내기 때문)

응용수리 : 가중평균 한줄풀이 해설

[빈칸 채우기]

[빈칸 채우기 1] 한줄풀이

$x \times (300) = 16 \times (100) + 10 \times (200)$

$x = (12)\%$

※ 좌변에는 전체농도 × (전체소금물), 우변에는 각각의
농도 × (소금물)을 쓰면 된다.

[빈칸 채우기 1] 그림풀이

	X차이		Y차이	
10%		결과%		16%
(200)		(300)		(100)

(X차이) × (200) = (Y차이) × (100)

$x = (12)\%$

※ X차이 + Y차이가 6%이고, X차이 : Y차이 = 1 : 2이므로
X차이 = 2%, Y차이 = 4%이다.

[빈칸 채우기 2] 한줄풀이

$\dfrac{\text{현년인원수(B)}}{\text{(전년인원수)(A)}}$, (전년인원수)(A)

(현년인원수)(B)

$(200) \times 100 = 12 \times (x) - 8 \times (2{,}000-x)$

$x = (1{,}800)$명

※ [가중평균 한줄풀이의 심화 분석] 참고.
여기서 말하는 200명이 현년인원수(B)이므로 소금물로 치면
소금의 양과 같다. 따라서 그대로 가져온 후 100을 곱하면 된다.

[예문]

1.	⑤	3.	④
2.	①	4.	④

[문항1] ⑤

한줄풀이 : $8(x+200) = 10(x) + 2(200)$

$x = 600\text{g}$

※ 좌변에는 전체농도 × (전체소금물), 우변에는 각각의
농도 × (소금물)을 쓰면 된다.

[문항2] ①

한줄풀이 : $3(600) = 5(400-x) + 0(x) + 4(200)$

$x = 200\text{g}$

※ 좌변에는 전체농도 × (전체소금물), 우변에는 각각의
농도 × (소금물)을 쓰면 된다.

[문항3] ④

한줄풀이 : $4(500) = 10(x) - 10 \times 100$

$x = 300$명

올해 남자 : 330명

올해 여자 : 190명

※ 헷갈리면 소금물로 비유해서 익숙해지자.
증가율이 농도이고, 작년 인구수가 소금물의 양이다.
따라서 한줄풀이의 x는 작년 남자 인구수이다.
올해 인구수를 구하려면 증감을 적용해야 한다.

[문항4] ④

한줄풀이 : $m_{전체}(50) = m_{합격}(30) + m_{불합}(20)$

$x = (m_{전체}-5) = (m_{합격}-15) = (2m_{불합}-40)$

위를 정리하여 대입하면, $x = 60$점

※ 일단 한줄풀이 형식으로 써놓고 생각하면 쉽다.
※ 최저 합격점수는 기준이 되는 어떤 미지수 x일 뿐이다.
다른 의미를 부여할 필요는 없다.

[실전]

1.	②	5.	①
2.	③	6.	③
3.	①	7.	④
4.	⑤	8.	④

---

[01] ②

한줄풀이 : $10(200) = 12(150) + x(50)$

$x = 4\%$

---

[02] ③

한줄풀이 : $5(x+200) = 15(x) + 0(200)$

$x = 100g$

---

[03] ①

한줄풀이 : $25(100+2x) = x(100) + 100(2x)$

$x = 10$

---

[04] ⑤

한줄풀이 : $60(50) = 68(10) + x(40)$

$x = 58$점

---

[05] ①

한줄풀이 : $-14 \times 100 = 5(200-x) - 10(x)$

$x = 160$명, 이번 달 여학생 수 : 144명

※ 헷갈리면 소금물로 비유해서 익숙해지자.

증가율이 농도이고, 지난달 학생 수가 소금물의 양이다.

따라서 한줄풀이의 x는 지난달 여학생 수다.

이번 달 여학생 수를 구하려면 증감을 적용해야 한다.

---

[06] ③

한줄풀이 : $(127 - (x+y)) \times 100 = 20(x) + 10(y)$

$x = y + 10$이므로 정리하면

한줄풀이 : $(117-2y) \times 100 = 20(y+10) + 10(y)$

$y = 50$개

※ 좌변에는 [전체증가량 $\times$ 100]이 되어야 한다.

작년에는 $(x+y)$개, 올해는 127개이므로

전체증가량은 $127 - (x+y)$개다.

---

[07] – 한줄풀이 ④

한줄풀이 : $x(10+N) = 2(10) + 4(N)$

$N = \dfrac{10x-20}{4-x}$이다.

x가 증가할수록 N은 증가하므로 x를 최솟값으로 잡아야 한다.

$x \geq 3.2$이므로 $x = 3.2$이고 정답은 N = 15개

---

[07] – 그림풀이 ④

	1.2kg		0.8kg	
2kg		3.2kg $\longrightarrow$		4kg
(10)		(10+N)		(N)

$(1.2) \times (10) = (0.8) \times (N)$에서 전체 평균 무게가 3.2kg

이상이므로 옆으로 밀린다고 생각하면 아래처럼 정리할 수 있다.

$(1.2+k) \times (10) = (0.8-k) \times (N)$

$N = \dfrac{12+10k}{0.8-k}$이다.

k가 증가할수록 N은 증가하므로 $k = 0$으로 잡아야 한다.

정답은 N = 15개

---

[08] – 한줄풀이 ④

한줄풀이 : $x(18) = 10(12) + n(6)$

$n = 3x - 20$이다.

여기서 $8 \leq x \leq 9$이므로 정리하면 $4 \leq n \leq 7$이다.

정답은 $4 + 5 + 6 + 7 = 22$이다.

---

[08] – 그림풀이 ④

	X차이		Y차이	
10점		x점		n점
(12)		(18)		(6)

$(10) \times (X차이) = (n) \times (Y차이)$로 둘 수 있다.

여기서 X차이 : Y차이 = $1 : 2$이다.

여기서 $8 \leq x \leq 9$이므로

$x = 8$로 두면, X차이 = 2, Y차이 = 4이다. $\cdots$ $n = 4$점

$x = 9$로 두면, X차이 = 1, Y차이 = 2이다. $\cdots$ $n = 7$점

$4 \leq n \leq 7$이므로 정답은 $4 + 5 + 6 + 7 = 22$이다.

응용수리 : 소금물 완성(가중평균) 해설

[빈칸 채우기]

[빈칸 채우기 1] 한줄풀이

소금물을 퍼내는 과정에서는 (농도)가 변하지 않으므로

$x \times (250) = 12 \times (150) + 7 \times (100)$

$x = (10)\%$

※ 좌변에는 전체농도 × (전체소금물), 우변에는 각각의
농도 × (소금물)을 쓰면 된다.

[빈칸 채우기 1] 그림풀이

	X차이		Y차이	
	7%	결과%		12%
	(100)	(250)		(150)

(X차이) × (100) = (Y차이) × (150)

$x = (10)\%$

※ X차이 + Y차이가 5%이고, X차이 : Y차이 = 3 : 2이므로
X차이 = 3%, Y차이 = 2%이다.

[빈칸 채우기 2] 한줄풀이

공식 〈1〉을 사용하면 $x \times$ (소금물$_S$) = (15) × (300)
공식 〈2〉를 사용하면 $x \times$ (소금물$_S$) = (45) × (100)
(소금물$_S$)의 양은 [300g - (200)g]

$x = (45)\%$

※ [소금물 완성의 공식 〈1〉과 〈2〉] 참고

[예문]

1.	⑤	5.	③
2.	①	6.	③
3.	②	7.	④
4.	②	8.	⑤

[문항1] ⑤

한줄풀이 : $x(300) = 6(100) + 9(200)$ $x = 8\%$

[문항2] ①

한줄풀이 : $10(x+100) = 12(x) + 0(100)$ $x = 500$g

[문항3] ②

한줄풀이 : $40(250) = x(20ㄴ0) + 100(50)$ $x = 25\%$

[문항4] ②

한줄풀이 : $12(x-50) = 8(x)$ $x = 150$g

※ [증발]은 농도 × 소금물, $8x$로 바로 표현 가능

[문항5] ③

한줄풀이 : $4(x-100) = 12(x-150) + 0(50)$ $x = 175$g

[문항6] ③

한줄풀이 : $25(300) = 20(300) + 10(x)$ $x = 150$g

※ [증발]은 농도 × 소금물, 6,000으로 바로 표현 가능.

[문항7] ④

한줄풀이 : $8(600) = 10(x) + 5(2y) + 0(3y)$

소금물의 양이 $x + 2y + 3y = 600$이므로 $y = 120 - \dfrac{x}{5}$ 이다.

따라서 $x = 450$g

[문항8] ⑤

한줄풀이 : 농도$(y+z)$ = xy + $x(2z)$

농도 = $\dfrac{xy + 2xz}{y + z}$%

※ [소금물 완성의 공식 〈2〉]를 참고

※ [증발]은 농도×소금물 xy로 바로 표현 가능.

---

[07] ②

A 한줄풀이 : 농도$_\text{A}$(100) = $300x$

B 한줄풀이 : 농도$_\text{B}$(500) = $300x$ + $0(200)$

농도$_\text{A}$ = $3x$, 농도$_\text{B}$ = $\dfrac{3}{5}x$

따라서 $\dfrac{12}{5}x$ = 12%이므로 x = 5%

---

[08] ④

한줄풀이(1) : 농도$_\text{C}(x+y)$ = $10(x)$ + $20(y)$

한줄풀이(2) : 농도$(x+y-z)$ = 농도$_\text{C}(x+y)$

정답은 농도 = $\dfrac{10x + 20y}{x + y - z}$%

※ [증발] 공식을 통해 농도$_\text{C}(x+y)$를 구하고, 그 결과를 증발시키므로 그대로 따오면 된다.

[실전]

1.	④	5.	③
2.	①	6.	④
3.	①	7.	②
4.	⑤	8.	④

---

[01] ④

한줄풀이 : $9(350)$ = $6(200)$ + $x(150)$　　　x = 13%

---

[02] ①

한줄풀이 : $10(300)$ = $12(300-x)$ + $6(x)$　　　x = 100g

---

[03] ①

한줄풀이 : $5(300)$ = $x(250)$ + $0(50)$　　　x = 6%

---

[04] ⑤

한줄풀이 : $40(200+x)$ = $7(200)$ + $100(x)$　　　x = 110g

---

[05] ③

한줄풀이 : $18(x-100)$ = $14(x)$　　　x = 450g

※ [증발]은 농도 × 소금물, $14(x)$로 바로 표현 가능.

---

[06] ④

한줄풀이 : 농도(y) = xy + $100(1)$

농도 = $x + \dfrac{100}{y}$%

응용수리 : 거속시 완성 해설

[빈칸 채우기]

[빈칸 채우기 1]

$V_1 : V_2 = (8) : (5)$이다. 식을 세우면 $8 : 5 = (T_2) : (T_1)$

전체 시간이 65초이므로 갈 때는 (25)초, 올 때는 (40)초이다.

따라서 $L = 8 \times (25) = 5 \times (40)$

$2L = (400)$m이다.

 ※ [왕복]이므로 속력 비의 역수가 시간 비

[빈칸 채우기 2]

2명 동시운동이면서 서로 반대 방향으로 달리므로

속도를 (더해야) 된다.

철수만 달린다고 가정하면, $V_C = (5)$m/s이다.

따라서 $T = (100)$초이다.

 ※ [동시운동] 이므로 상대속도로 접근

[예문]

1.	②	5.	⑤
2.	①	6.	②
3.	②	7.	③
4.	④	8.	②

[문항1] ②

[왕복]이므로 비례식으로 접근하자.

$L = 3 \times T_1 = 5 \times T_2$이므로 $T_1 : T_2 = 5 : 3$이다.

$T_1 + T_2 = 4$시간이므로 $T_1 = \dfrac{5}{2}$시간, $T_2 = \dfrac{3}{2}$시간

$L = 3 \times \dfrac{5}{2} = 5 \times \dfrac{3}{2} = 7.5$km

[문항2] ①

[강물]은 왕복과 비슷하므로 비례식으로 접근하자.

$24 = V_1 \times 6 = V_2 \times 4$이므로 $V_1 = 4$, $V_2 = 6$이다.

따라서 배의 속도는 5m/s, 강의 속도는 1m/s이다.

 ※ [배의 속도] $= \dfrac{|V_1 + V_2|}{2}$, [강의 속도] $= \dfrac{|V_1 - V_2|}{2}$

[문항3] ②

일반적인 거속시 문제이므로 [한줄풀이]로 접근하자.

$$32 = \begin{cases} 2 \times T_1 + 5 \times T_2 \\ \quad // \qquad // \\ \quad 12 \ + \ 20 \end{cases}$$

$T_1 = 6$, $T_2 = 4$이므로 전체 시간은 10시간이다.

$32 = V_T \times 10$이므로 $V_T = 3.2$km/h이다.

 ※ 속도가 바뀔 때마다 [+]로 분기를 나눠주자.

[문항4] ④

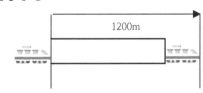

$1200 = 50 \times T$이므로 $T = 24$초

 ※ [기차운동]은 맨 앞부분만 집중하면 된다.

[문항5] ⑤

$100 = 10 \times T$

$T = 10$초

※ [동시운동] 이므로 상대속도로 접근

[문항6] ②

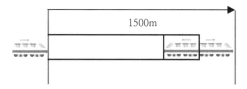

1500m

기차가 2개이므로 동시운동이다.

하나를 벽으로 취급하고 상대속도로 접근하자.

$1500 = 150 \times T$

$T = 10$초

※ [기차운동]은 맨 앞부분만 집중하면 된다.

[문항7] ③

30초는 A 혼자 운동하고 이후에는 [동시운동] 하므로

30초 이후부터 동시운동 적용하자.

30초에 A와 B의 거리가 180m이므로

$180 = 18 \times T$

$T = 10$초

B가 A를 만난 후에 다시 같은 거리를 돌아오므로

전체 걸린 시간은 20초이다.

※ 30초 이후부터 [동시운동] 이므로 상대속도로 접근

[문항8] ②

$400 = 80 \times T$

$T = 5$초

60초 동안 달리면, 5초마다 만나므로 총 12번 만난다.

※ [동시운동] 이므로 상대속도로 접근

[실전]

1.	③	5.	⑤
2.	⑤	6.	④
3.	③	7.	①
4.	①	8.	⑤

---

[01] ③

같은 거리를 다른 속도로 이동하므로 [왕복]과 같다.

$400 = x \times T = (x \times \dfrac{6}{10}) \times (T \times \dfrac{10}{6})$

즉, $\dfrac{10}{6} T = T + 100$이므로 $T = 150$초이다.

따라서 $400 = x \times 150$이므로 $x = \dfrac{8}{3}$m/s이다.

---

[02] ⑤

정중앙에서 속도가 바뀌므로 [왕복]과 같다.

$\dfrac{L}{2} = 80 \times T_1 = 60 \times T_2$

$T_1 : T_2 = 3 : 4$이고, $T_1 + T_2 = \dfrac{7}{2}$이므로

$T_1 = \dfrac{3}{2}$, $T_2 = 2$이다.

따라서 $\dfrac{L}{2} = 120$km이고, $L = 240$km이다.

---

[03] ③

150m 지점에서 뒤로 돌아갔지만, 속도는 유지됐고

사원증을 챙긴 후에 속도가 바뀌었다.

따라서 속도는 1번 변했으므로 [+]는 1번 등장해야 한다.

L	300	500		
V	3	10		
T	T_1	T_2	$\cdots$	$T_1 : T_2 = 100 : 50$

따라서 $T_1 + T_2 = 150$초이다.

[04] ①

[강물]은 왕복과 비슷하므로 비례식으로 접근하자.

$L = V_1 \times 10 = V_2 \times 8$이므로 $V_1 = \dfrac{L}{10}$, $V_2 = \dfrac{L}{8}$

배의 속도는 $\dfrac{9}{80} L$(m/s), 강의 속도는 $\dfrac{1}{80} L$(m/s)이다.

※ 배의 속도 = $| V_1 + V_2 | \div 2$

※ 강의 속도 = $| V_1 - V_2 | \div 2$

[05] ⑤

기차가 2개이므로 동시운동이다.
하나를 벽으로 취급하고 상대속도로 접근하자.

1800m

$1800 = 45 \times T$

$T = 40$초

※ [기차운동]은 맨 앞부분만 집중하면 된다.

[06] ④

[05]와 동일한 접근

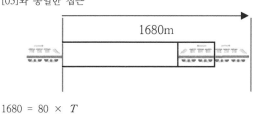

1680m

$1680 = 80 \times T$

$T = 21$초

[07] ①

철수가 이동한 거리는 $(600 + L)$m이고,
영희가 이동한 거리는 $(600 - L)$m이다.

(1) $600 + L = (V + 1) \times 80$

(2) $600 - L = V \times 80$

따라서 $2L = 80$이므로 $L = 40$m이다.

※ 계산은 간단하지만, 상황에 대한 이해가 필요하다.
철수가 먼저 600m를 이동한 후 Lm만큼 되돌아가서
만났으므로, 영희는 600m보다 Lm만큼 못 간 것이다.

[08] ⑤

$400 = 40 \times T$

$T = 10$초

7번 만나려면 70초가 걸린다.
여기서 70초 후의 거리를 물었으므로 지금부터는
상대속도 개념을 빼야 한다.
철수가 25m/s로 70초 달리면, 1750m 이동 (1600 + 150)
영희가 15m/s로 70초 달리면, 1050m 이동 (1200 - 150)
둘 다 출발점에서 150m 떨어진 거리에 위치한다.

※ [동시운동] 이므로 상대속도로 접근

※ 단, 정확한 거리를 물었으므로 앞에서 구한 시간을
실제 속도에 곱해줘야 한다.

응용수리 : 일률 완성 해설

[빈칸 채우기]

[빈칸 채우기 1]

6과 2와 3의 (공배수)인 6을 일량으로 잡자.

A펌프는 (1)m/s, B펌프는 (3), C구멍은 (-2)이다.

$6 = (V_A + V_B + V_C) \times T = (1+3-2) \times T = (2) \times T$

$T = (3)$시간

[예문]

1.	①	3.	③
2.	③	4.	④

[문항1] ①

(1) 3과 4의 공배수인 12를 일량으로 잡자.

(2) $V_{철수} = 4$, $V_{영희} = 3$

(3) $12 = 7 \times T$ $T = \dfrac{12}{7}$

※ 전체 일량을 12로 잡았고, 철수와 영희의 속도 합이 7이므로 (3)의 식이 세워진다.

[문항2] ③

(1) 20과 15와 10의 공배수인 60을 일량으로 잡자.

(2) $V_A = 3$, $V_B = 4$, $V_C = -6$

(3) $60 = (3+4-6)T = T$ $T = 60$분

※ 전체 일량을 60으로 잡았고, 세 속도의 합이 1이므로 (3)의 식이 세워진다.

[문항3] ③

(1) 15와 5의 공배수인 15를 일량으로 잡자.

(2) $V_A = 1$, $V_B = 3$

(3) $15 = (4 \times T) + (3 \times 3)$ $T = 1.5$일

[문항4] ④

(1) 9와 5의 공배수인 45를 일량으로 잡자.

(2) $V_A = 5$, $V_B = 9$

(3) $45 = (9 \times T_1) + (5 \times T_2)$

$2 \le T_1 + T_2 \le 6$이고, T_1을 최솟값으로 잡아야 한다.

식을 정리하면 $45 = 4T_1 + 5(T_1 + T_2)$이고,

$4T_1 + 10 \le 45 \le 4T_1 + 30$이다.

따라서 $15 \le 4T_1 \le 35$이므로 최솟값은 4일이다.

※ (3) 식에서 대입으로 풀어도 된다.

[실전]

1.	⑤	3.	②
2.	④	4.	③

---

[01] ⑤

(1) 6과 4의 공배수인 12를 일량으로 잡자.

(2) $V_{철수} = 2$, $V_{철수} + V_{영희} = 3 \rightarrow V_{영희} = 1$

(3) $12 = 1 \times T$ $T = 12$일

※ 전체 일량을 12로 잡았고, 영희의 속도가 1이므로
(3)의 식이 세워진다.

---

[02] ④

(1) 6과 4와 5의 공배수인 60을 일량으로 잡자.

(2) $V_A = 10$, $V_A + V_B = 15$, $V_{B+C} = 12$

   $\rightarrow V_B = 5$, $V_C = 7$

(3) $60 = (V_A + V_C)T = 17T$ $T = \dfrac{60}{17}$일

※ 전체 일량을 60으로 잡았고, A와 C의 속도 합이 17이므로
(3)의 식이 세워진다.

---

[03] ②

(1) 30과 20과 15의 공배수인 60을 일량으로 잡자.

(2) $V_A = 2$, $V_B = 3$, $V_C = -4$

(3) $30 = (V_A + V_B)T_1 = 5T_1$ $\cdots$ $T_1 = 6$분

(4) $30 = (V_A + V_B + V_C)T_2 = T_2$ $\cdots$ $T_2 = 30$분

따라서 정답은 $T_1 + T_2 = 36$분

---

[04] ③

(1) 3과 4의 공배수인 12를 일량으로 잡자.

(2) $V_{철수} = 4$, $V_{영희} = 3 \rightarrow V_{철수'} = 5$, $V_{영희'} = 4.5$

(3) $12 = (V_{철수'} + V_{영희'}) \times 1 + V_{철수} \times T$

(4) $12 = (9.5 \times 1) + (4 \times T)$ $T = \dfrac{5}{8}$일

따라서 전체 걸린 일수는 $1 + \dfrac{5}{8}$일이고,

$\dfrac{5}{8}$일은 $\dfrac{15}{24}$일이므로 시간으로 환산하면 15시간이다.

응용수리 : 경우의 수와 확률 해설

[빈칸 채우기]

[빈칸 채우기 1]

사원 3명이 서로 이웃하지 않아야 하므로
(과장과 대리)를 먼저 놓고 그 사이사이에 (사원)을 놓으면 된다.
(과장과 대리)끼리 자리 바꾸는 경우를 생각하면 (3)!
(사원)이 놓일 수 있는 자리는 총 $_4C_3$가지,
자리 바꾸는 경우는 (3)!이므로
정답은 $_4C_3$ × (3)! × (3)! = 144가지

※ 사원이 놓일 수 있는 자리는 $_4C_3$가지로 봐야 한다.

[빈칸 채우기 2]

여자 A를 먼저 놓으면, 남은 여자 B가 앉을 수 있는 자리는
(2)자리 뿐이다.
여기서 여자끼리 자리를 바꾸는 건 회전했을 때 같으므로
(무시)한다.
그리고 남은 모든 자리는 남자 3명이 앉으면 되므로
정답은 (2) × (3)! = 12가지

※ 여자 A 입장에서 여자 B는 오른쪽으로 1칸 떨어져 있거나,
오른쪽으로 2칸 떨어져 있는 2가지 경우밖에 없다.

[예문]

1-1.	1,440가지	4-1.	192가지
1-2.	1,440가지	4-2.	72가지
2-1.	60가지	5-1.	28가지
2-2.	12가지	5-2.	10가지
3-1.	1 × 29!	6-1.	$\frac{1}{2}$
3-2.	10 × 29!	6-2.	$\frac{3}{8}$
3-3.	3 × 29!		

[문항1-1] 1,440가지

여자 3명이 서로 이웃하지 않도록 나열해야 하므로
남자 4명을 먼저 놓고 나열하면 된다.
(1) 따라서 남자를 나열하는 경우의 수는 4!이다.
그리고 여자를 남자 사이사이에 놓아야 한다.
(2) 자리 고르기 $_5C_3$ = 10과 여자끼리 나열하는 3!
따라서 정답은 $_5C_3$ × 3! × 4! = 1,440가지

[문항1-2] 1,440가지

먼저 양 끝에 놓일 남자를 2명 선정하고
2명끼리 자리 바꾸는 경우도 고려해야 한다.
다음으로 남은 5명을 자유롭게 나열하면 된다.
따라서 정답은 $_4C_2$ × 2! × 5! = 1,440가지

[문항2-1] 60가지

문자열 "aaabnn"의 배열을 바꿔서 단어를 만드는 경우의
수이므로 [같은 것을 포함한 순열]이다.
모든 알파벳을 다르게 생각하면 단순하게 6!이지만
aaa와 nn은 같은 알파벳이므로 순서를 바꿔도 똑같다.
따라서 정답은 $\frac{6!}{3!2!1!}$ = 60가지

[문항2-2] 12가지

n 바로 뒤에 a가 오게 하려면 "na"를 하나의 알파벳으로
취급해야 한다.
따라서 이 문제는 "na", "na", "a", "b"를 나열하는 것과 같다.
[같은 것을 포함한 순열]에서 "na", "na"는 같은 알파벳이므로
순서를 비꿔도 똑같다.
따라서 정답은 $\frac{4!}{2!1!1!}$ = 12가지

[문항3-1] 1 × 29!가지

30명이 원탁에 앉으므로 원순열이다.

원순열은 [순서대로 놓기]로 풀 수 있다.

원탁에 첫 번째로 앉는 사람은 어디에 앉든 같으므로

1가지 경우의 수가 존재한다.

다음부터 앉는 29명은 모든 자리에 대한 경우의 수가

적용되므로 정답은 1 × 29!가지

[문항3-2] 10 × 29!가지

30명이 정삼각형 탁자에 앉으므로 원순열이다.

원순열은 [순서대로 놓기]로 풀 수 있다.

정삼각형 탁자에 첫 번째로 앉는 사람은 한 변에 대하여

왼쪽 꼭짓점으로부터 한 칸, 두 칸, 세 칸, ⋯, 열 칸까지

앉을 수 있다.

즉, 10가지 경우의 수가 존재한다.

다음부터 앉는 29명은 모든 자리에 대한 경우의 수가

적용되므로 정답은 10 × 29!가지

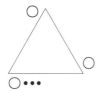

[문항3-3] 3 × 29!가지

30명이 정십각형 탁자에 앉으므로 원순열이다.

원순열은 [순서대로 놓기]로 풀 수 있다.

정십각형 탁자에 첫 번째로 앉는 사람은 한 변에

대하여 왼쪽 꼭짓점으로부터 한 칸, 두 칸, 세 칸까지

앉을 수 있다. 즉, 3가지 경우의 수가 존재한다.

다음부터 앉는 29명은 모든 자리에 대한 경우의 수가

적용되므로 정답은 3 × 29!가지

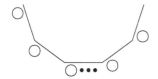

[문항4-1] 192가지

색칠하기는 [가장 영향력이 큰 곳부터] 채워야 한다.

1층 2번, 2층 1번, 2층 2번이 가장 영향력이 크다.

(1) 1층 2번에 먼저 놓으면 모든 색이 가능하므로 4가지

(2) 다음으로 2층 1번에 놓으면 3가지

(3) 다음으로 2층 2번에 놓으면 2가지

(4) 나머지 위치는 전부 2가지

따라서 정답은 4 × 3 × 2^4 = 192가지

[문항4-2] 72가지

색칠하기는 [가장 영향력이 큰 곳부터] 채워야 한다.

삼각형 내부에 있는 작은 부채꼴이 가장 영향력이 크다.

(1) 왼쪽 부채꼴에 먼저 놓으면 모든 색이 가능하므로 3가지

(2) 다음으로 위쪽 부채꼴에 놓으면 2가지

(3) 다음으로 아래쪽 부채꼴에 놓으면 1가지

여기서 다음으로 오른쪽 부채꼴에 놓으면 아래 [그림]과 같은

문제가 생긴다.

큰 부채꼴끼리 색이 다르면 오른쪽 부채꼴에는

1가지만 가능하고, 색이 같으면 2가지가 가능하다.

따라서 경우를 2가지로 나눠서 합의 법칙으로 접근해야 한다.

[그림1]은 위쪽과 아래쪽을 다른 색으로 놓는 경우로

 3 × 2 × 1 × (1 × 2 × 2)가지

[그림2]는 위쪽과 아래쪽을 같은 색으로 놓는 경우로

 3 × 2 × 1 × (2 × 2 × 2)가지

따라서 정답은 3 × 2 × 1 × (4 + 8) = 72가지

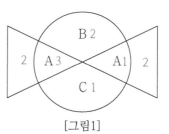

[그림1]

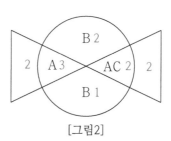

[그림2]

[문항5-1] 28가지

구매 6개를 서로 다른 3개의 음식에 부여하는 것과 같으므로 중복순열에 해당한다.

중복순열은 $_3H_6 = {}_8C_2 = 28$가지로 바로 풀 수도 있고, 바구니로 생각할 수도 있다.

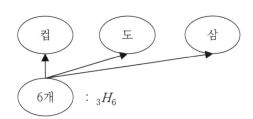

구매 6개를 서로 다른 3개의 바구니에 넣는 것과 같으므로 정답은 $_3H_6 = {}_8C_2 = 28$가지이다.

[문항5-2] 10가지

컵라면은 1개 이상, 도시락은 2개 이상 구매하므로 컵라면 1개와 도시락 2개는 이미 구매했다고 가정할 수 있다. 구매 3개를 서로 다른 3개의 음식에 부여하는 것과 같다.

중복순열은 $_3H_3 = {}_5C_2 = 10$가지로 바로 풀 수도 있고, 바구니로 생각할 수도 있다.

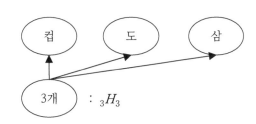

구매 3개를 서로 다른 3개의 바구니에 넣는 것과 같으므로 정답은 $_3H_3 = {}_5C_2 = 10$가지

[문항6-1] $\dfrac{1}{2}$

동전을 4번 던진 순간 시행이 멈췄다는 의미는 4번째 시행에 사과가 3개 또는 포도가 3개 나왔다는 의미다. 그사이에 일어날 경우의 수는 완전히 대칭적이므로 사과 아니면 포도일 뿐이므로 $\dfrac{1}{2}$이다.

조금 더 자세히 설명하면 아래와 같다.

$P_1 = P$ (사과 1개 + 포도 3개)

$P_2 = P$ (포도 1개 + 사과 3개)

$P_1 = P_2$

여기서 포도가 3개 나와서 멈추는 확률은 $\dfrac{P_1}{P_1 + P_2} = \dfrac{1}{2}$이다.

따라서 정답은 $\dfrac{1}{2}$이다.

※ 대칭성의 중요성을 알 수 있는 문제다.
사과로 끝나든 포도로 끝나든 상관이 없기에 완전한 대칭이다.

[문항6-2] $\dfrac{3}{8}$

포도를 3개 받고 멈췄다면 가능한 경우의 수는 아래와 같다.
(1) 포도 3개
(2) 사과 1개, 포도 2개 + 포도 1개
(3) 사과 2개, 포도 2개 + 포도 1개
(여기서 마지막 포도를 [+]로 표현한 이유는 마지막에는 반드시 포도를 뽑아야 하기 때문이다.)
즉, 분모에 들어갈 전체 경우의 수는 (1)+(2)+(3)이고 분자에 들어갈 경우의 수는 (2)이다.

따라서 $\dfrac{(2)}{(1)+(2)+(3)}$을 구하면 된다. (조건부 확률)

(1)은 포도만 3번 뽑고 순서는 상관없으므로

(1) : $\dfrac{1}{2} \times \dfrac{1}{2} \times \dfrac{1}{2} = \dfrac{1}{8}$

(2)는 사과 1개, 포도 2개를 먼저 뽑고 포도 1개를 뽑으므로 (2) : $\left({}_3C_1 \times \dfrac{1}{2} \times \dfrac{1}{2} \times \dfrac{1}{2}\right) \times \dfrac{1}{2} = \dfrac{3}{16}$

(3)은 사과 2개, 포도 2개를 먼저 뽑고 포도 1개를 뽑으므로 (3) : $\left({}_4C_2 \times \dfrac{1}{2} \times \dfrac{1}{2} \times \dfrac{1}{2} \times \dfrac{1}{2}\right) \times \dfrac{1}{2} = \dfrac{3}{16}$

따라서 정답은 $\dfrac{(2)}{(1)+(2)+(3)} = \dfrac{3}{8}$이다.

[실전]

1.	④	5.	②
2.	①	6.	⑤
3.	⑤	7.	③
4.	⑤	8.	③

[01] ④

우선 A와 B부터 양 끝에 세우고, C를 그 옆에 세우면 된다.

이 경우의 수는 $_2C_1 \times _2C_1$ = 4가지이다.

나머지 4명은 아무렇게나 세우면 된다. (4!)

따라서 정답은 $_2C_1 \times _2C_1 \times 4!$ = 96가지이다.

[02] ①

3명 이상이 이웃하지 않아야 하므로 여사건 보다는
[나머지를 먼저 세우는 것이 더 편하다.

D와 E는 이웃하므로 "DE"를 하나의 묶음으로 보면
아래 그림과 같이 경우가 여러 가지로 나뉘게 된다.

V	D	E	V	F	V	G	V

V	F	V	D	E	V	G	V

V	F	V	G	V	D	E	V

여기서 4개의 V에 A, B, C를 세울 수 있으므로

$_4C_3 \times 3!$이고, D와 E가 자리를 바꿀 수 있으므로 2!,

그리고 "DE", "F", "G"의 위치를 바꾸는 경우가 총 3!이다.

따라서 정답은 $3! \times _4C_3 \times 3! \times 2!$ = 288가지

[03] ⑤

이기고 지는 순서에 따라 적힌 숫자가 바뀐다.

예를 들면, "1111222". "1121221", "1211212" 등
다양한 경우가 가능하다.

[같은 것을 포함한 순열]이므로 $\dfrac{7!}{4!3!}$ = $_7C_3$ = 35가지이다.

[04] ⑤

철수가 처음에 앉을 때는 어디든 앉을 수 있으므로
아무 곳이나 앉으면 경우의 수는 1가지이다.

여기서 영희가 앉을 수 있는 위치는 오른쪽으로 2칸 또는
왼쪽으로 2칸으로 2가지이다.

철수와 영희 모두 앉으면 그사이에 남은 여자 2명 중
1명이 올 수 있으므로 2가지이다.

그러면 남은 4자리에는 자유롭게 앉을 수 있으므로 4!

따라서 정답은 $1 \times 2 \times _2C_1 \times 4!$ = 96가지

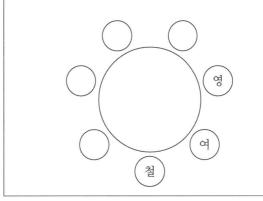

[05] ②

철수가 처음에 앉을 때는 어디든 앉을 수 있으므로
아무 곳이나 앉으면 경우의 수는 1가지이다.

여기서 영희가 앉을 수 있는 위치는 오른쪽으로 3칸 또는
왼쪽으로 3칸으로 2가지이다.

여기서 여자가 이웃하지 않으려면 여자 1명은 반드시 철수 옆에
앉아야 하고, 남은 여자 1명은 철수 옆에 앉거나 철수와 영희
중간에 앉아야 한다.

따라서 남은 여자 2명이 앉는 경우의 수는 2가지이다.

여기서 여자끼리 자리를 바꿀 수 있으므로 2!이다.

그리고 남은 남자 3명은 자유롭게 앉으므로 3!이다.

따라서 정답은 $1 \times 2 \times 2 \times 2! \times 3!$ = 48가지

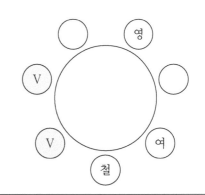

[06] ⑤

색칠하기는 [가장 영향력이 큰 곳부터] 채워야 한다.

4개의 색깔을 각각 A, B, C, D라 하자.

우선 양 끝의 색이 같아야 하므로 양 끝에 A를 색칠했다고
가정하자. (경우의 수는 4가지)

두 번째 자리에는 B를 색칠하자. (경우의 수는 3가지)

세 번째 자리에는 B를 제외한 3가지 색이 올 수 있지만
여기서 A가 오는 경우와 C, D가 오는 경우는 다르다.

(1) 세 번째 자리에 A가 오면 네 번째 자리는 B, C, D가 올 수
있으므로 경우의 수가 3가지

(2) 세 번째 자리에 C 또는 D가 오면 네 번째 자리는 B, D 또는
B, C가 올 수 있으므로 경우의 수가 각각 2가지

따라서 합의 법칙으로 정리해야 한다.

정답은 $4 \times 3 \times (1 \times 3 + 2 \times 2) = 84$가지

[07] ③

같은 초콜릿 8개를 서로 다른 4명의 학생에게 나눠주므로
중복순열에 해당한다.

하지만 (가)조건에 의해 적어도 하나씩 받으므로 이미 1개씩은
가지고 있다고 가정할 수 있다.

따라서 4명의 학생에게 4개의 초콜릿을 나눠주는 경우의 수로
생각할 수 있다.

여기서 두 학생 A, B가 같은 개수를 받아야 하므로

(1) A와 B가 1개씩 받은 경우, C와 D가 남은 4개 더 받기

(2) A와 B가 2개씩 받은 경우, C와 D가 남은 2개 더 받기

(3) A와 B가 3개씩 받은 경우, C와 D가 받지 않기

이런 경우로 나눠진다.

(1)은 $_2H_4 = {}_5C_4 = 5$가지

(2)는 $_2H_2 = {}_3C_1 = 3$가지

(3)은 $_2H_0 = {}_1C_0 = 1$가지

따라서 정답은 9가지

[08] – 경우의 수 ③

이웃하지 않는 경우의 수이므로 이웃하는 경우의
수로 생각하여 [여사건]으로 접근하자.

우선 경우의 수로 풀어보자.

분모에 들어갈 전체 경우의 수는 $3 \times 5 \times 5!$이다.

(운전석의 경우의 수는 3가지)

(조수석의 경우의 수는 운전자, 사장을 제외한 5가지)

(나머지 자리는 운전자, 조수석을 제외한 5!가지)

분자에 들어갈 경우의 수는
$2 \times 4 \times (1 \times 2 \times 3! + 4 \times 1 \times 3!)$이다.

(운전석에는 A를 빼고 2명이므로 2가지)

(조수석에는 운전자, 사장, A를 빼고 4가지)

(사장이 2번 자리에 앉으면 A는 좌우에 앉을 수 있고,
나머지 사람은 3!이므로 $1 \times 2 \times 3!$가지)

(사장이 2번 외의 자리에 앉으면 A는 바로 옆에만
앉을 수 있고, 나머지 사람은 3!이므로 $4 \times 1 \times 3!$가지)

따라서 정답은 $\dfrac{3 \times 5 \times 5! - 2 \times 4 \times 36}{3 \times 5 \times 5!} = \dfrac{21}{25} = 84\%$

[08] – 확률 ③

확률로 푼다면 조금 더 어려울 수 있다.

[여사건]으로 [1 – 이웃할 확률]로 접근하자.

(1) 운전석에는 A가 앉으면 안 되므로 확률이 $\dfrac{2}{3}$이다.

(2) 조수석에도 A가 앉으면 안 되므로 확률이 $\dfrac{4}{5}$이다.

(3) 사장이 2번 자리에 앉으면 $\dfrac{1}{5}$, A가 좌우에 앉으면 $\dfrac{2}{4}$이다.

(4) 사장이 2번 외의 자리에 앉으면 $\dfrac{4}{5}$이고, A가

바로 옆에만 앉을 수 있으므로 $\dfrac{1}{4}$이다.

따라서 정답은 $1 - \dfrac{2}{3} \times \dfrac{4}{5} \times \dfrac{3}{10} = \dfrac{21}{25} = 84\%$

응용수리 : 평균 = 가평균 + 편차합평균 해설

[빈칸 채우기]

[빈칸 채우기 1]

가평균을 중앙값인 (85)로 선정

점수	(−10)	0	(+10)
1학년	2명	5명	3명
2학년	5명	9명	6명

따라서 1학년의 평균점수는

$$85 + \frac{(-10) \times 2 + 0 \times 5 + (+10) \times 3}{(10)} = (86)점$$

2학년의 평균점수는

$$85 + \frac{(-10) \times 5 + 0 \times 9 + (+10) \times 6}{(20)} = (85.5)점$$

평균점수의 차이는 (86) − (85.5) = (0.5)점이다.

[빈칸 채우기 2]

기준이 23,000명이므로 23,000을 (가평균)으로 잡으면

평균 인구수 = (23,000) + (양수)이므로 정답은 (참)이다.

※ 자료해석의 핵심 전략이므로 반드시 익혀두자.

[예문]

1.	①	3.	X
2.	②	4.	③

[문항1] ①

적절한 가평균을 잡고 시작하자. → 최빈값 = 80점

점수	−12	−8	−4	0	+8	+12
학생수	3	4	7	8	6	2

따라서 전체 학생의 평균점수는

$$80 + \frac{-36 - 32 - 28 + 48 + 24}{30} = 80 - \frac{24}{30} = 79.2점$$

[문항2] ②

선지가 90점 부근이므로 90점을 가평균으로 잡자.

점수	−3	−2	+2	+3
참가자	112	100	92	96

따라서 전체 참가자의 평균점수는

$$90 + \frac{-3(16) - 2(8)}{400} = 90 - \frac{64}{400} = 89.84점$$

[문항3] X

문제에서 310만을 제시하였으므로 그대로 갖다 쓰자.

구분	18년	19년	20년	21년	22년
총금액	+93	−54	−95	−103	158

따라서 18년~22년의 총금액 평균은

$$310 + \frac{+93 - 54 - 95 - 103 + 158}{5} = 310 + (음수)$$

정답은 310만 미만이다.

※ 자료해석의 핵심 전략이므로 반드시 익혀두자.

※ 간단하게 편차합(분자)의 부호만 살펴도 된다.

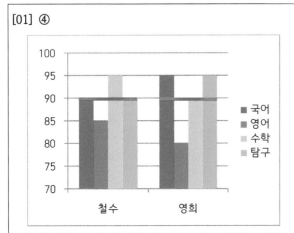

[04] ④

3월이 기준으로 나왔으므로 3월 지출비용을 가평균으로 잡자.

구분	1월 (1분기)	2월 (1분기)	3월 (1분기)	4월 (2분기)	5월 (2분기)
철수	−2,100	+4,500	0	−9,100	+7,900
영희	−4,400	+6,500	0	−6,000	+2,900
민수	−3,300	+7,700	0	−11,500	+8,000

(위 표는 빠른 풀이를 위해 대략적인 값만 계산했다.)

1~5월 월평균 지출비용이 3월 지출비용보다 크기 위해선

각각의 편차 합이 양수여야 한다.

편차 합이 양수인 사람은 철수, 민수이다.

응용수리 : 방정식 몰아주기 해설

[빈칸 채우기]

[빈칸 채우기 1]

1) 강아지를 10마리로 몰아주면 다리 수는 (40)개다.
2) 참새를 1마리 넣으면서 강아지를 1마리 빼면,
   다리 수는 $(40 - 2n)$이다.
3) 따라서 참새는 (7)마리.

[빈칸 채우기 2]

1) B만 1000g으로 몰아주면 탄수화물(200)g, 단백질은 (50)g
2) A를 100g 넣으면서 B를 100g 빼면, 탄수화물은
   $(200 - 10n)$g, 단백질은 $(50 + 3n)$g이다.
3) 따라서 $n = (4)$일 때, 탄수화물 (160)g, 단백질 (62)g이다.
4) A는 (400)g, B는 (600)g

[빈칸 채우기 3]

1) 2점 문제만 10문제로 몰아주면 총점은
   $(20)_{2점} + (33)_{3점} + (0)_{4점} = (53)$점이다.
2) 4점 문제를 1개씩 넣으면서 2점 문제를 빼면,
   총점은 $(-n)$점씩 감소한다.
3) 따라서 $n = (4)$일 때, 3점 문제를 최소한으로
   (7)개 맞히면서 합격하게 된다.

[예문]

1.	②	2.	③

[문항1] ②

6개 이하와 7개 이상으로 분기를 나눠야 한다.
차이만 살펴야 빨리 풀 수 있다.
(6개 이하) : A는 600원, B는 550원
따라서 A가 50원씩 더 쌉인다.
(7개 이상) : A는 480원, B는 550원
따라서 B가 70원씩 더 쌉인다.

6개를 구매한 시점에는 A가 300원 더 쌉고,
7개부터 5개를 더 사면 B가 350원 더 쌉인다.
따라서 11개를 구매했을 때, A가 더 싸지므로 이득이다.

[문항2] ③

B로 몰아주기로 풀어보자.
B를 600g 사용하면 계란은 180g, 간장은 240g이다.
간장을 줄여야 하므로 계란은 유지 시키자.
B를 50g 뺄 때, A를 30g 넣으면 계란은 유지되고 간장은 11g씩
감소한다.
따라서 간장은 $(240 - 11n)$g이다.
$n = 5$일 때, 간장이 185g 된다.
즉, A를 30g 넣고 B를 50g 빼는 행위를 5회 한다.
따라서 A는 150g, B는 350g이고, 합은 500g이다.

[실전]

1.	⑤	2.	②

---

[01] ⑤

동전 던지기 게임 1판마다 둘 중 한 명은 앞으로 2걸음,
한 명은 뒤로 1걸음 이동한다.

따라서 n판마다 둘이 합쳐 n칸씩 앞으로 이동한다.

그리고 1판마다 3칸씩 차이가 나게 된다.

영희가 먼저 4판 이겼다고 가정하면 영희가 철수보다
12칸 앞에 있다.

결과적으로 철수가 영희보다 12칸 앞에 있으려면
3×8만큼 앞으로 가야 하므로 철수가 8판 이긴 셈이다.

따라서 정답은 8 + 4 = 12판이다.

---

[02] ②

B물품을 몰아주자.

B를 24개 만들면 나무는 960g, 철근은 1,200g이다.

나무를 줄여야 하므로 철근은 유지 시키자.

B를 6개 뺄 때, A를 5개 넣으면 철근은 유지되고
나무는 90g씩 감소한다.

따라서 나무는 $(960 - 90n)$g이다.

$n = 2$일 때, 나무는 780g이 된다.

즉, A를 5개 넣고 B를 6개 빼는 행위를 2회 한다.

따라서 A는 10개, B는 12개이고, 합은 22개이다.

응용수리 : 원가이익 해설

[빈칸 채우기]

[빈칸 채우기 1]

$x \times (\frac{13}{10}) \times (\frac{9}{10}) = x + 3,400$

따라서 x = (20,000)원이다.

[빈칸 채우기 2]

$n \times 500 \times (\frac{11}{10}) + (20 - n) \times 500 \times (\frac{13}{10})$

$= (10,000) + 2,200$

따라서 n = (8)개다.

[예문]

1.	④	2.	①

[문항1] ④

버스표 수와 금액을 방정식으로 정리하면 아래와 같다.

총액 $= (24,000 + 2,000x)(20 - x)$

여기서 이과생은 미분으로 접근할 수도 있고,
정석은 완전제곱식으로 변형시킬 수도 있다.
하지만 시간이 너무 오래 걸리므로 대칭성을 활용하자.

이차방정식은 항상 극점에서 최대 또는 최소를 갖고,
좌우로 대칭적이다.
(이해하기 쉽게 극점 대신 대칭점이라 하자.)
위 식에서 두 근이 각각 $x = -12$, $x = 20$이므로
대칭점은 두 좌표의 중점인 $x = 4$에 위치한다.
따라서 이때가 최대이고, 그 가격은 32,000원이다.

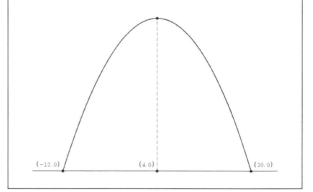

[문항2] ①

1만원으로 원가가 20원인 제품을 최대한 생산했으므로
총 500개를 생산했다.
문제에서 주어진 변동액(총액)을 전부 좌변에 쓰자.

(좌변) : $200 \times 20 \times \frac{5}{4} + 300 \times 200 \times \frac{5}{4} \times (1 - x)$

문제에서 주어진 결과액(총액)을 전부 우변에 쓰자.

(우변) : $10,000 + 1,000$

따라서 아래와 같다.

$200 \times 20 \times \frac{5}{4} + 300 \times 200 \times \frac{5}{4} \times (1 - x) = 11,000$

정리하면 $50 + 75(1 - x) = 110$

$(1 - x) = \frac{20}{25}$이므로 $x = \frac{5}{25}$ = 20%이다.

[실전]

1.	①	2.	②

---

[01] ①

문제에서 주어진 변동액(총액)을 전부 좌변에 쓰자.

(좌변) : $x \times \dfrac{6}{5} \times \dfrac{9}{10}$

문제에서 주어진 결과액(총액)을 전부 우변에 쓰자.

(우변) : $x + 400$

따라서 아래와 같다.

$x \times \dfrac{6}{5} \times \dfrac{9}{10} = x + 400$

정리하면 $\dfrac{2}{25}x = 400$

$x = 5{,}000$원이다.

---

[02] ②

문제에서 주어진 변동액(총액)을 전부 좌변에 쓰자.

(좌변) : $(\dfrac{x}{2} - 10) \times 500 \times \dfrac{6}{5} + \dfrac{x}{2} \times 500 \times \dfrac{6}{5} \times \dfrac{9}{10}$

문제에서 주어진 결과액(총액)을 전부 우변에 쓰자.

(우변) : $500x + 3{,}100$

$500 \times \dfrac{6}{5} = 600$으로 빼내면 아래와 같다.

$600(\dfrac{x}{2} - 10 + \dfrac{9x}{20}) = 500x + 3{,}100$

$600(\dfrac{19x}{20} - 10) = 500x + 3{,}100$

$570x - 6{,}000 = 500x + 3{,}100$

$70x = 9{,}100$이므로 $x = 130$개다.

응용수리 : 나무심기 해설

[빈칸 채우기]

[빈칸 채우기 1]

12, 9, 15의 최대공약수는 (3)이므로 (3)m 간격으로 세워야 한다.

이때 0 ÷ (3)은 $\overline{AB}$지점만 포함하면 되므로

전체 가로등 개수는 (4) + (3) + (5) + (1) = (13)개다.

[빈칸 채우기 2]

18, 12의 최대공약수는 (6)이므로 (6)m 간격으로 세워야 한다.

이때 0 ÷ (6)은 전부 중복으로 사라지므로

전체 가로등 개수는 (3) + (2) + (3) + (2) = (10)개다.

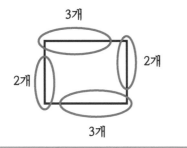

[예문]

1.	⑤	2.	③

[문항1] ⑤

길이 간격이 정해져 있으므로 최소공배수로 봐야 한다.

(최소공배수인 지점마다 중복이 발생한다.)

60과 36의 최소공배수는 180이므로 180m마다 겹치기에
1개씩 빼주면 된다.

(60m 간격) : 묶인 12개에서 끝점을 추가하면 13개
(36m 간격) : 묶인 20개에서 끝점을 추가하면 21개
(180m 겹침) : 0m, 180m, 360m, 540m, 720m에서 – 5개

따라서 정답은 29개다.

[문항2] ③

나무심기 이론대로 그리면서 풀어보자.

우선 6, 12, 15, 18의 최대공약수가 3m이므로 300m 간격으로
생각하면 파랑 타원이 각 선분의 묶에 해당한다.

(파랑) : 2개 + 2개 + 4개 + 4개 + 2개 + 2개+ 5개
(빨강) : 1개 + (6-1)개 + (5-1)개

따라서 정답은 31개

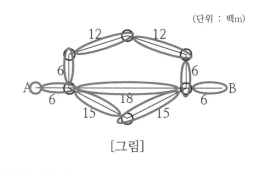

[그림]

[실전]

1.	⑤	2.	④

---

[01] ⑤

x와 y의 최대공약수가 20이므로 20m를 간격으로 나무를 심어야 한다는 것을 알 수 있다.

$(\overline{AB})$: $\dfrac{x}{20}$개 $(\overline{BC})$: $\dfrac{y}{20}$개

또한, 시작점인 A에 대하여 $0 \div 20$을 추가하면 $\dfrac{x+y}{20}$ + 1개다.

---

[02] ④

이 문제는 전체 길이에 대하여 간격이 정해져 있으므로 최소공배수로 봐야 한다.
각각 최소공배수인 지점마다 1개씩 빼는 것이 규칙이다.
양 끝에는 심어야 하므로 (4+1) + (6+1) + (8+1) = 21개

여기서 각각에 대하여 공배수를 모두 찾아보자.
60m, 120m, 180m, 240m에서 겹치므로 4개를 빼주고,
0m에서도 1개를 빼주면 정답은 16개

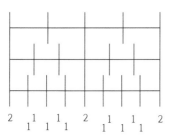

응용수리 : 시계 한줄풀이 해설

[빈칸 채우기]

[빈칸 채우기 1]

시간을 구하는 문제이므로 (m_1)을 대입해서 (m_2)를 구하자.

(1) 3시부터 확인하면 아래와 같이 풀 수 있다.

1단계 : 시침을 (3)시에 둔다.

2단계 : 분침을 시침과 겹치게 옮긴다. → m_1 = (15)분

3단계 : 공식에 대입하면 $\frac{12}{11} \times (15) = (\frac{180}{11})$분

따라서 정답은 약 3시 (16)분

(2) 4시를 확인하면 아래와 같이 풀 수 있다.

1단계 : 시침을 (4)시에 둔다.

2단계 : 분침을 시침과 겹치게 옮긴다. → m_1 = (20)분

3단계 : 공식에 대입하면 $\frac{12}{11} \times (20) = (\frac{240}{11})$분.

따라서 정답은 약 4시 (22)분

[빈칸 채우기 2]

각도를 구하는 문제이므로 (m_2)를 대입해서

$(|m_{시침} - m_1|) \times 6°$를 구하자.

1단계 : 시침을 10시에 둔다.

2단계 : 공식에서 (m_2)에 17분을 대입하면

$\frac{12}{11} \times (m_1) = (17) \rightarrow m_1 = (\frac{187}{12})$분

3단계 : 시침의 위치는 (50)분이므로

$(|50 - \frac{187}{12}|) \times 6° = (300 - 93.5)° = 153.5°$이다.

[예문]

1.		③	2.		②

[문항1] ③

시간을 구하는 문제이므로 m_1을 대입해서 m_2를 구하자.

8시는 120도이므로 점점 180도를 향해 가다가
180도(일직선)를 찍고 다시 각도가 줄어든다.
즉, 두 번째로 144도를 이뤘을 때의 시각은 더 늦은 시각이다.

1단계 : 시침을 8시에 둔다.

2단계 : 분침을 144도로 옮긴다.

• (180 ± 36)도이므로 m_1의 위치는 숫자 2에서

좌우로 6분 더 간 상태이다.

즉, m_1 = 4분 또는 m_1 = 16분이다.

3단계 : 공식에 대입하면 $\frac{12}{11} \times 16 = \frac{192}{11}$분

따라서 정답은 약 8시 17분

※ 1분이 6도라는 사실은 기억해둬야 한다.

[문항2] ②

각도를 구하는 문제이므로 m_2를 대입해서

$(|m_{시침} - m_1|) \times 6°$를 구하자.

1단계 : 시침을 2시에 둔다.

2단계 : 공식에서 m_2에 51분을 대입하면

$\frac{12}{11} \times m_1 = 51 \rightarrow m_1 = \frac{561}{12}$분

3단계 : 시침의 위치는 10분이므로

$(|10 - \frac{561}{12}|) \times 6° = (280.5 - 60)° = 139.5°$

[실전]

1.	④	2.	⑤

[01] ④

시간을 구하는 문제이므로 m_1을 대입해서 m_2를 구하자.

1단계 : 시침을 4시에 둔다.

2단계 : 분침을 시침과 서로 반대 방향으로 둔다.

→ m_1 = 50분

3단계 : 공식에 대입하면 $\dfrac{12}{11} \times (50) = (\dfrac{600}{11})$분

(1) $x = \dfrac{600}{11}$

이후 5시에 일직선에 있는 상태에서 겹치려면 아래와 같다.

1단계 : 시침을 5시에 둔다.

2단계 : 분침을 시침을 겹치게 둔다.

→ m_1 = 25분

3단계 : 공식에 대입하면 $\dfrac{12}{11} \times (25) = (\dfrac{300}{11})$분

(2) $y = \dfrac{300}{11}$

따라서 정답은 $\dfrac{600}{300} = 2$

[02] ⑤

이 문제는 일부러 어렵게 낸 문제라서 상황을 살펴야 한다.

상황을 살피면, 2시 24분은 고정이고 6시 x분은 미지수이다.

만약 x = 24라면 2시 24분과 6시 24분이므로 120도이다.

120도에서 132도는 시침이 2분 더 흐른 것과 같다.

시침이 2분 더 흘렀다는 말은,

분침은 24분 더 흐른 것과 같으므로 분침은 48분이다.

따라서 정답은 6시 48분이다.

응용수리 : 달력 논리 해설

[빈칸 채우기]

[빈칸 채우기 1]

3월 (31)일로 다가가면 +(26)일

4월 (30)일로 다가가면 +(30)일

5월 (31)일로 다가가면 +(31)일

6월 (30)일로 다가가면 +(30)일

7월 (31)일로 다가가면 +(31)일

(26) + (30) + (31) + (30) + (31) + 23을 (7)로 나눈 나머지인 (3)만큼 요일을 더해주면 된다.

따라서 정답은 (일)요일이다.

[빈칸 채우기 2]

즉, 올해는 윤년이므로 1년이 (366)일이다.

따라서 1년 후의 2월 3일은 +(366)일이므로 (수)요일

2년 후의 2월 3일은 여기에 +(365)일이므로 (목)요일

3년 후의 2월 3일은 여기에 +(365)일이므로 (금)요일

따라서 3년 후 2월 3일은 (금)요일이다.

[예문]

1.	④	2.	⑤

[문항1] ④

오늘이 8월 14일이고 23일 후에 수요일이므로
9월 모의고사는 9월 6일 수요일이다.

그리고 11월 세 번째 목요일을 찾아야 한다.

세 번째 목요일은 11월의 달력이 어떻게 생겼냐에
따라 달라지기 때문에 11월 달력을 그려야 한다.

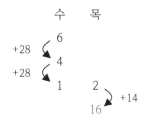

따라서 정답은 11월 16일이다.

[문항2] ⑤

4월 2일이 목요일이므로 다음 주 월요일에 첫 계획보고를 한다.

따라서 다음 주 월요일은 4월 6일이다.

2주 간격으로 달력을 간소화하면 아래 그림과 같다.

	월	수	금
+14	6		o
+14	20		o
+14	4		o
+14	18		o
	1	3	

따라서 계획보고는 5회, 결과보고는 4회 한다.

[실전]

1.	②	2.	④

[01] ②

NCS 수업만 놓고 보면 매주 2번씩 수업을 하므로
9월 1일부터 12월 31일까지 총 몇 주인지만 확인하면 된다.
9월 1일부터 12월 31일까지는 +29 +31 +30 +31일이므로
총 121일이다.

121÷7은 몫이 17이고 나머지가 2이므로
총 17주가 지난 후 2일이 더 지나서,
12월 31일은 금요일이다. (9월 1일 제외하고 34회)

치과를 고려하기 위해 20일씩 지나면 요일이
(−1)요일씩 밀리므로 아래와 같이 그려진다.

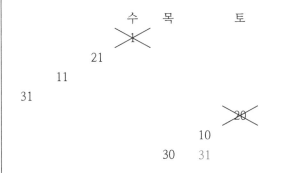

이때 치과와 NCS 수업이 겹치는 날은
9월 1일과 11월 20일로 총 2회가 전부다.

처음에 9월 1일은 제외했으므로 1회만 더 제외하면 정답은 33회

[02] ④

세 수업 A, B, C의 주기가 1주, 2주, 3주로 다르므로
달력 간소화 그리기로 풀어야 직관적이다.
오늘 C 수업, 3일 후에 A 수업을 들으려면
오늘은 금요일이어야 하고, 다음 주는 B, C 수업을
듣지 않아야 한다.

월	수	금
		C
A	A	
B	A	B
A	C	C
B	A	B
A	A	
B	C	

- 우선순위가 C 〉 B 〉 A이므로
  먼저 3주마다 C를 배치하고,
  다음으로 2주마다 B를 배치하고,
  다음으로 1주마다 A를 배치하면 된다.
- A, B, C를 한 묶음으로 보면 6주가 주기이므로
  6주마다 같은 수업 일정이 반복된다.

오늘부터 101일 후까지는 오늘이 포함이므로 102일로
생각해야 한다. 42일 주기로 반복되므로
102일 = (42일 × 2회) + 18일이다.
주기가 2회 반복되는 동안
수업 A는 14회, 수업 B는 10회, 수업 C는 8회이다.
또한, 18일 = 2주 + 4일이므로 위 표의 파란 부분까지 포함한다.
따라서 수업 A는 18회, 수업 B는 12회, 수업 C는 9회.

응용수리 : 중간 점검 해설

1.	④	11.	①
2.	③	12.	④
3.	①	13.	①
4.	③	14.	④
5.	①	15.	③
6.	④	16.	④
7.	②	17.	③
8.	③	18.	①
9.	③	19.	③
10.	②	20.	②

[01] – 거속시 완성 ④

철수와 영희가 동시운동하면서 서로 반대 방향으로 달리므로
영희는 가만히 두고 철수만 달린다고 가정하면,

(1) $L = (2v + 2) \times 7$

(2) $L = (v + 2) \times 10$

두 식을 연립하면 $v = 1.5$이므로 $L = 35$m이다.

 ※ [동시운동] 이므로 상대속도로 접근

[02] – 가중평균 한줄풀이 ③

(1) 한줄풀이 : $64(1000) = 58(x) + 66(1000-x)$

정리하면 $x = 250$명

(2) 그림풀이 : $6x = 2(1000-x)$

정리하면 $x = 250$명

	6		2	
58		64		66
x		1,000		$1,000-x$

[03] – 방정식 몰아주기 ①

2점 문제만 전부 맞혔다면 64점일 것이다.

여기서 2점 문제를 n개 틀리고 4점 문제를 n개 맞힌다면
총점이 $64+2n$점이다.

따라서 맞힌 4점 문제의 개수는 $n = 8$개이다.

 ※ [방정식 몰아주기] 단원 참고

[04] – 경우의 수와 확률 ③

(1) 팀장이 먼저 앉으면 경우의 수가 1가지

(2) 팀장이 앉은 후 차장 2명이 서로 자리를 바꾸면 2가지

(3) 차장이 앉은 후 과장이 앉을 수 있는 자리는 2가지

(4) 남은 5자리 중에 대리 1명과 주임 2명이 앉을 수 있으므로
$_5C_3 \times 3!$가지

따라서 전체 방법의 수는 $1 \times 2 \times 2 \times (_5C_3 \times 3!) = 240$가지

 ※ [자리 앉기]이므로 순차적으로 생각하자.

[05] – 원가이익 ①

총액(좌변) $= 100x \times \dfrac{250}{100}$

최종 공식 : $100x \times \dfrac{250}{100} = 100x + 300,000$

정리하면 $x = 2,000$원이다.

 ※ [원가이익]은 총액 = 총액으로 정리하자.

[06] – 평균 = 가평균 + 편차합평균 ④

8번의 시험까지 평균점수가 56점이고, 9번째 시험을 58점
받았다면 9번째 시험까지 평균점수는 아래와 같다.

$$m = 56 + \frac{2}{9}$$

여기서 10번째 시험을 $56+x$점 받으면 평균점수는 아래와 같다.

$$M = 56 + \frac{2+x}{10}$$

$M \geq 60$점이 되기 위해선 $\dfrac{2+x}{10} \geq 4$점이어야 한다.

따라서 $x = 38$이고, 10번째 시험 점수는 94점이다.

 ※ [평균 = 가평균 + 편차합평균] 단원 참고

[07] – 소금물 완성 ②

한줄풀이 : $15(250+x) = 8(220) + 100(30) + 5(x)$

정리하면 $x = 101$g

[08] – 거속시 완성 ③

편도 거리가 1km, 상류로 올라갈 때의 속도가 3km/h이므로

$$1 = 3 \times \frac{1}{3} = v \times \frac{1}{6}$$

따라서 하류로 내려올 때의 속도가 6km/h이다.

강의 속도는 $\dfrac{|3-v|}{2} = 1.5$km/h이다.

 ※ [배의 속도] $= \dfrac{|V_1 + V_2|}{2}$, [강의 속도] $= \dfrac{|V_1 - V_2|}{2}$

[09] - 평균 = 가평균 + 편차합평균 ③

λ_n은 [n-2월 ~ n월] 점수의 평균과 같다,

$|\lambda_6 - \lambda_4|$ = |4월+5월+6월 - 2월+3월+4월| ÷ 3

4월은 중복이므로 소거하면 |5월+6월 - 2월+3월| ÷ 3

전체 합을 계산하지 말고 차이만 살피면 15점 차이가 나므로

$|\lambda_6 - \lambda_4|$ = |15| ÷ 3 = 5점이다.

※ [차이]만 구하면 되므로 차이만 계산하기

[10] - 일률 완성 ②

(1) S = 28, $V_{철수}$ = 2

(2) 28 = (3+ $V_{영희}$) × 4   ··· $V_{영희}$ = 4

영희 혼자 하면 28 = 4 × T

따라서 T = 7일이다.

※ [일률]의 핵심은 총 일량을 공배수로 잡는 것이다.

[11] - 달력 이론 ①

3번째 선물을 준 후 6번째로 선물을 주는 요일은 600일 후이다.

600 % 7 = +5(요일)

따라서 정답은 월요일이다.

※ [달력 이론]의 핵심은 요일이 7일마다 반복되는 것이다.

[12] - 방정식 몰아주기 ④

A 의자를 50개 사서, 나무 300kg을 채우면 철은 200kg만 썼다.

여기서 A 의자를 5개 빼면서, B 의자를 6개 만드는 시행을 n회 하면 아래와 같다.

(1) 나무는 300kg으로 유지된다.

(2) 철은 [200 - 20n + 48n]kg = [200 + 28n]kg

철을 368kg까지 쓸 수 있으므로 n = 6이다.

A 의자를 30개 빼면서, B 의자를 36개 만들었으므로 56개이다.

※ [방정식 몰아주기]의 핵심은 하나로 정해서 몰아주는 것이다.

[13] - 원가이익 ①

8,000 × (1+x%) × (1-x%) = 7,500

정리하면 x^2 = $\dfrac{1}{16}$이므로 x = $\dfrac{1}{4}$ = 25%이다.

※ [원가이익]은 총액 = 총액으로 정리하자.

[14] - 가중평균 한줄풀이 ④

800 × 100 = 20(3,500-x) + 40(x)

정리하면 x = 500개이다. x는 작년 감자의 개수이므로 올해 감자의 개수는 700개이다.

※ [가중평균 한줄풀이]에서 식에 쓰는 값은 작년의 수치이다.
　따라서 올해의 수치는 증감률을 적용해야 한다.

[15] - 나무심기 ③

직사각형이므로 아래처럼 그려보자.

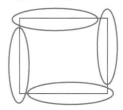

직사각형은 닫혀있으므로 시작점을 모두 무시할 수 있다.

나무를 최소로 심어야 하므로 최대공약수인 4m가 간격이다.

따라서 전체 개수는 $\dfrac{24}{4}$ + $\dfrac{20}{4}$ + $\dfrac{24}{4}$ + $\dfrac{20}{4}$ = 22개이다.

※ [나무심기]의 핵심은 시작점의 포함 여부이다.

[16] - 소금물 완성 ④

증발할 경우, 우변에는 영향이 없고 결과량에만 영향이 있다.

62(500) = 3x(350) + 2x(250)

따라서 x = 20%이므로 3x = 60%이다.

※ [소금물 완성 : 증발] 단원 참고

[17] - 시계 한줄풀이 ③

시계 한줄공식에 따라 시침을 5시에 가져다 놓으면 분침이 8과 9 사이에 위치하면 90도~120도이다.

따라서 공식은 아래와 같이 써진다.

$$\dfrac{12}{11} \times 40 \leq m_2 \leq \dfrac{12}{11} \times 45 \quad \cdots \quad 43.\text{xx} < m_2 < 49.\text{xx}$$

위 조건에 해당하는 m_2는 44분 밖에 없다.

※ [시계 한줄풀이]에 따라 각도를 주고 시간을 물었으므로 m_1을 대입하여 m_2를 찾으면 된다.

[18] - 거속시 완성 ①

2개의 기차가 운동하므로 상대속도로 접근하면 된다.

그리고 기차운동이므로 앞부분에만 집중하자.

위 그림처럼 그릴 수 있으므로 식은 아래와 같다.

$L = VT$

$400 = (15+B) \times 20 \quad \cdots \quad B = 5m/s$

※ [상대속도]에서 기차 B를 멈추고, 기차 A만 운동하므로

기차 A의 상대속도는 두 기차의 속도를 합한 것과 같다.

전체 거리는 L = 280m + B의 길이 + A의 앞부분(40m)이다.

[19] - 경우의 수와 확률 ③

총 5문제 중에서 4문제는 맞추고, 1문제는 틀려야 되고

확률이 같으므로 이항분포($_nC_r \times p^r \times q^{n-r}$)로 접근해야 한다.

(1) 총 5문제이므로 $n = 5$

(2) 4문제를 맞춰야 하므로 $r = 4$

(3) 맞출 확률은 40%이므로 $p = 0.4$이다.

따라서 확률은 P = $_5C_4 \times (0.4)^4 \times (0.6)^1$과 같다.

정리하면 P = $5 \times \dfrac{16}{625} \times \dfrac{3}{5} = \dfrac{48}{625}$이다.

※ [확률]에서 독립시행인 경우엔 이항분포로 접근하면 된다.

이항분포는 npq로 외우면 된다.

[20] - 가중평균 한줄풀이 ②

$m(600) = m_1(360) + m_2(240)$

우선 전체 평균 몸무게와 남녀 평균 몸무게를 모르기 때문에

위처럼 3개의 미지수로 식을 세워두자.

여기서 3개의 미지수를 영희의 몸무게(x)로 표현이 가능하다.

(1) $m = x + 5$

(2) $m_1 = 1.2x$

(3) $m_2 = x - 4$

위 세 식을 그대로 대입하면 아래와 같다.

$(x+5)(600) = 1.2x(360) + (x-4)(240)$

위 식을 120으로 나누면 $(x+5)(5) = 1.2x(3) + (x-4)(2)$이고,

정리하면 $0.6x = 33$이므로 $x = 55$이다.

※ [가중평균 한줄풀이]는 문제가 어떻게 나오든 세울 수 있다.

정리는 그 후에 생각하면 된다.

문제해결 : 참거짓 논리 해설

[빈칸 채우기]

[빈칸 채우기 1]

(1) 진실이 1명, 거짓이 2명이므로 (1) : (2)이다.

(2) B의 말에 의해, A와 B는 (2) : (0) 또는 (0) : (2)

→ 진실을 한 명이므로 A와 B는 (0) : (2)이다.

(3) 따라서 진실인 사람은 (C)이다.

[빈칸 채우기 2]

(1) 진실이 3명, 거짓이 2명이므로 (3) : (2)이다.

(2) E의 말에 의해, B와 E는 (1) : (1)이다.

→ 따라서 남은 A, C, D는 (2) : (1)을 가져간다.

(3) 여기서 A와 C의 말이 충돌하므로 A와 C는 (1) : (1)

→ 따라서 D는 무조건 (진실)이다.

(4) D의 말에 따라 정리하면, C는 (거짓)이고, B는 (진실)이다.

따라서 거짓말하는 사람은 (C)와 (E)이고,

회의에 참석하지 않은 사람은 (E)이다.

[예문]

1.	④	3.	⑤
2.	④	4.	⑤

[문항1] ④

[빠른 해법]

3 : 1 → 철수. 진희 1 : 1 → 영희, 민수 2 : 0 → 진희 거짓

(1) 진실 : 거짓 = 3 : 1이다.

(2) 진희의 말에 의해, 철수와 진희는 1 : 1이다.

→ 철수와 진희 중에 누가 진실이고 거짓인지는 중요하지 않다.

(3) 남은 영희와 민수는 2 : 0이다.

(4) 영희의 말에 의해, 진희는 거짓이므로 정답은 진희

[문항2] ④

[빠른 해법]

3 : 1 → 다혜, 라희 1 : 1 → 가현, 나영 2 : 0 → 가현, 다혜

(1) 진실 : 거짓 = 3 : 1이다.

(2) 다혜와 라희가 충돌하므로, 다혜와 라희는 1 : 1이다.

→ 다혜와 라희 중에 누가 진실이고 거짓인지는 중요하지 않다.

(3) 남은 가현과 나영은 2 : 0이다.

(4) 가현과 나영의 말에 의해, 범인은 2명이고 가현, 다혜이다.

[문항3] ⑤

	A	B	C	D	E
진술 1	O	X	X	O	O
진술 2	X	O	O	X	X

(1) B의 진술 2와 D의 진술 1은 중복이므로 진실로 가정하자.

(2) 그러면 E의 진술 2는 거짓이므로, E의 진술 1이 진실이다.

(3) 따라서 E가 3등이다.

※ [진술이 각각 진실/거짓인 문제]는 가장 많이 진술된
대상을 잡고 풀면 된다.

[문항4] ⑤

이 문제는 진실과 거짓의 개수를 모르므로 진술부터 확인하자.
톰스는 리오를 지목하고, 리오는 엘라를 지목했으므로
[심화 이론의 연쇄작용]을 확인하자.

톰스 : 리오 : 엘라 = O : X : O 또는 X : O : X

(1) 톰스, 엘라가 진실인 경우
엘라의 말에 의해, 거짓이 1명이므로 리오만 거짓이다.
그러면 카일은 진실인데, B행성은 리오뿐이므로 모순이다.

(2) 톰스, 엘라가 거짓인 경우
톰스, 엘라가 거짓이고, 리오가 진실이다.
엘라가 거짓이므로 카일도 진실이어야 한다.
이때 모순이 발생하지 않으므로 톰스와 엘라가 거짓이다.

	톰스	리오	엘라	카일	결과
(1)	O	X	O	O	모순
(2)	X	O	X	O	참

[실전]

1.	④	3.	⑤
2.	①	4.	②

[01] ④

[빠른 해법]
3 : 1 → 병, 정 1 : 1 → 갑, 을 2 : 0 → 정 거짓
(1) 진실 : 거짓 = 3 : 1이다.
(2) 병의 말에 의해, 병과 정은 1 : 1이다.
  → 병과 정 중에 누가 진실이고 거짓인지는 중요하지 않다.
(3) 남은 갑과 을은 2 : 0이다.
(4) 정의 말에 의해, 정은 거짓이다.

[02] ①

(1) C의 진술 1이 B를 진실이라고 지칭하므로 C가 진실이면
B도 진실이지만, B와 C의 진술 1이 충돌하므로 C의 진술 1이
거짓이다.
(2) 그리고 B의 진술 1이 진실이면 B는 거짓말을 하므로
B의 진술 1도 거짓이다.
  → (1)과 (2)에 의해 B와 C가 거짓을 1개씩 가져가므로
    A는 반드시 1월에 태어난 것이다.

[03] ⑤

이 문제는 진실과 거짓의 개수를 모르므로 진술부터 확인하자.
(1) C가 진실이면, D는 거짓이다. 하지만 키가 가장 큰 사람은
  진실만 말하므로 모순이다. 따라서 C는 거짓이다.
(2) C가 거짓이므로 C도 가장 크지 않다
  → 따라서 A도 거짓이고, D는 진실이다.
(3) D는 진실이지만 키가 가장 크지 않으므로, 키가 가장 큰
  사람은 B이다. 따라서 B도 반드시 진실이다.
따라서 반드시 진실을 말하는 사람은 B와 D이다.
  ※ [고난도 문제]이므로 진술을 통해 모순을 발견하자.

[04] ②

[빠른 해법]
2 : 3 → A가 거짓이라고 가정하면 B, C는 2 : 0 (심화 이론)
  → A, D, E는 거짓, B, C는 진실
  → B가 진실이므로 범인은 D 또는 E
  → D가 거짓이므로 범인은 A 또는 B
  → 따라서 모순이 발생하므로 A(O) 확정

A가 진실이므로 B, C, D, E는 1 : 3
  → C와 E가 충돌하므로 C, E는 1 : 1, B, D는 0 : 2
  → D가 거짓이므로 범인은 A 또는 B
  → E가 진실이므로 범인은 B 또는 C
  → 따라서 B가 범인이다.

(1-1) 진실 : 거짓 = 2 : 3이다.
(2-1) A의 말이 거짓이라면, B와 C는 진실이다. (심화 이론)
  → 진실은 총 2명이므로 나머지 A, D, E는 거짓이다.
(3-1) B가 진실이므로 범인은 D 또는 E
(4-1) D가 거짓이므로 범인은 A 또는 B
  → 따라서 모순이 발생하므로 A는 진실이어야 한다.

(1-2) 따라서 A는 진실이고, 남은 진실 : 거짓 = 1 : 3이다.
(2-2) C와 E가 충돌하므로 C와 E는 1 : 1이다.
  → 남은 B와 D가 0 : 2이다.
(3-2) D가 거짓이므로 범인은 A 또는 B
  → 범인은 A 또는 B이므로 C는 거짓, E가 진실이 된다.
(4-2) E가 진실이므로 범인은 B 또는 C
  → 따라서 범인은 B이다.

문제해결 : 명제 논리 해설

[빈칸 채우기]

[빈칸 채우기 1]
 – 치킨을 좋아하지 않으면 피자를 좋아하지 않는다.
 – 김치를 좋아하지 않으면 찌개를 좋아하지 않는다.
 – 치즈를 좋아하면 김치를 좋아하지 않는다.
 – 피자를 좋아하지 않으면 찌개를 좋아한다.

① 치즈를 좋아하면 피자를 좋아한다. (참)　　(알 수 없음)
결과가 [치즈o → 피자o]이므로 아래 4가지 명제를 찾아야 한다.

(A) 치즈 : "치즈를 좋아하면 ~"
(B) 치즈 : "~면 치즈를 좋아하지 않는다."
(C) 피자 : "~면 피자를 좋아한다."
(D) 피자 : "피자를 좋아하지 않는다면 ~"

위 4가지 명제 (A), (B), (C), (D) 중에서 (A)와 (D)가 존재하므로
이어주면 된다.

그 결과는 치즈o → (김치x) → (찌개x) → 피자o
따라서 결과는 (참)이다.

[빈칸 채우기 2]
 – 치킨을 좋아하지 않으면 피자를 좋아하지 않는다.
 – 김치를 좋아하지 않으면 찌개를 좋아하지 않는다.
 – 치즈를 좋아하면 김치를 좋아하지 않는다.
 – 피자를 좋아하지 않으면 찌개를 좋아한다.

② 치킨을 좋아하면 찌개를 좋아한다. (참)　　(알 수 없음)
결과가 [치킨o → 찌개o]이므로 아래 4가지 명제를 찾아야 한다.

(A) 치킨 : "치킨을 좋아하면 ~"
(B) 치킨 : "~면 치킨을 좋아하지 않는다."
(C) 찌개 : "~면 찌개를 좋아한다."
(D) 찌개 : "찌개를 좋아하지 않는다면 ~"

위 4가지 명제 (A), (B), (C), (D) 중에서 찌개를 이어주는 (D)는
존재하지만, 치킨을 이어주는 명제는 존재하지 않는다.

따라서 결과는 (알 수 없음)이다.

[예문]

1.	③, ④	3.	②
2.	③	4.	②

[문항1] ③, ④
[도식화]
 (명제) : 햄버거o → 콜라o → 우유x → 커피x → 햄버거o ...
 (대우) : 햄버거x → 커피o → 우유o → 콜라x → 햄버거x ...
위 조건을 만족하는 선지는 ③, ④이다.
 ※ 일반적인 문제는 선지부터 확인하는 것이 빠르지만
 이 문제는 모든 선지를 확인해야 하므로 상황을 도식화하자.

[문항2] ③
[도식화]
 (명제) : 사랑o → (생각o) → 연락o
 (대우) : 연락x → (생각x) → 연락x
사랑과 생각은 연결됐고, 생각과 연락은 연결되지 않았으므로
생각과 연락을 연결하면 된다.
따라서 가능한 정답은 아래와 같다.
 "생각이 나면 연락을 자주 한다."
 "연락을 자주 하지 않으면 생각이 나지 않는 것이다."
정답은 ③
 ※ 일반적인 문제는 선지부터 확인하는 것이 빠르지만
 전제-결론 문제는 도식화하는 것이 좋다.

[문항3] ②

(i)	E	B	A	D(가능)	C
(ii)	E	C	A	D(불가)	B

(1) 우선 확실한 조건부터 확인하자.
 → A는 3등이다.
 → E는 5등에서 2명을 앞지르면 3등이지만 불가능하므로
　　4명을 앞질러서 1등이다.
(2) B와 C는 서로 2등 ↔ 5등 관계이다.
(3) C는 D보다 늦게 들어왔으므로 C가 5등이고, B가 2등이다.
 ※ 확실한 조건부터 확인한 후, 쉬운 케이스를 가정하고 풀자.

[문항4] ②

월	A	B	C
4월	✕	영국	✕
5월	일본		
6월		✕	미국

(1) 우선 확실한 조건부터 확인하자.

→ 이 문제는 확실한 조건이 없다. 케이스 분류를 해야 한다.

→ 위 표처럼 그려두고 쉬운 케이스를 가정하고 풀어보자.

(2) 미국은 4월 또는 6월만 가능하므로 케이스는 아래와 같다.

→ (B가 4월에 미국) : C는 반드시 일본에 가야 한다. (선지x)

→ (C가 6월에 미국) : 남는 선지는 ②이고, 가능하다.

따라서 정답은 ②이다.

※ 상황을 최대한 단순하게 표로 그린 후, 하나씩 채우면서
   선지를 비교하자.

[실전]

1.	④	3.	④
2.	③	4.	⑤

[01] ④

선지를 골라서 확인하자. ①과 ②는 답일 가능성이 작다고 보고
③, ④, ⑤ 중에 생각하자.

그 중에도 ③과 ④가 구조가 비슷하므로 우선으로 보자.

(자동차x)로 시작하면 자동차x → 사기업x → 야망x로 끝난다.

따라서 정답은 ④이다.

① : A → 사기업o → 자동차o → 저축o (불가)

② : B → 공기업o → 저축o (불가)

⑤ : 저축o → X (불가)

※ 적당한 선지를 골라서, 눈으로 [꼬리잡기]하는 것이 빠르다.

[02] ③

선지를 골라서 확인하자. ①은 답일 가능성이 작다고 보고
②, ③ 또는 ④, ⑤ 중에 생각하자.

② : 수학o → NCSo → 공기업o (불가)

③ : 전공을 잘해도 공기업을 갈 수 있으므로 참이다. (가능)

④, ⑤ : 전공o → 공기업o만 연결이 되어있어서 다른 명제는
확인할 수 없다. (불가)

① : 공기업x → NCSx + 전공x → 수학x (불가)

따라서 정답은 ③이다.

[03] ④

케이스	월	화	수	목	금
(i)		주임	대리		대리
(ii)		대리	주임	대리	
~~(iii)~~		대리	주임		대리
(iv)		대리		주임	대리
~~(v)~~		대리		대리	주임

(1) 우선 확실한 조건부터 확인하자.

→ 주임과 대리는 월요일을 제외하고 모두 가능하다.

→ 대리끼리는 휴가를 연달아 갈 수 없다.

→ 위 표처럼 그려두고 살피자.

(2) 과장 다음 날에는 대리가 휴가를 갈 수 없으므로
(iii)와 (v)는 불가능하다. 다시 그리면 아래와 같다.

케이스	월	화	수	목	금
(i)	과장	주임	**대리**	팀장	대리
(ii)	팀장	대리	**주임**	대리	과장
(iv)	팀장	대리	**과장**	주임	대리

따라서 수요일에 휴가를 갈 수 있는 직급은 주임, 대리, 과장
④이다.

※ 확실한 조건부터 확인한 후, 쉬운 케이스를 가정하고 풀자.

[04] ⑤

층	식당	의류
5층	**양식당**	남성복
4층		
3층		아동복
2층	중식당	여성복
1층	한식당	

(1) 우선 확실한 조건부터 확인하자.

→ [ㄷ] 조건에 의해 남성복의 3층 아래에 여성복이 위치하므로
5층-2층 또는 4층 1층이다. 따라서 5층-2층부터 가정하자.

(2) 이후 조건은 [ㄹ] → [ㅁ] → [ㄴ] → [ㄱ + ㅂ] 순이다.

[ㄹ] : 여성복이 2층이므로 중식당은 2층

[ㅁ] : 중식당이 2층이므로 한식당은 1층

[ㄴ] : 한식당이 1층이므로 아동복은 3층 또는 5층이므로 3층

[ㄱ + ㅂ] : 아동복은 3층이고 3층에는 1개 매장만 위치하므로
양식당은 5층이다. 따라서 정답은 ⑤이다.

※ 상황을 최대한 단순하게 표로 그린 후, 하나씩 채우면서
   선지를 비교하자.

문제해결 : 중간 점검 해설

1.	④	6.	④
2.	①	7.	②
3.	④	8.	②
4.	②	9.	④
5.	⑤	10.	④

[01] – 참거짓 논리 ④

[빠른 해법]

3 : 1 → B, D 1 : 1 → A, C 2 : 0 → D만 범인으로 가능

(1) 진실 : 거짓 = 3 : 1이다.

(2) B의 말에 의해, B와 D는 1 : 1이다.

→ B와 D 중에 누가 진실이고 거짓인지는 중요하지 않다.

(3) 남은 A와 C는 2 : 0이다.

(4) 따라서 A, B, C는 범인이 아니므로 D가 범인이다.

[02] – 참거짓 논리 ①

(1) 진실 : 거짓 = 3 : 2이다.

(2) B와 C는 학년이 다르므로 C와 D는 2 : 0 또는 0 : 2이다.

→ C가 진실이면, A와 C의 학년이 다르므로 D도 진실이다.

→ C가 거짓이면, A와 C의 학년이 같으므로 D도 거짓이다.

(3-1) C와 D를 0 : 2로 가정하면 남은 A, B, E는 3 : 0이다.

→ 1학년은 B, D, E가 되지만 B의 말에서 모순 발생

(3-2) 따라서 C와 D는 2 : 0이고, 남은 A, B, E는 1 : 2이다.

→ B가 거짓이면 B는 D, E와 학년이 같으므로 모순 발생

→ 따라서 B는 반드시 진실이고, 남은 A, E가 0 : 2이다.

(4) 따라서 C, D, E가 1학년이고, A, B가 2학년이므로 ①이다.

[03] – 명제 논리 ④

선지를 골라서 확인하자. 우선 부정형이 복잡하므로 ②와 ④부터 확인하자.

② : (일식x)로 시작할 수 없으므로 알 수 없다. (불가)

④ : (초밥x)로 시작하면 초밥x → 한식o → 비빔밥o → 라면o
따라서 정답은 ④이다.

① : 불고기o로 시작할 수 없다. (불가)

③ : 비빔밥o → 라면o에서 끝난다. (불가)

⑤ : 라면o로 시작할 수 없다. (불가)

※ 적당한 선지를 골라서, 눈으로 [꼬리잡기]하는 것이 빠르다.

[04] – 명제 논리 ②

[도식화]

(결론) : 동물o → 웃는다o

(전제) : 동물o → 강아지o || 친절o → 웃는다o

위 전제에서 강아지o → 친절o가 연결되지 않았으므로 결론을 내기 위해선 아래와 같은 전제가 필요하다.

"강아지를 좋아하면 친절하다."

"친절하지 않으면 강아지를 좋아하지 않는다."

따라서 정답은 ②

※ 일반적인 문제는 선지부터 확인하는 것이 빠르지만 전제-결론 문제는 도식화하는 것이 좋다.

[05] – 명제 논리 ⑤

(1) 우선 확실한 조건부터 확인하자.

→ 재정부 대리와 주임의 당직 일은 3일 차이 나고,
재정부 대리 - 기획부 주임 - 기획부 대리 - 재정부 주임
순이므로 순서대로 월, 화, 수, 목에 배정된다.

→ 주임 중 3명이 숙직을 하고, 1명이 일직을 한다.
따라서 대리는 3명이 일직, 1명은 숙직을 한다.

→ 대리끼리 일직과 숙직을 같이 서는 요일은 하루뿐이므로
숙직하는 대리는 월요일로 확정이 된다.

	월	화	수	목
일직	재정부(대)		기획부(대)	
숙직	+대리확정	기획부(주)	+주임확정	재정부(주)

(2) 이제부터 선지를 확인해보자.

① : 대리가 2명 같이 서는 요일은 월요일이므로 틀린 선지

② : 대리가 2명 같이 서는 요일은 월요일이므로 틀린 선지

③ : 대리가 2명 같이 서는 요일은 월요일이므로 틀린 선지

④ : 인사부 대리가 목요일에 당직을 서면, 아래 표와 같다.

④상황	월	화	수	목
일직	재정부(대)	주임확정	기획부(대)	인사부(대)
숙직	감사부(대)	기획부(주)	주임확정	재정부(주)

• 감사부 주임은 화요일 또는 수요일에 당직이므로 틀린 선지

⑤ : 인사부 주임이 화요일에 당직을 서면, 아래 표와 같다.

⑤상황	월	화	수	목
일직	재정부(대)	인사부(주)	기획부(대)	대리확정
숙직	대리확정	기획부(주)	감사부(주)	재정부(주)

• 모든 주임의 일직, 숙직 일정이 확정된다.

따라서 정답은 ⑤이다.

※ 확실한 조건부터 확인한 후, 쉬운 케이스를 가정하고 풀자.

[06] - 명제 논리 ④

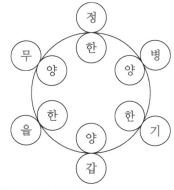

(1) 우선 확실한 조건부터 확인하자.
→ 갑의 맞은편에는 정이 앉는다.
정과 기는 이웃하지 않는다.
을과 기는 한식을 먹는다.
→ 위 세 조건에 의해 위와 같이 상황이 그려진다. (파란색)
(2) 그리고 을과 병은 이웃하지 않으므로, 병은 을의 맞은편이다.
(3) 남은 자리인 양식에 무가 앉는다.
따라서 기의 맞은편에 앉는 사람은 무, 음식은 양식이다. ④

※ 확실한 조건부터 확인한 후, 쉬운 케이스를 가정하고 풀자.

[07] - 문서이해 ②

해당 자료에서 당구장과 특이사항을 먼저 확인하자.
확인1 : 공사 휴무일, 공사기간 확인(②)
확인2 : 점심시간, 비상문 폐쇄 확인(④)
확인3 : 문의방법 확인(③)
당구장과 특이사항으로 확인해볼 만한 선지는 ②, ③, ④이다.
그리고 선지만 봤을 땐, ⑤도 어려운 선지이므로 유력하다.
• 종합적으로 봤을 땐, ②와 ⑤가 유력한 선지이다.
② : 공사기간은 [달력 논리]로 계산하면, +25일+11일 = 36일,
7일을 5번 지났으므로 일요일은 5번 지나고
공휴일을 2번 지났으므로 총 29일이다. (정답)
⑤ : [395 × 45% 〉 185]를 [400 × 45% 〉 185]로 올린 후
[200 × 90% 〉 185]를 비교하면 거짓이다. (계산요령 참고)
• 나머지 선지는 간단하므로 해설은 생략

※ 문서이해 문제는 당구장과 특이사항을 먼저 확인한 후
선지를 확인하는 것이 중요하다.

[08] - 문서이해 ②

8명은 5월 7일부터 6월 11일까지 29일간 7.5시간씩 일한다.
4명은 6월 1일부터 6월 11일까지 8일간 7.5시간씩 일한다.
(8 × 7.5 × 29) = (4 × 15 × 29) = 60 × 29 = 1,740시간
(4 × 7.5 × 8) = (2 × 15 × 8) = 30 × 8 = 240시간
따라서 정답은 1,980시간이다.

※ 앞에서 구한 공사기간 29일을 갖다 쓰면 된다.

[09] - 문제해결 특수 ④

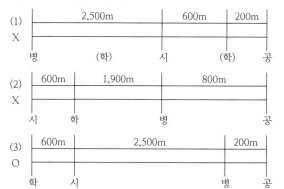

가장 거리가 먼 구간은 3,300m이므로 우선 3,300m 선을 긋자.
우선 병원과 시청이 떨어진 거리가 2,500m이므로 (1) ~ (2)의
상황을 그릴 수 있다. 이때 모두 병원과 공항이 떨어진 거리가
500m를 넘으므로 틀린 상황이다.
다음으로 병원과 시청이 중간에 있는 (4)의 상황을 그리면,
조건에 맞게 배치할 수 있다. 따라서 정답은 ④

※ 특수 문제는 직접 그려봐야 쉽게 이해가 된다.

[10] - 문제해결 특수 ④

상황부터 정리하면, A-B, A-C, B-C 총 3번의 경기를 하게 되고
한 경기마다 최소 3세트, 최대 5세트를 하게 된다.

	A	B	C	총전적	
A		2 : 3	3 : n	5승	(3+n)패
B			n : 3	(3+n)승	5패
C				(3+n)승	(3+n)패

A는 총 5세트를 승리했으므로, 각각 2:3, 3:n이다.
C는 승리한 세트 수와 패배한 세트 수가 같아야 한다.
• A에게 n : 3으로 겼으므로, B에게는 3 : n로 이겨야 한다.
B는 승리한 세트 수와 패배한 세트 수가 달라야 한다.
• $0 \leq n \leq 1$

ㄱ. A가 패배한 총 세트, C가 승리한 총 세트 수는 3+n (참)
ㄴ. n=0이면 C의 승리는 3회, B의 승리는 3회 (거짓)
ㄷ. B가 경기한 세트 수는 8+n이므로 n=1일 때, 홀수이다.
이때 C가 패배한 총 세트 수는 4회 (참)

[빈칸 채우기]

[빈칸 채우기]

TV	기능	해상도	크기	가격
A	(1.4)	0	(2.7)	0
B	(0.8)	(0.6)	(1.8)	(1.0)
C	(2.4)	0	0	(1.6)
D	0	(3.0)	(0.3)	(1.0)
E	(1.8)	(0.6)	(1.5)	0

우선 위 빈칸을 [가중치 보정]으로 모두 채워보자.
가중치 보정 점수는 아래와 같다.
A : (4.1), B : (4.2), C : (4.0), D : (4.3), E : (3.9)

(1) 아래는 2등과 5등의 점수 차이를 구하는 과정이다.
2등은 (B)TV이고 (4.2)점, 5등은 (E)TV이고 (3.9)점
따라서 2등과 5등의 점수 차이는 (0.3)점이다.

(1) 최종점수가 가장 높은 TV는 (D)TV이다.
최종점수는 바로 구할 수 없으므로, 원본 자료로 돌아가자.
(D)TV의 최종점수는 [(151)×0.2 + (175)×0.3] = (82.7)점이다.

[예문]

1.	③	3.	①
2.	④	4.	②

[문항1] ③

이 문제는 계급별로 순위를 매겨야 하므로
계급별로 [가중치 보정]을 해야 한다.

성명	전문성	구성	영상 길이	가산점	최종점수
김병장	0	1.8	0		1.8
이병장	1.5	0	0.2		1.7
박병장	0.5	0.9	0.6		2.0
최상병	0	1.8	1.0	0.4	2.8+(0.4)
정상병	1.5	1.2	0.2	0.4	2.9+(0.4)
조상병	3.0	0	0		3.0
강일병	0.5	1.5	0		2.0
윤일병	0	0	1.2	0.4	1.2+(0.4)

(병장) : 박병장 〉 김병장 〉 이병장
(상병) : 조상병 〉 정상병 〉 최상병
(일병) : 강일병 〉 윤일병
따라서 정답은 이병장, 최상병, 윤일병이다.
 ※ 초스피드 풀이법 : 계급별 1명씩 탈락하므로 강일병, 윤일병
   을 먼저 비교하면 선지가 3번과 5번만 남는다.
   그 후 박병장과 이병장만 비교하면 된다.

[문항2] ④

위 표에서 바로 가산점을 추가하자.
 최상병 = +0.4점
 정상병 = +0.4점
 윤일병 = +0.4점

(병장) : 박병장 〉 김병장 〉 이병장
(상병) : 정상병 〉 최상병 〉 조상병
(일병) : 강일병 〉 윤일병
따라서 정답은 이병장, 조상병, 윤일병이다.
 ※ 초스피드 풀이법 : 계급별 1명씩 탈락하므로 강일병, 윤일병
   을 먼저 비교하면 선지가 1번, 3번, 4번만 남는다.
   그 후 김병장과 이병장을 비교하고, 최상병과 조상병을
   비교하면 된다.

[문항3] ①

이 문제는 같은 평가항목이 여러 행으로 표현되어 있어서
가독성이 떨어지는 복잡한 문제이다.

- 가중치 보정만 완성하면 2문제를 맞출 수 있으므로
  풀이에 3분은 써도 된다고 생각하자.

가중치는 평가항목별이 아니라 부장, 팀장, 차장 이하이므로
평가자별로 나눠야 한다.

- 갑 부장 : 최저점을 24점으로 잡고 1.5배 가중치 보정
- 을 팀장 : 최저점을 25점으로 잡고 1.2배 가중치 보정
- 나머지 : 성과향상은 가평균 40, 나머지는 가평균 30

(원래는 가평균으로 음수 계산을 하도록 가르치진 않지만,
상황에 따라 유리한 방법으로 푸는 게 좋다.)

대상자	평가항목	평가자별 평가점수				
		갑 부장	을 팀장	병 과장	정 대리	무 대리
박과장	의사소통 (30)	3.0	1.2	가평균 30 : -6		
	업무추진 (30)	7.5	4.8	가평균 30 : -7		
	성과향상 (40)	24	16.8	가평균 40 : -2		
이대리	의사소통 (30)	0	2.4	가평균 30 : -3		
	업무추진 (30)	4.5	2.4	가평균 30 : -2		
	성과향상 (40)	24	15.6	가평균 40 : -2		
오주임	의사소통 (30)	0	1.2	가평균 30 : -4		
	업무추진 (30)	1.5	0	가평균 30 : -13		
	성과향상 (40)	21	16.8	가평균 40 : 0		

정리하면 아래와 같다.
(모든 대상자에게 가평균만큼 빼서 합산하였으므로
다 같이 변화하였기에 최종점수 차이에는 영향이 없다.)

		의사		업무		성과		최종
박	=	(-1.8)	+	(5.3)	+	(38.8)	=	42.3점
이	=	(-0.6)	+	(4.9)	+	(37.6)	=	41.9점
오	=	(-2.8)	+	(-11.5)	+	(37.8)	=	23.5점

따라서 박과장 〉 이대리 〉 오주임 순이다.

[문항4] ②

위 표에서 박과장은 42.3점, 이대리는 41.9점이다.
최종점수는 평가자 5명 점수의 평균이므로
최종점수 차이는 0.4점 ÷ 5 = 0.08점이다.
정답은 0.08점이다.

[실전]

1.	③	3.	③
2.	⑤	4.	②

[01] ③

이 문제는 상위 항목 밑에 하위 항목이 있는 상황이므로
하위 항목의 합산에 대하여 [가중치 보정]을 해야 한다.

〈갑의 평가점수〉

공격	공격		피지	테크	멘탈	최종
	평균	보정				
A	4	→ 0.5	0.3	0.1	0.1	1.0
B	3	→ 0	0	0.4	0	0.4
C	4	→ 0.5	0.3	0	0.3	1.1
D	3.3	→ 0.15	0.6	0.3	0	1.05
E	4	→ 0.5	0	0.2	0.2	0.9

C의 가중치 보정 점수가 1.1점으로 가장 높으므로 C이다.

[02] ⑤

〈을의 평가점수〉

공격	공격		피지	테크	멘탈	최종
	평균	보정				
A	4	→ 0.4	0.2	0.2	0.2	1.0
B	3	→ 0	0	0.8	0	0.8
C	4	→ 0.4	0.2	0	0.6	1.2
D	3.3	→ 0.12	0.4	0.6	0	1.12
E	4	→ 0.4	0	0.4	0.4	1.2

C와 E의 가중치 보정 점수가 둘 다 1.2로 가장 높지만,
동점자가 발생하였으므로 테크닉 점수가 높은 E이다.

[03] ③

이 문제는 항목별 점수를 변환해야 하므로

조금 귀찮지만 어려운 문제는 아니다.

(제외 대상인 무와 기는 무시하자.)

〈가중치 3 : 3 : 4 반영〉

구분	서류전형	필기전형	면접전형	최종점수
갑	1	1	0	2
을	0	2	1.3	3.6
병	2	0	2.6	4.6
정	1	2	0	3
~~무~~	~~✗~~	~~84점~~	~~98점~~	
~~기~~	~~0~~	~~2~~	~~✗~~	
경	2	1	0	3

순위만 정하면 되므로 3 : 3 : 4를 [1 : 1 : 1.3]으로 취급하고

[가중치 보정]을 하면 위와 같다.

병과 을이 1위, 2위이므로 정답은 ③이다.

[04] ②

(제외 대상인 기는 무시하자.)

〈가중치 5 : 1 : 4 반영〉

구분	서류전형	필기전형	면접전형	최종점수
갑	0.5	0.1	0	0.6
을	0	0.2	0.4	0.6
병	1	0	0.8	1.8
정	0.5	0.2	0	0.7
무	1	0.1	0.8	1.9
~~기~~	~~0~~	~~0.2~~	~~✗~~	
경	1	0.1	0	1.1

[가중치 보정]을 5 : 1 : 4로 적용하자.

무와 병이 1위, 2위이므로 정답은 ②이다.

[빈칸 채우기]

[빈칸 채우기]

(1) 선지를 보면 (백)의 자리까지 확인해야 한다.

(2) 직원 수는 7명이므로 조건에 맞게 개수를 정하면 아래와 같다.

수박 : (6)개, 사과 : (29)개, 포도 : (16)개

멜론 : (9)개, 참외 : (23)개

여기서 비고의 혜택을 받는 과일은 (사과), (멜론), (참외)

(3) 순서대로 (백)의 자리까지만 계산하자.

[수박 : (900)원 (6)개 = (400)원]

[사과 : (20)원 (27)개 = (540)원]

[포도 : (680)원 (16)개 = (880)원]

[메론 : (4,400)원 (9)개 10% 할인 = (9,600)원×0.9 = (640)원]

[참외 : (550)원 (22)개 = (100)원]

따라서 백의 자리까지의 합은 (560)원이다.   정답은 (③)번

[예문]

1.	④	3.	③
2.	①	4.	①

[문항1] ④

[빠른 해법]

$280 \times (12+13.5+9+4.8) \to 8 \times 3 \to 4$ 정답은 ④

(1) 일의 자리에서 판별된다.

(2) 280 입장에서 0이 1개 소거돼야 하므로 0.x만 찾으면 된다.

대리 배율 : S급(12배) A급(13.5배) B급(9배) C급(4.8배)

(3) 따라서 $280 \times 0.3 \to 8 \times 3 \to 4$로 풀면 된다.

※ 280×39.3의 계산에서 일의 자리만 확인하면 되므로 200만과 39는 무의미하다는 것을 깨달아야 한다.

[문항2] ①

[빠른 해법]

(팀장) : $420 \times (2.4+3+3+1.2) \to 2 \times 6 \to 2$

(과장) : $320 \times (4.8+6+6+2.4) \to 2 \times 2 \to 4$

여기서 과장이 무조건 더 높으므로 정답은 [4-2] = 2   ①

(1) 일의 자리에서 판별된다.

(2) 팀장의 420만과 과장의 320만은 배율의 소수점 첫째 자리로 판별된다. ← 소수점이 포함된 배율만 생각하자.

팀장 배율 : S급(2.4배) C급(1.2배)

과장 배율 : S급(4.8배) C급(2.4배)

(팀장 성과급) : $420 \times 0.6 \to 2 \times 6 \to 2$

(과장 성과급) : $320 \times 0.2 \to 2 \times 2 \to 4$

(3) 과장이 더 성과급이 높으므로 정답은 [4-2] = 2만원이다.

※ 420×9.6의 계산에서 일의 자리만 확인하면 되므로 400만과 9는 무의미하다는 것을 깨달아야 한다.

※ 320×19.2의 계산에서 일의 자리만 확인하면 되므로 300만과 19는 무의미하다는 것을 깨달아야 한다.

[문항3] ③

[빠른 해법]

2,800,000 × 0.01564 → 8 × 4 → 2   정답은 ③

(1) 일의 자리에서 판별된다.

(2) 2,800,000 입장에서 0이 5개 소거돼야 하므로 0.0000x만

찾으면 된다.

→ 자료에서 석면 부담금률이 0.00004이다.

(3) 따라서 2,800,000 × 0.00004 → 8 × 4 → 2로 풀면 된다.

※ 2,800,000 × 0.01564의 계산에서 일의 자리만 확인하면

되므로 200만과 0.0156은 무의미하다는 것을 깨달아야 한다.

[문항4] ①

[빠른 해법]

3,200,000 × 0.03764 → 2 × 4 → 8   정답은 ①

(1) 일의 자리에서 판별된다.

(2) 3,200,000 입장에서 0이 5개 소거돼야 하므로 0.0000x만

찾으면 된다.

→ 자료에서 석면 부담금률이 0.00004이다.

(3) 따라서 3,200,000 × 0.00004 → 2 × 4 → 8로 풀면 된다.

※ 3,200,000 × 0.03764의 계산에서 일의 자리만 확인하면

되므로 300만과 0.0376은 무의미하다는 것을 깨달아야 한다.

[실전]

1.	②	3.	①
2.	⑤	4.	④

[01] ②

(1) 백의 자리에서 판별된다.

(2) 10월에 저압 1,200kWh를 사용하였으므로 슈퍼유저요금은

적용되지 않는다.

(3) 기본요금은 300원, 전력량요금은 아래와 같다.

(처음 200kWh) : 200 × 120 = 0원

(다음 200kWh) : 200 × 214.6 = 20 × 2,146 = 920원

(400kWh 초과) : 800 × 307.3 = 80 × 3,073 = 840원

따라서 정답은 300원 + 920원 + 840원 = 60인 ②이다.

※ 기본요금과 전력량요금에서 백의 자리까지만 계산하면 된다.

[02] ⑤

(1) 십의 자리에서 판별된다.

(2) 12월에 고압 1,100kWh를 사용하였으므로 슈퍼유저요금이

적용된다.

(3) 기본요금은 60원, 전력량요금은 아래와 같다.

(처음 200kWh) : 200 × 105 = 0원

(다음 200kWh) : 200 × 174 = 0원

(400kWh 초과) : 600 × 242.3 = 60 × 2,423 = 80원

(슈퍼유저요금) : 100 × 601.3 = 10 × 6,013 = 30원

따라서 영희의 전기요금은 70원이고, 철수의 전기요금은 앞서

구해둔 60원이다.

둘의 전기요금 차이는 I70 – 60I이므로 10원 또는 90원이다.

철수가 영희보다 크므로 정답은 60 – 70 = 90원이다.

※ 1,000kWh까지는 저압이 고압보다 요금이 더 크고,

철수는 200kWh × 307.3, 영희는 100kWh × 601.3이므로

반드시 철수의 전기요금이 더 크다는 것을 알 수 있다.

[03] ①

이 문항은 끝자리 판별은 가능하지만, 상황이 너무 복잡하므로 실전에서는 버리는 것도 좋은 방법이다.

(1) 백의 자리에서 판별된다.

(2) 직원 50명, 스태프 3명이다.

(도시락 또는 김밥) : 프리미엄으로 구매해야 하므로 D마트가 가장 저렴하므로 <u>김밥 106줄은 D마트에서 구매해야 한다.</u>

(과일 세트) : B마트와 C마트의 1세트 가격 차이가 30원이므로 B마트에서 30세트 모두 구매하면, 900원만큼 차이가 난다. 하지만, B마트 할인행사로 생수 3개를 받으므로 최소 1,500원 이득이므로 <u>과일 세트 30개는 B마트에서 구매해야 한다.</u>

(생수) : 과일 세트에서 생수 3개를 받았으므로 100개만 더 구매하면 된다. C마트는 100개를 495원으로, D마트는 92개를 540원으로 구매하면 된다. 곱의 비교 시 C마트가 저렴하다. 따라서 <u>생수 100개는 C마트에서 구매해야 한다.</u>

(3) 백의 자리까지만 계산하면 아래와 같다.

(김밥 106줄) : $106 \times 3,580 = 480$원

(과일 세트 30개) : $30 \times 3,230 = 900$원

(생수 100개) : $100 \times 495 = 500$원

따라서 정답은 480원 + 900원 + 500원 = 880원인 ①이다.

음식	B마트	C마트	D마트
김밥			580원×106개 (확정)
과일 세트	230원×30개 (확정)		
생수		495원×100개 (확정)	540원×92개 (탈락)

※ 김밥은 D마트, 과일 세트는 B마트로 확정되므로 생수만 고려해서 백의 자리까지만 계산하면 된다.

[04] ④

이 문항은 끝자리 판별은 가능하지만, 상황이 너무 복잡하므로 실전에서는 버리는 것도 좋은 방법이다.

(1) 백의 자리에서 판별된다.

(2) 직원 45명, 스태프 3명이다.

(도시락 또는 김밥) : 프리미엄으로 구매해야 하므로 D마트가 가장 저렴하므로 <u>김밥 96줄은 D마트에서 구매해야 한다.</u>

(과일 세트) : 27개가 필요하므로 할인을 받을 수 없다. 따라서 <u>과일 세트 27개는 C마트에서 구매해야 한다.</u>

(생수) : 직원은 90개, 스태프는 3개이므로 93개가 필요하다. C마트의 할인을 받을 수 없으므로, B마트 또는 D마트에서 구매해야 한다. B마트는 93개를 500원으로, D마트는 85개를 540원으로 구매하면 된다. 곱의 비교 시 D마트가 저렴하다. 따라서 <u>생수 85개(+8개)는 D마트에서 구매해야 한다.</u>

(3) 백의 자리까지만 계산하면 아래와 같다.

(김밥 96줄) : $96 \times 3,580 = 680$원

(과일 세트 27개) : $27 \times 3,200 = 400$원

(생수 85개) : $85 \times 540 = 900$원

따라서 정답은 680원 + 400원 + 900원 = 980원인 ④이다.

음식	B마트	C마트	D마트
김밥			580원×96개 (확정)
과일 세트		200원×27개 (확정)	
생수	500원×93개 (탈락)		540원×85개 (확정)

※ 김밥은 D마트, 과일 세트는 C마트로 확정되므로 생수만 고려해서 백의 자리까지만 계산하면 된다.

[빈칸 채우기]

[빈칸 채우기] ⑤

※ **빠른 풀이** : x시 → x시 + (3)시 → x시 + (8)시

x시 + (8)시 = 17시이므로 x = 9시

(1) x시에 회사에서 인천공항으로 이동 후 비행기 타기 전까지
x시 + (3)시간

(2) 인천에서 두바이로 이동한다.
인천 → 두바이 : [(10시간) − (5시간)] = (5)시간

(3) 두바이에 도착한 시간이 1월 8일 17시여야 한다.
x시 + (8)시간 = 1월 8일 17시

따라서 x시는 (9)시이고, 이날은 (1)월 (8)일 (9)시이다.

[예문]

1.	④	2.	②

[문항1] ④

항상 [비행시간 ± 시차]를 구해두고 풀자.
특히 여러 비행기가 나오는 경우엔 매우 도움이 된다.

영국행	출발시각	[비행시간−시차]	도착시각
A항공사	16일 8시	6시간	16일 12시
B항공사	16일 12시	5시간	~~16일 17시~~
C항공사	16일 10시	5시간 30분	16일 15시 30분
D항공사	16일 11시	4시간	16일 15시
E항공사	16일 9시	7시간	16일 16시

한국행	출발시각	[비행시간−시차]	도착시각
A항공사	17일 18시	19시간	17일 37시
B항공사	17일 17시	19시간	17일 36시
C항공사	~~17일 14시~~	18시간	17일 32시
D항공사	17일 16시	20시간	17일 36시
E항공사	17일 20시	18시간	17일 38시

(1) 영국 도착시각은 중요하지 않고 16시 전까지만 가면 된다.
B항공사는 빼야 한다.

(2) 콘서트를 보고 자유여행을 한다.
16시 → 19시 → 40시 = 17일 16시

(3) 17일 16시부터 영국에서 비행기를 탈 수 있다.
C항공사는 빼야 한다.
A : 37시 도착, D : 36시 도착, E : 38시 도착

따라서 D항공사를 예약해야 한국에 가장 빨리 돌아올 수 있다.

[문항2] ②

문항1에서 콘서트부터 1시간씩 미루면 된다.
이때 B항공사를 탈 수 있게 된다.

(1) 콘서트를 보고 자유여행을 한다.
17시 → 20시 → 41시 = 17일 17시

(2) 17일 17시부터 영국에서 비행기를 탈 수 있다.
C항공사와 D항공사는 빼야 한다.

따라서 B항공사를 예약해야 18일 12시(17일 36시)에 도착한다.

[실전]

1.	⑤	2.	④

[문항1] ⑤

항상 [비행시간 ± 시차]를 구해두고 풀자.

특히 여러 비행기가 나오는 경우엔 매우 도움이 된다.

철수	출발시각	[비행시간−시차]	도착시각
A항공사	7일 2시	36시간	7일 38시
B항공사	7일 2시	37시간	~~7일 39시~~
C항공사	7일 3시	35시간	7일 38시

영희	출발시각	[비행시간−시차]	도착시각
D항공사	8일 9시	6시간	~~8일 15시~~
E항공사	8일 9시	5시간	8일 14시
F항공사	8일 7시	7시간	8일 14시

(1) 서울이 +0이라면, 시애틀은 −17, 두바이는 −5이다.

시애틀 → 두바이 : +12시간

서울 → 두바이 : −5시간

(2) 회의가 8일 15시이므로 8일 14시 전까지 두바이에 도착하면
된다.

8일 14시 = 7일 38시

철수는 B항공사를 탈 수 없다.

영희는 D항공사를 탈 수 없다.

따라서 가능한 조합은 아래와 같고, 정답은 ⑤이다.

A항공사 + E항공사

A항공사 + F항공사

C항공사 + E항공사

C항공사 + F항공사

[문항2] ④

문항1에서 가능한 조합은 A+E, A+F, C+E, C+F이므로
각각 103만 원, 104만 원, 102만 원, 103만 원이다.

따라서 정답은 102만 원인 ④이다.

자원관리 : 환율 논리 해설

[빈칸 채우기]

[빈칸 채우기]

[문제1]

1. (달러)를 잃고 (페소)를 받는다.

2. 10달러 × (50페소/1달러) = (500)페소

[문제2]

1. (달러)를 잃고 (원)을 받은 후, (원)을 잃고 (페소)를 받는다.

2. 10달러 × (1,200원/1달러) × (1페소/25원) = (480)페소

[문제3]

1. (페소)를 잃고 (달러)를 받은 후, (달러)를 잃고 (원)을 받는다.

2. 200페소 × (1달러/50페소) × (1,200원/1달러) = (4,800)원

[예문]

1.	④	2.	③

[문항1] ④

[빠른 해법]

$(6 \times 1,300) + (31 \times 200) + (10 \times 1,000) = 24,000$

$24,000 \times (1/1,200) = 20$달러　　　　　정답은 ④

(1) 원으로 바꿀 때는 화폐를 파는 것과 같다.

(2) 따라서 분자에 원, 분모에 화폐를 두면 된다.

유로 : $6 \times 1,300 = 7,800$원

위안 : $31 \times 200 = 6,200$원

100엔 : $10 \times 1,000 = 10,000$원

(3) 24,000원을 달러로 바꾸면, 원을 잃고 달러를 사야 한다.

24,000원 × (1달러 / 1,200원) = 20달러

※ 분자는 얻는 화폐, 분모는 잃는 화폐

[문항2] ③

[빠른 해법]

n달러 × (1,100원 / 1달러) × (1유로 / 1,400원) = 22유로

$n = 28$

28달러 × (1,100원 / 1달러) × (1위안 / 220원) = 140위안

정답은 ③

(1) 달러를 잃고 원을 얻은 후, 원을 잃고 유로를 얻자.

n달러 × (1,100원 / 1달러) = $(1,100n)$원

$(1,100 \times n)$원 × (1유로 / 1,400원) = $(11n/14)$유로 = 22유로

$n = 28$

(2) 다시 돌아가서 위안으로 바꾸면 아래와 같다.

28달러 × (1,100원 / 1달러) = 30,800원

30,800원 × (1위안 / 220원) = 140위안

(3) 따라서 정답은 ③이다.

※ 분자는 얻는 화폐, 분모는 잃는 화폐

[실전]

1.	①	2.	⑤

[01] ①

[빠른 해법]

440,000원 × (1달러 / 1,100원) = 4,000달러

→ 4,000달러 × (1,000원 / 1달러) = 400,000원

160,000원 × (1루피 / 16원) = 10,000루피

→ 10,000루피 × (15원 / 1루피) = 150,000원

따라서 550,000원이므로 정답은 ①

(1) 원을 잃고 달러와 루피를 받으므로 아래와 같다.

440,000원 × (1달러 / 1,100원) = 4,000달러

160,000원 × (1루피 / 16원) = 10,000루피

(2) 다시 달러와 루피를 잃고 원을 받으므로 아래와 같다.

4,000달러 × (1,000원 / 1달러) = 400,000원

10,000루피 × (15원 / 1루피) = 150,000원

(3) 따라서 550,000원이므로 정답은 ①이다.

※ 분자는 얻는 화폐, 분모는 잃는 화폐

[02] ⑤

[빠른 해법]

[13일]

50,000원 × (1달러 / 1,000원) = 50달러

피자 2판 : 50달러 − 12달러 = 38달러

38달러 × (1,000원 / 1달러) = 38,000원

[14일]

38,000원 × (1위안 / 190원) = 200위안

피자 4판 : 200위안 − 60위안 = 140위안

140위안 × (190원 / 1위안) = 26,600원

따라서 26,600원이므로 정답은 ⑤

(1) 원을 잃고 달러를 받은 후, 피자 구매 후 다시 원을 받는다.

50,000원 × (1달러 / 1,000원) = 50달러

피자 2판 : 50달러 − 12달러 = 38달러

38달러 × (1,000원 / 1달러) = 38,000원

(2) 원을 잃고 위안을 받은 후, 피자 구매 후 다시 원을 받는다.

38,000원 × (1위안 / 190원) = 200위안

피자 4판 : 200위안 − 60위안 = 140위안

140위안 × (190원 / 1위안) = 26,600원

(3) 따라서 26,600원이므로 정답은 ⑤이다.

※ 분자는 얻는 화폐, 분모는 잃는 화폐

1.	③	6.	①
2.	⑤	7.	①
3.	⑤	8.	③
4.	④	9.	④
5.	④	10.	①

[01] - 가중치 ③

표에는 맞춘 문제의 개수만 적혀 있으므로, 실제 점수는 배점을 곱해야 한다.

총점을 묻는 문제이므로 순위를 찾은 후 정석으로 계산하자.

학생	2점 점수	3점 점수	4점 점수	보정 총점
A	2	3	4	9
B	2	0	8	10
C	0	6	0	6
D	2	9	0	11
E	0	6	8	14

2점 문제는 1칸에 2점씩, 3점 문제는 1칸에 3점씩, 4점 문제는 1칸에 4점씩 [가중치 보정]을 하면 위와 같으므로 1등은 E이다.

한편, E의 총점은 정석으로 계산하면 아래와 같다.

$(2 \times 2) + (3 \times 13) + (4 \times 12) = 91$점

따라서 정답은 ③이다.

[02] - 가중치 ⑤

우선 제외할 사료부터 제외하고 [가중치 보정]을 적용하자.

특성	A	B	C	D	E
브랜드	0		2		4
단백질	2.5		0		0
민감성	4		4		0
가격	0		0		3
사료	동결건조	동결건조	동결건조	습식	동결건조
견종	소형견	대형견용	소형견용	소형견용	소형견용
총점	6.5		6		7

우선 B와 D는 제외해야 한다.

남은 A, C, E에 대하여 [가중치 보정]을 하면 위와 같으므로 1등은 E이다. 따라서 정답은 ⑤이다.

[03] - 가중치 ⑤

가중치가 필요한 문제가 아니므로 가중치 보정 대신에 만점에서 빼는 방식으로 푸는 것이 좋을 수도 있다.

참가자	A, G 제외 총점	A, G 제외 2안
민지	50-10 = 40점	40-16 = 24점
하니	50-9 = 41점	41-17 = 24점
해린	50-8 = 42점	42-16 = 26점
혜인	50-8 = 42점	42-17 = 25점
다니엘	50-9 = 41점	41-15 = 26점

A, G를 제외하면 만점이 50점이므로 50점에서 항목별 차이를 계산한 후, 최고점과 최저점을 각각 빼주면 표와 같이 정리된다.

2안 적용 시, 해린과 다니엘이 26점으로 동점이므로 심사위원 B의 점수를 비교하면 해린은 7점, 다니엘은 9점이므로 다니엘이 1등이다. 따라서 정답은 ⑤이다.

[04] - 가중치 ④

참가자	1안 총점	2안 총점	6점 이하
민지	70-11 = 59점	59-16 = 43점	탈락
하니	70-11 = 59점	59-17 = 42점	
해린	70-11 = 59점	59-16 = 43점	
혜인	70-12 = 58점	58-17 = 41점	
다니엘	70-12 = 58점	58-15 = 43점	탈락

답 예측을 해보면, 어려운 선지인 ⑤ → ④ → ③ 순으로 푸는 것이 좋아 보인다.

[핵심 선지]

⑤ : 6점 이하 점수를 받은 참가자를 탈락시키면 하니, 해린, 혜인만 남는다. 이 중에 2안 1등은 해린이므로 틀린 선지다.

④ : 6점 이하 점수를 받은 참가자를 탈락시키면 하니, 해린, 혜인만 남는다. 이 중에 1안 1등은 하니와 해린이다. 심사위원 B의 점수는 하니가 더 높으므로 1등은 하니이다. 따라서 옳은 선지이므로 정답은 ④이다.

③ : 2안의 1등은 민지, 해린, 다니엘이다. 심사위원 B의 점수는 다니엘이 가장 높으므로 다니엘이 1등이고, 틀린 선지다.

[남은 선지]

② : 1안의 1등은 민지, 하니, 해린이다. 심사위원 B의 점수는 하니가 가장 높으므로 하니가 1등이고, 틀린 선지다.

① : 심사위원 A, B, C에게만 점수를 받고 1안을 적용하면 다니엘이 27점으로 1등이므로 틀린 선지다.

[05] - 가중치 ④

금액계산 문제로 보이지만, 순위를 찾는 문제이므로 가중치 문제로 볼 수 있다.

가게	사과	포도	수박	멜론
A	1	2	0	3
B	2	1	1	1
C	0	3	2	2
D	1	0	0	4
E	1	4	3	0

가게	사과×4	포도×5	수박×2	멜론×3	합계
A	4	10	0	9	23
B	8	5	2	3	18
C	0	15	4	6	25
D	4	0	0	12	16
E	4	20	6	0	30

과일별 최저 금액을 0으로 잡고, 100원 차이마다 1을 부여하여 과일 개수만큼 곱하여 [가중치 보정]을 하면 위와 같다.
따라서 정답은 D 과일가게이므로 ④이다.

[06] - 금액계산 ①

금액계산 문제지만, 순위를 우선 찾아야 하므로 가중치를 적용한 후 금액을 계산하자.

가게	(사과+포도)×8	(수박+멜론)×10	합계
A	47 → 2 → 16	164 → 1 → 10	26
B	47 → 2 → 16	163 → 0 → 0	16
C	47 → 2 → 16	165 → 2 → 20	36
D	45 → 0 → 0	165 → 2 → 20	20
E	49 → 4 → 32	164 → 1 → 10	42

사과와 포도가 8개씩, 수박과 멜론을 10개씩 구매하므로
사과와 포도를 묶고, 수박과 멜론을 묶어서 [가중치 보정]을 할 수 있다. 이때 과일가게 B가 가장 저렴한 것을 알 수 있다.

(1) 백의 자리에서 판별할 수 있다.
(2) B 과일가게의 (사과+포도) = 700원, (수박+멜론) = 300원
   (사과+포도)×8개 : 700 × 8 = 600원
   (수박+멜론)×10개 : 300 × 10 = 0원
(3) 따라서 총액은 600원 + 0원 = 600원이므로 ①이다.
   ※ 순위를 먼저 찾은 후, 백의 자리만 계산하자.

[07] - 금액계산 ①

[빠른 해법]
 유니폼 : 7,200×15 + 6,800×15 = 4,000×15 = 0원
 축구화 : 3,550×10 + 1,300×5 = 5,500 + 6,500 = 2,000원
 정답은 ①

(1) 천의 자리에서 판별된다.
(2) 유니폼은 A를 15개, C를 15개 구매해야 하므로,
   (A+C)×15로 접근하면, 만의 자리부터 시작이므로 0원이다.
(3) 축구화는 B를 10개, A를 5개 구매해야 하므로,
   B : 23,550×10 = 3,550×10 = 5,500원
   A : 21,300×5 = 1,300×5 = 6,500원
   따라서 축구화는 5,500 + 6,500 = 12,000 = 2,000원이다.
따라서 정답은 552,000원인 ①이다.
 ※ 천의 자리만 확인하면 되므로, 만의 자리부터는 무의미하다는
   것을 깨달아야 한다.

[08] - 금액계산 ③

[빠른 해법]
 유니폼 : 6,840×30 = 40×30 = 0원
 축구화 : 3,550×10 + 0,070×5 = 0 + 50 = 50원
 정답은 ③

유니폼		축구화	
브랜드	가격 증감률	브랜드	가격 증감률
A	-5% → 6,840원	A	+10% → 23,430원
A최종	40원	A최종	30원
B	유지 → 7,000원	B	유지 → 23,550원
B최종	0원	B최종	50원
C	+5% → 7,140원	C	-10% → 20,070원
C최종	40원	C최종	70원

(1) 십의 자리에서 판별된다.
(2) 가격 증감률을 적용하면 위 표와 같다.
(3) 유니폼은 A를 30개, 축구화는 B를 10개, C를 5개 구매한다.
   유니폼 A : 40×30 = 0원
   축구화 B : 50×10 = 0원
   축구화 C : 70×5 = 50원
   즉, 총액은 0원 + 0원 + 50원 = 50원이다.
따라서 정답은 541,050원인 ③이다.
 ※ 십의 자리만 확인하면 되므로, 백의 자리부터는 무의미하다는
   것을 깨달아야 한다.

[09] - 시차 ④

동시에 회의하는 경우엔 표 형식으로 푸는 것이 좋다.

남아공(기준)	모스크바(+1)	서울(+7)
09:00(시점)	10:00	16:00
...	...	...
14:00	15:00	21:00
~	~	~
16:00	17:00	23:00
18:00(종점)	19:00	25:00

남아공을 기준으로 9시부터 18시까지 회의에 참석할 수 있다.
서울은 현지기준 21시부터 30시까지 회의에 참석할 수 있다.

남아공이 9시일 때, 서울은 16시이므로 서울이 참석 불가능하고,
남아공이 14시일 때, 모스크바는 15시, 서울은 21시로 모두
참석이 가능하다. 이때 2시간씩 참석 가능하므로 회의는
남아공 현지기준으로 오후 2시에 시작해야 한다.
따라서 정답은 ④이다.

※ [동시]에 회의를 하는 경우엔, 시간이 동시에 흐르므로
  시간의 흐름에 따라 함께 보는 것이 매우 중요하다.

[10] - 환율 ①

이 문제는 환율 문제라기보단 계산 요령[차이만 살피기] 문제라
보는 것이 좋다.

10월 18일에는 달러를 구매하므로 '살 때'만 고려.
10월 24일과 11월 3일에는 외화를 판매하므로 '팔 때'만 고려.

1,361원에 20달러를 구매 후, 1,344원에 15달러를 판매하고
1,309원에 5달러를 판매해야 한다.
이를 나눠서 생각하면 아래와 같다.

(1) 15달러를 1,361원에 구매 후 1,344원에 판매
→ 15 × (1,361 − 1,344) = 15 × 17 = 255원
(2) 5달러를 1,361원에 구매 후 1,309원에 판매
→ 5 × (1,361 − 1,309) = 5 × 52 = 260원

따라서 정답은 255원 + 260원 = 515원, ①이다.

최종 점검 고난도 해설

1.	②	11.	③
2.	①	12.	②
3.	④	13.	④
4.	②	14.	②
5.	⑤	15.	③
6.	④	16.	④
7.	③	17.	①
8.	④	18.	④
9.	④	19.	⑤
10.	③	20.	③

[01] – 소금물 ②

한줄풀이 : 5(300+b) = a(200) + 8(b) + 0(100) → b = 300g

한줄풀이 : 5(600) = a(200) + 8(300) + 0(100) → a = 3%

A 소금물의 농도를 a라 하고, B 소금물의 양을 b라 하자.

b의 2배가 300+b와 같으므로, 2b = 300+b이고 b = 300g이다.

b = 300g을 다시 대입하면 a = 3%이다. 따라서 ②이다.

　※ 아직 헷갈린다면 [소금물] 단원 복습하기

[02] – 거속시 ①

[빠른 해법]

$220 = (5 - V) \times 88 \quad \rightarrow \quad V = 2.5\text{m/s}$

철수가 새를 향해 쫓아가므로 [동시운동]이라 생각하자.

(1) 철수와 새의 거리는 220m이다.

(2) 새는 멈춰있고, 철수는 5m/s로 쫓아간다.

(3) 상류를 향해 가므로 강물(V)에 의해 속도가 감소한다.

따라서 식을 정리하면 $220 = (5 - V) \times 88$이다.

정리하면 $V = 2.5\text{m/s}$이므로 정답은 ①이다.

　※ [동시운동] 이므로 상대속도로 접근

　※ 아직 헷갈린다면 [거속시] 단원 복습하기

[03] – 경우의 수와 확률 ④

$$p = \frac{\text{전체} - \text{D끼리 이웃}}{\text{전체}} = \frac{\dfrac{7!}{3!2!} - \dfrac{4!}{2!} \times {}_5C_3}{\dfrac{7!}{3!2!}} = \frac{5}{7}$$

D가 이웃하려면, D가 3개 모두 이웃하거나 D가 2개만 이웃하는 경우를 고려해야 한다. 하지만 여사건으로 접근하면 D가 모두 이웃하지 않는 경우만 고려하면 되므로 여사건으로 접근하자.

　→ 이웃하지 않는 문제는 [나머지를 먼저 놓고 나열]하자.

같은 알파벳이 여러 번 등장하므로 [같은 것을 포함한 순열]도 고려해야 한다.

D	A	D	A	D	B	D	C	D

(1) A, A, B, C를 먼저 놓는 경우의 수는 $\dfrac{4!}{2!} = 12$가지

(2) D, D, D를 사이사이에 놓는 경우의 수는 ${}_5C_3 = 10$가지

　→ 여기서 D끼리 위치 바꾸는 건 의미가 없으므로 무시한다.

따라서 D끼리 이웃하는 경우의 수는 120가지이고, 전체 경우의 수는 같은 것을 포함한 순열로 $\dfrac{7!}{3!2!} = 420$가지이다.

$$p = \frac{\text{전체} - \text{D끼리 이웃}}{\text{전체}} = \frac{\dfrac{7!}{3!2!} - \dfrac{4!}{2!} \times {}_5C_3}{\dfrac{7!}{3!2!}} = \frac{5}{7}$$

　※ [순열]은 선택하고 나열하기인데, D끼리는 나열이 의미 없다.

　　이웃하지 않는 경우는 [나머지를 먼저 놓고 나열]로 접근

[04] – 가중평균 한줄풀이 ②

(1) 한줄풀이 : 50(72) = 5(x+12) + 15(x) + 30(66)

정리하면 $x = 78$점이다.

(2) 한줄풀이 : 20(y) = 5(90) + 15(78)

정리하면 $y = 81$점이다.

(1) 1~3등급으로 가중평균을 적용하여 1~2등급의 점수를 구한다.

(2) 1~2등급으로 가중평균을 적용하여 평균점수를 구한다.

　※ 아직 헷갈린다면 [가중평균] 단원 복습하기

[05] – 경우의 수와 확률 ⑤

(수능 4점 수준의 문제여서 못 풀어도 된다.)

(하지만 어렵게 나오면 충분히 나올 수 있는 난이도이다.)

9일 차에 5번 방으로 가기 위해선 총 8번 이동의 결과가
오른쪽으로 4회여야 하므로, 오른쪽을 O, 왼쪽을 X라 표현하면
O가 6번, X가 2번 등장해야 한다. (예를 들면, OOXXOOOO)

(같은 것을 포함한 순열과 비슷한 문제이다.)

문제의 상황을 보면 1번 방에서는 왼쪽으로 갈 수 없고,
5번 방에서는 오른쪽으로 갈 수 없다는 특징이 있다.
즉, 2일 차에는 반드시 오른쪽으로 이동해야 하고, 9일 차에도
반드시 오른쪽으로 이동해야 한다.
따라서 처음과 끝에는 반드시 O가 등장해야 한다.

그리고 만약 OX로 시작하면 다시 1번 방으로 돌아오기에
다음에는 O가 등장해야 하므로 반드시 OXO로 시작해야 한다.

전체 경우의 수를 정리하면 아래와 같다.

(1) OXO로 시작

O	X	O					O

남은 5~8일 차에 O, O, O, X를 임의로 나열하면 된다.

→ $\dfrac{4!}{3!}$ = 4가지

(2) OO로 시작

O	O						O

남은 4~8일 차에 O, O, O, X, X를 임의로 나열하면 된다.
(단, 여기서 O가 연속으로 5번 나오면 6번 방까지 가야 하므로
불가능하다.)

→ $\dfrac{5!}{3!2!}-1$ = 9가지

여기서 5일 차에 3번 방을 사용하는 경우는 위 그림에서
4번째 칸까지 왔을 때, O가 3개여야 한다.
(예를 들어, OOOX면 3번 방이기 때문이다.)

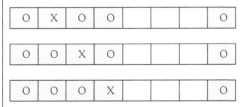

위 3가지 경우가 5일 차에 3번 방을 사용하는 경우이고,
6~8일 차에 O, O, X가 등장할 수 있으므로 각각 3가지씩 가능
하다. 따라서 5일 차에 3번 방을 사용하는 경우의 수는 9가지.

전체 경우의 수는 13가지이므로 정답은 $\dfrac{9}{13}$, ⑤이다.

[06] – 자료해석 ④

증가율이 매년 일정하다면 아래처럼 풀자.

계산 속도가 확실히 빨라진다.

20대 : (40,000 → 43,400) 즉, 증가율이 8.5%임을 알 수 있다.

+3,400이 8.5%이므로 한 번 더 증가하면
똑같이 3,400이 증가하고 3,400 × 8.5%만큼 더 증가한다.

따라서 2022년은 43,400 + 3,400 + (3,400 × 8.5%)

= 46,800 + (1,700 × 17%) = 46,800 + 289 = 47,089

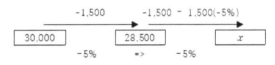

30대 : (30,000 → 28,500) 즉, 감소율이 5%임을 알 수 있다.

−1,500이 5%이므로 한 번 더 감소하면
똑같이 1,500이 감소하고 1,500 × 5%만큼은 증가한다.

따라서 2022년은 28,500 − 1,500 + (−1,500 × −5%)

= 27,000 + (1,500 × 5%) = 27,000 + 75 = 27,075

30,000		28,500		x

−5%   =>   −5%

따라서 정답은 ④이다.

※ 원리1 : 43,400 × 8.5%
= (40,000 + 3,400) × 8.5%
= (40,000 × 8.5%) + (3,400 × 8.5%)
= 3,400 + (1,700 × 17%)
= 3,689

※ 원리2 : 28,500 × −5%
= (30,000 − 1,500) × −5%
= (30,000 × −5%) + (−1,500 × −5%)
= −1,500 + (1,500 × 5%)
= −1,425

[07] 자료해석 ③

[푸는 순서]

(1) 옳지 않은 문제 → [어려운 선지], [매년 키워드]

(2) ④ → ③ → ① 순으로 풀기

[핵심 선지]

④ : (나) = 1,050kg이다.

2021년만큼 많이 증가한 연도는 2022년이므로

$\dfrac{120}{800}$ □ $\dfrac{130}{920}$ 의 분수 비교를 하면 계산하지 않아도

2021년이 더 크다. 따라서 옳은 선지이다.

③ : $\dfrac{900}{67}$ □ $\dfrac{820}{60}$ 의 분수 비교이다.

분모의 증가율은 10%↑, 분자의 증가율은 10%↓

B동이 더 크므로 틀린 선지이다. 따라서 정답은 ③

① : 전체기간 동안 폐의약품 수거량은 전체의 합이다.

2자리씩 끊어서 합산하자. (십+일의 자리) (천+백의 자리)

십+일 = 60 + 20 + 30 + 20 + 20 + 90 + 10 = 250

천+백 = 23 + 17 + 20 + 18 + 19 + 21 + 23 = 14,100

따라서 14,350이므로 옳은 선지이다.

※ [자료해석 – 10일 훈련] 단원 참고

[남은 선지]

⑤ : (가) = 1,340kg이다. A동의 수거량이 증가하는 연도는

눈으로만 봐도 2019년, 2022년, 2023년으로 3개 연도이다.

따라서 옳은 선지이다.

② : (가) = 1,340kg, (나) = 1,050kg이므로 차이는 290kg이다.

따라서 옳은 선지이다.

※ 옳지 않은 문제이므로 [어려운 선지], [매년 키워드]에

집중한다.

[08] 자료해석 그래프 ④

[푸는 순서]

(1) 그래프+않은 문제 → [2~4번 집중], [응용자료 집중]

(2) ② → ④ → ③순으로 풀기

(3) 증감 추세부터 확인 후, 정확한 값 비교

[핵심 선지]

② : 수거량의 증감량이므로 응용자료이다.

주목할 포인트는 2가지이다.

(1) 21년 vs 22년 : 누가 더 큰가?

→ 21년(120) vs 22년(130)이므로 옳다.

(2) 23년 : 정확히 50에 걸치는가?

→ (나) = 1,050이므로 정확히 50 증가했으므로 옳다.

따라서 옳은 선지이다.

(물론 다 봐야겠지만, 이 정도면 옳다고 보고 넘어갈 만하다.)

④ : 기초자료끼리의 차이를 묻는 선지이므로 응용자료이다.

우선 증감 추세부터 확인하면, 감-증-감-감-증-감이다.

빈칸에 해당하는 (가) : 2017년, (나) : 2022년에 주목하자.

17년 : (가) = 1,340kg이므로 300 이상 차이 난다.　　(O)

22년 : (나) = 1,050kg이므로 90 차이 난다.　　(X)

23년 : 차이가 110이므로 틀린 그래프이다.　　(X)

따라서 틀린 선지이고, 정답은 ④이다.

③ : 기초자료끼리의 차이를 묻는 선지이므로 기초자료이다.

우선 증감 추세부터 확인하면, 유-감-감-증-증-증이다.

추가로 주목할 포인트는 2가지이다.

(1) 17년 vs 18년 : 같은가?

→ 맞다.

(2) 21년과 23년 : 정확히 130, 145인가?

→ 맞다.

따라서 옳은 선지이다.

[남은 선지]

① : A동과 B동 모두 감소-증가-감소인지 주목

⑤ : A동은 감소 후 같다가 증가, B동은 같다가 증가에 주목

※ [공부법 – 자료해석 그래프 유형 접근법] 단원 참고

※ 그래프 문제는 옳은 선지보다 틀린 선지를 찾는 것이

훨씬 쉽고 빠르다. 따라서 최대한 증감 추세와 핵심 항목의

값을 보는 게 좋다. (핵심 항목에서 틀리게 내기 때문)

[09] 자료해석 ④

[푸는 순서]

(1) ㄱㄴㄷ합답형 → [쉬운 조건], [선지 구성 확인]

(2) ㄹ부터 풀고, 선지 소거 후 ㄷ 풀기

[핵심 조건]

ㄹ : C마트와 F마트의 대소비교이므로 비교적 쉬운 조건이다.

$\dfrac{276}{522}$ □ $\dfrac{301}{584}$ 을 비교하자.

분모의 증가율은 10%↑, 분자의 증가율은 10%↓
C마트가 더 크므로 ㄹ은 옳은 조건이다.

ㄷ : 가평균을 29,300으로 잡고 편차 합의 부호를 보자.

A	B	C	D	E	F	편차합
-1.3	+2.7	-1.7	-1.1	+0.2	+0.8	-0.4

편차 합이 음수이므로 평균은 29,300천 원보다 작다.
따라서 ㄷ은 틀린 선지이다.

(정확한 계산 : 평균 = $29,300 - \dfrac{400}{6} = 29,233$천 원)

※ [응용수리 – 가평균] 단원 참고
　평균 계산은 거의 다 가평균으로 접근하면 된다.

ㄹ이 맞고 ㄷ이 틀렸으므로 정답은 ㄴ, ㄹ이다. 정답은 ④이다.

[남은 조건]

ㄱ : 매출총이익률이 50%보다 크려면, (매출총이익 > 매출원가)
조건을 만족해야 한다.
(나) = 28,300이므로 D마트는 50%보다 작다.
따라서 ㄱ은 틀린 조건이다.

ㄴ : 나눗셈의 정확한 계산을 요구하므로 귀찮은 조건이지만,
A마트만 계산하면 되므로 해볼 만한 조건이다.

(가) = 28,000이므로 $\dfrac{28}{54}$ 을 계산하면 된다. (52% 가져오기)

$54 \times 52\% = 28.08$이다. 여기서 0.1%를 빼면 23.026이다.
따라서 51.9%는 23.026이므로 51.9%가 맞다.
ㄴ은 옳은 조건이다.

(54의 51.9% = $\underline{23 + 0.026}$, 54의 51.8% = $\underline{23 - 0.028}$)

※ 나눗셈을 나눗셈 대신 곱셈으로 접근하기

※ ㄱㄴㄷ합답형 문제이므로 [쉬운 조건]과 [선지 구성]에
　집중한다. 가장 쉬운 ㄷ 또는 ㄹ부터 풀고, 소거한 후에
　이후에 더 쉬운 조건을 선택한다.

[10] 자료해석 그래프 ③

동일그래프 문제는 <u>핵심 항목을 하나씩 소거하는 것</u>이 중요하다.

[푸는 순서]

(1) 동일그래프+옳은 문제 → [핵심 항목 하나씩 소거하기]

(2) B마트 vs C마트 대소비교 → ①, ③, ⑤ 남음

(3) B마트가 50%인지 확인하기 → ③, ⑤ 남음

(4) E마트 vs F마트 대소비교 → 정답은 ③

[핵심 선지]

• 매출총이익 : 매출원가의 비율이므로 둘을 비교하면 된다.

(2) : B마트 vs C마트는 $\dfrac{320}{295}$ □ $\dfrac{276}{246}$ 의 대소비교이다.

분모의 증가율은 약 20% (25를 20번 곱하면 약 49)
분자의 증가율은 약 16% (27을 16번 곱하면 약 44)
따라서 C마트가 더 크므로, ②, ④는 소거하자.

(3) : B마트는 320 : 295이므로 50%보다는 확실히 크다.
따라서 ①은 소거하자.

(4) : E마트 vs F마트는 $\dfrac{295}{272}$ □ $\dfrac{301}{283}$ 의 대소비교이다.

분모의 증가율은 약 4% (272를 4번 곱하면 약 11)
분모의 증가율은 약 2% (295를 2번 곱하면 약 6)
따라서 ⑤는 소거하자.

종합적으로 정답은 ③이다.

※ 동일그래프 문제는 소거식으로 푸는 것이 중요하다.

[11] – 참거짓 논리 ③

4명은 진실, 1명은 거짓이므로 4 : 1 문제이다.

여기서 병이 무를 거짓으로 지목하였으므로 1 : 1을 가져간다.

따라서 갑, 을, 정은 3 : 0이므로 모두 진실이다.

(무는 3층에 거주하고, 갑은 3층에 거주할 수 없다.)

무	

표를 그렸을 때, 경우의 수가 매우 많으므로 바로 선지를 확인하는 것이 좋다. (② → ③ → ④ 순으로 보고 싶다.)

[핵심 선지]

② : 병을 1층에 두면, 갑은 2층에 고정된다.

하지만 을과 정은 고정되지 않으므로 틀린 선지이다.

무	
갑	
병	

③ : 을을 2층에 두면, 갑은 1층에 고정되고, 병은 3층에

고정된다. 따라서 정은 1층에 고정된다.

정이 1층에 거주하므로 무의 말은 진실이고, 옳은 선지이다.

무	병
을	
갑	정

④ : 무가 진실이라면, 정은 1층에 고정된다.

갑이 1층이라면, 을과 병은 모두 가능하므로 2가지

갑이 2층이라면, 을과 병은 모두 가능하므로 2가지

따라서 총 4가지이므로 틀린 선지이다.

무	병/을
을/병	
정	갑

무	병/을
갑	
정	을/병

※ 남은 선지는 각자 채워보자.

[12] – 참거짓 논리 ②

2명은 진실, 2명은 거짓이므로 2 : 2 문제이다.

여기서 D가 C를 거짓으로 지목하였으므로 1 : 1을 가져간다.

따라서 남은 A와 B도 1 : 1을 가져간다.

만약 B가 진실이라면, A는 거짓이다. 이때 B와 C 모두 범인이 아니므로 범인이 3명이라는 기본 조건에서 모순이 발생한다.

따라서 B는 항상 거짓이다. (그에 따라 A는 항상 진실이다.)

(1) C가 진실, D가 거짓인 경우

→ A와 B의 말에 의해, B와 C가 범인이다.

→ C의 진실에 의해 D가 범인이다.

→ 따라서 B, C, D가 범인이다.

(2) C가 거짓, D가 진실인 경우

→ A와 B의 말에 의해, B와 C가 범인이다.

→ C의 거짓에 의해 D가 범인이 아니다.

→ A는 범인인지 아닌지 모르지만, 가능성이 있다.

→ 따라서 A, B, C가 범인이거나, 모순이다.

위 상황을 고려했을 때, 항상 범인인 사람은 B와 C이므로 정답은 ②이다.

※ 짧은 것에 비해 생각보다 어려운 문제이다.

[13] – 명제 논리 ④

(1) 피자를 먹는 경우 : 최대 5가지

피자 → 콜라

피자 → 핫윙

햄버거X → 고구마 + 감자

(2) 치킨을 먹는 경우 : 최대 4가지

치킨 → 콜라

햄버거X → 고구마 + 감자

따라서 정답은 5가지이므로 ④이다.

※ 전체적으로 대우를 활용하도록 낸 문제이다.

[14] – 명제 논리 ②

표 그리기 문제는 우선 놓아봐야 한다.

(1) 갑이 1번(5번)에 앉고, 무는 3번에 앉는 경우

갑	병/정	무	을	정/병

→ 정은 을 또는 무와 이웃하지 않아야 하므로 모순이다.

(2) 을이 1번(5번)에 앉고, 정은 3번에 앉는 경우

을		정		

→ 병과 정 사이에 2명이 앉을 수 없으므로 모순이다.

• 따라서 갑과 을 모두 양 끝에는 앉을 수 없다.

(3) 병이 1번(5번)에 앉는 경우

병			정	무

→ 정과 무가 이웃하므로 모순이다.

(4) 정이 1번(5번)에 앉는 경우

정	갑	을	병	무

→ 정과 을은 이웃하지 않으므로 을이 3번에 앉아야 한다.

따라서 정답은 을이므로 ②이다.

※ 해설은 자세하게 보여주느라 길어 보이지만, 실제로는 훨씬 빨리 풀 수 있어야 한다.

[15] – 문제해결 특수 ③

특수 문제이므로 자료를 적당히 채운 후 선지로 내려가서 문제 상황을 이해하자.

갑, 무, 기가 같은 팀이므로, 을, 병, 정도 같은 팀이다.
여기서 을이 팀에서 1위를 했으므로, 2위는 병 또는 정이다.
기본적인 전제는 아래와 같다.
(1) 정이 3위라면, 갑도 3위여야 한다.
(2) 정이 2위라면, 갑도 토너먼트에 진출한다.
즉, 갑과 정은 토너먼트에 같이 진출하거나 떨어진다.
이제 선지를 확인하자. (⑤ → ④ → ③ 순으로 확인하자.)

[핵심 선지]

⑤ : 을의 전체 경기 횟수가 3회면서 무가 리그전에서 떨어지는 반례를 찾아보면, 아래와 같다.

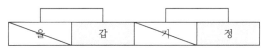

무를 떨어트리고 갑과 정을 결승에 보낼 수 있기에 모순이다.

④ : 병의 전체 경기 횟수가 3회면서 을을 4강에서 떨어지는 반례를 찾아보면, 아래와 같다.

을 또는 무가 결승전에 진출하므로 항상 옳은 것은 아니다.

③ : 기의 전체 경기 횟수가 3회라면, 기는 4강에서 떨어지는 것이다. 기의 경기 횟수는 병보다 많아야 하므로 병은 리그전에서 떨어져야 한다.

기가 4강에서 떨어지면 정은 결승에 올라가고, 정과 갑의 경기 횟수가 같으므로 갑도 결승에 올라간다. 즉, 을과 기가 함께 4강에서 떨어지므로 둘 다 0점을 얻는다. 따라서 정답은 ③이다.

[남은 선지]

② : ③의 경우처럼 갑과 정이 함께 결승에 가서 정이 우승하면 2점을 받을 수 있으므로 틀린 선지이다.

① : 갑과 정은 같이 떨어지거나 결승에서 만나야 한다. 즉, 갑이 결승에 간다면 정이 올라오므로 틀린 선지이다.

※ [문제해결 특수] 유형은 생소한 자료를 보고 이해해야 하므로 실전에선 시간 소비하지 말고 최대한 뒤로 미루자.

[16] - 환율 ④

이 문제는 환율 문제라기보단 계산 요령[차이만 살피기] 문제라
보는 것이 좋다.

3월 8일에는 외화를 구매하므로 '현금 살 때'만 보면 되고,
3월 11일에는 외화를 판매하므로 '현금 팔 때'만 보면 된다.
(만약 1달러를 구매 후 판매한다면, 1,334 − 1,309 = 25원만큼
손해를 보는 것이다.)

통화별로 1단위마다 손해 금액은 각각 아래와 같다.
　1달러 = 25원　　　　1유로 = 29원　　　　1위안 = 32원
즉, 통화량이 같다면 달러를 많이 구매할수록 손해를 적게 보고,
위안을 많이 구매할수록 손해를 많이 본다.

A~E 모두 통화를 3,000단위로 구매하므로 계산할 필요 없이
구성을 비교하면 된다.
(1) 손해 금액이 가장 많은 사람은 위안의 비중이 가장 큰 E임을
쉽게 알 수 있다.
(2) 손해 금액이 가장 적은 사람은 달러의 비중이 가장 큰
B와 C 중에서 다음으로 유로의 비중이 큰 B임을 알 수 있다.

따라서 정답은 순서대로 E, B이므로 ④이다.
※ 정확히 비교하기 위해선 A와 B를 다시 비교해야 한다.
A는 (29원×3) = 87원, B는 (25원×2 + 32원×1) = 82원으로,
유로가 조금 더 저렴했다면 A가 가장 적은 사람이 된다.

[17] - 가중치 ①

흔한 가중치 문제이므로 편하게 [가중치 보정]을 적용하면 된다.

지원자	필기보정	면접보정	가산점	보정점수
A	2.0	0	10점	12점
B	0.8	3.0	5점	8.8점
C	3.6	6.0	0점	9.6점
D	0	4.8	5점	9.8점
E	1.2	3.6	8점	12.8점

위처럼 가중치 보정을 하면 E 〉A 〉D 〉C 〉B로,
최종점수 2등은 A임을 알 수 있다. 따라서 정답은 ①이다.

[18] - 가중치 ④

위 표에서 1등은 E이고, 5등은 B이다. 둘의 최종점수 차이는
4점이므로, B는 가산점을 추가로 4점을 받아야 한다.

4점을 받으면 최종점수가 E와 같아지는데 동점자 발생 시,
필기 원점수가 더 높은 사람이 합격하므로 E(82) 〉B(81)이다.
가산점을 5점 받아야 E보다 1점 더 높은 점수로 1등 하게 된다.
따라서 정답은 ④이다.

[19] - 금액계산 ⑤

(1) 십만의 자리에서 판별된다.
　→ 0을 4개 붙이면 사실상 십의 자리와 같다.
(2) 십만의 자리는 6자리까지만 살피면 된다. (예시 100,000)
(3) 경품별 금액 중 십만의 자리(6자리)까지만 살피자.

A	B	C	D	E	F	G	H	I	J
X	05	46	15	72	20	38	80	28	X

A와 J는 무시할 수 있고, 나머지를 더하면 아래와 같다.
　　05 + 46 + 15 + 72 + 20 + 38 + 80 + 28
　= 51 + 87 + 58 + 08 = 38 + 66 = 04
따라서 정답은 040,000원인 ⑤이다.
※ 가격×개수에서 십만의 자리까지만 계산하면 된다.

[20] - 시차 ③

고난도지만 출제될만한 수준의 난이도이다.
이 문제는 중간에 회의가 들어가 있으므로, 서울에 도착한
시간부터 역순으로 생각하는 것이 좋다.

[빠른 해법]
30일 15시 ← 29일 17시 ← 28일 11시 ← 28일 9시
← 27일 18시 ← 27일 11시 ← 26일 18시이므로 정답은 ③

역순으로 풀이하면 아래와 같다.
(1) 모스크바에서 서울로 비행하면 [비행시간+시차]에 의해
　[16+6] = 22시간이 걸린다.
　30일 15시에서 22시간을 빼면 29일 17시이다.

(2) 모스크바에서 30시간 자유여행을 하므로 29일 17시에서
　30시간을 빼면 28일 11시이다.

(3) 모스크바에서 업무시간에만 8시간 회의를 진행해야 한다.
　따라서 28일에는 9시~11시(2시간) 회의를 한다.
　그리고 27일에는 11시~18시(6시간) 회의를 한다.
　즉, 모스크바에 도착한 시간은 27일 11시이다.

(4) 런던에서 모스크바로 비행하면 [비행시간+시차]에 의해
　[14+3] = 17시간이 걸린다.
　27일 11시에서 17시간을 빼면 26일 18시이다.

따라서 런던에서 26일 18시에 출발해야 서울에 30일 15시까지
도착할 수 있다. 정답은 ③이다.
※ 아직 헷갈린다면 [시차] 단원 복습하기

완독하시느라 수고하셨습니다.

NCS는 누구나 풀 수 있지만, 빨리 풀기는 힘든 시험입니다.
그래서 성적이 오르지 않는 시기가 찾아옵니다.
이때 필요한 것이 문제 풀이 시간을 단축하는 풀이 비법입니다.

이 책을 2회독・3회독을 하면서 풀이 비법을 몸소 익히고,
더불어 실전 모의고사를 병행하시면 비약적인 성적 상승이 보일 것입니다.

아직 이해가 되지 않는 부분이 있다면 언제든 하단의 이메일로 문의 주세요.
문의에 대한 답변은 네이버 블로그로 올리겠습니다.
(서로이웃 대상자만 공개이니, 꼭 서로이웃 신청해 주세요.)

– 보석같은 –

• QnA 및 서로이웃 신청 이메일 : misss1085@naver.com

• 보석같은 네이버 블로그 : https://blog.naver.com/misss1085

• 보석같은 네이버 블로그 QR :

보석같은 블로그

보석같은 고난도 NCS : NCS 점수를 비약적으로 올리는 비법

초판 1쇄 발행 2023년 12월 13일

지은이_ 박준혁(보석같은)

펴낸이_ 김동명
펴낸곳_ 도서출판 창조와 지식
디자인_ 박준혁
인쇄처_ (주)북모아

출판등록번호_ 제2018-000027호
주소_ 서울특별시 강북구 덕릉로 144
전화_ 1644-1814
팩스_ 02-2275-8577
ISBN 979-11-6003-677-0 (13000)
정가 23,000원

지식의 가치를 창조하는 도서출판 창조와 지식
www.mybookmake.com